Dec 19
$ 3-

11 / 21

François,
seul contre tous

Arnaud Bédat

François,
seul contre tous

Enquête sur un pape en danger

Flammarion

© Flammarion, 2017
ISBN : 978-2-0813-8856-7

À la mémoire de Jean-Pierre Coffe,
qui me manque.

À François Lachat,
en nos périphéries.

« *Que l'on m'assassine est la meilleure chose qui puisse m'arriver.* »

Pape François
(à un prêtre argentin, novembre 2014)

Prologue

C'était une odyssée papale qui devait ressembler à toutes les autres. L'Airbus A321 d'Alitalia venait de décoller et volait paisiblement à son rythme de croisière, à 11 000 mètres d'altitude, fendant le ciel et l'atmosphère entre Erevan et Rome. À bord, ce dimanche 26 juin 2016, le pape François achevait son quatorzième périple apostolique en dehors de l'Italie depuis son élection le 13 mars 2013. Après deux nuits passées en Arménie, où il avait notamment dénoncé la corruption minant le plus ancien pays chrétien de l'Histoire, le pontife argentin semblait montrer quelques petites traces de fatigue et de lassitude. Mais, surtout, il paraissait plus songeur qu'à l'accoutumée, envahi et pénétré de pensées profondes. Certains crurent même deviner, ce jour-là, comme une légère irritation, qu'il masquait derrière un visage faussement calme et inexpressif, en bon jésuite aguerri à toutes les tempêtes qu'il est.

François l'Argentin était assis au premier rang de l'appareil, comme à chacun de ses déplacements en avion. Dans quelques minutes, l'homme en blanc le plus célèbre au monde allait s'adresser aux journalistes qui l'accompagnaient, le point d'orgue de chaque vol papal à travers le monde, du Brésil à l'Albanie, du Paraguay à la Turquie.

11

Être à bord de l'Airbus A321 d'Alitalia, parmi la petite soixantaine de journalistes, photographes et cameramen du monde entier, tient à la fois du privilège et, il faut bien l'avouer, que l'on soit croyant ou pas, du miracle. Le saint des saints, le Graal de la profession, *the place to be*, où tout reporter rêve de se trouver au moins une fois dans sa vie.

Il a fallu, bien sûr, s'armer de patience, faire preuve de ténacité pour être de l'équipée et, évidemment, régler rubis sur l'ongle son billet, comme chaque participant. Il a fallu aussi être un peu béni des dieux ! Les places sont rares, donc recherchées et convoitées, l'essentiel de l'avion étant occupé par des vaticanistes et spécialistes bien connus, installés depuis de longues années sur leurs sièges et quasiment « abonnés à vie » aux déplacements pontificaux. Pour les nouveaux venus, le Vatican accorde donc les sésames au compte-gouttes.

Mais être le nouvel élu du « club Pontifex Platinum » constitue aussi une épreuve du feu. Car faire partie de la petite famille du « *volo papale* », c'est pénétrer dans un univers hors du temps, avec ses codes, ses règles et ses coutumes à respecter. Des usages toujours non dits et jamais écrits, en dehors de l'engagement formel – que l'on doit signer – de respecter les embargos sur les discours, les homélies et les allocutions du pape, qui sont autant de textes traduits en plusieurs langues et remis quelques heures à l'avance. Une espèce de cocon aussi, avec sa chaleur apaisante, son apparente décontraction, entre colonie de vacances sélecte et clan très fermé où chacun tient à garder ses privilèges durement acquis. Mais un théâtre feutré également où chacun joue son rôle, entre ceux qui arrivent et ceux qui vont bientôt partir, avec son cortège de personnalités diverses – du discret et vieux journaliste russe de l'agence Tass, habitué de la ligne aérienne papale, à la charmante correspondante de CNN au Vatican fraîchement en poste –, ses généreux coups de main entre collègues, ses tuyaux qu'on se refile, ses bons plans en tous genres et parfois, bien sûr, ses petites mesquineries voire trahisons. Car les journalistes sont aussi à l'occasion, bien entendu, des pécheurs parmi les pécheurs.

Être « *embedded* » (anglicisme en vogue, rappelons-le, depuis la première guerre du Golfe, qui signifie « journaliste embarqué ») à bord du vol spécial d'Alitalia, qui porte invariablement le numéro AZ4000 à l'aller et AZ4001 au retour, c'est l'assurance de se trouver au plus près de Sa Sainteté et de son entourage immédiat : les évêques et archevêques, dont le secrétaire d'État Pietro Parolin, le « Premier ministre » du Vatican, mais aussi le fin et espiègle Angelo Becciu, numéro 3bis, si l'on ose dire, de l'appareil d'État du Saint-Siège, ancien nonce à Cuba, sans oublier l'incontournable majordome Pierluigi Zanetti, toujours aux côtés du pape dont il arrive à décoder le moindre froncement de sourcils, ni bien sûr sa sécurité personnelle, parmi laquelle officient deux gardes suisses, dont le vice-commandant fribourgeois et francophone Philippe Morard, qui assure régulièrement la protection rapprochée du souverain pontife durant les étapes qui émaillent chacun de ses déplacements en dehors d'Italie. Durant le vol, le pape François prend son temps avec chacun, répond aux questions, bénit les photos de famille de certains correspondants, accepte les lettres personnelles qu'on lui glisse, signe même quelques autographes à ceux qui lui en font la demande. L'occasion, par exemple, pour moi, de lui remettre parfois des photos de sa famille et de ses amis réalisées en Argentine ou une boîte de ses pralinés préférés, au *dulce de leche*, en provenance directe d'une petite boutique qu'il adore à Buenos Aires, le long de la calle Maipu.

Faire partie de la cohorte des privilégiés à bord d'« Air Pope One », c'est, enfin, la certitude de voir le pape de près, de très près. On le sent vivre, on l'entend presque respirer. Ses moindres faits et gestes peuvent être scrutés, analysés, disséqués. Et, au final, à l'observer sans relâche, on a la confirmation de retrouver cette bonté, cette profondeur spirituelle et cette malice qui caractérisaient déjà l'ancien archevêque de Buenos Aires, attentif aux uns et aux autres, toujours à l'écoute, apportant réponses et réconfort, capable d'être séduit et agacé par un détail et de trancher dans le vif. En laissant parfois échapper de petites phrases, de manière presque intuitive mais toujours mûrement réfléchie, rarement jetées au hasard. Son visage est serein et il vous fixe profondément, avec bonté.

Ce jour-là, le Saint-Père prit le micro que le père Federico Lombardi, le chef de la salle de presse du Vatican, lui tendait et nous délivra les pensées qui le tenaillaient.

Sur l'Europe d'abord, sur les gays ensuite, sur le mot « génocide » qu'il avait bien prononcé contre toute attente en Arménie... tout se déroulait donc le plus normalement du monde. Mais la surprise était à venir. Alors qu'on le questionnait sur le pape émérite Benoît XVI qui, quelques heures plus tard, allait fêter au Vatican les 65 ans de son ordination sacerdotale, François commença par répondre avec une grande douceur avant de porter de manière inattendue un coup cinglant : « C'est une grâce que d'avoir à la maison le sage grand-père. Quand je lui dis cela, il rit ! Je n'oublierai jamais le discours qu'il a adressé aux cardinaux le 28 février 2013 : "Il y a parmi vous mon successeur, je promets obéissance", et il l'a fait. Puis j'ai entendu dire, mais je ne sais pas si cela est vrai, que quelques-uns sont allés le voir pour se lamenter sur le nouveau pape et il les a chassés ! De la meilleure manière, bavaroise, éduquée, mais il les a chassés... »

Deux jours plus tard, le 28 juin, il enfonçait le clou pour le quotidien argentin *La Nación*. Oui, dit-il, Benoît XVI était bien « un révolutionnaire ». Et d'évoquer ses propres ennemis tapis dans l'ombre au Vatican, les « ultraconservateurs de l'Église ». Et le pape d'affirmer qu'ils font leur travail et que lui fait le sien : « Je désire une Église ouverte, compréhensive. (…) Ils disent non à tout. Je continue tout droit sur ma route, sans regarder de côté. Je ne coupe pas des têtes. Je n'ai jamais aimé faire cela. Je le répète : je refuse le conflit. »

Voilà, le décor est planté. Les choses sont dites, presque reconnues officiellement : une guerre fratricide se joue sous nos yeux. François le sait, et il ne le cache pas. Le combat avait eu raison de Benoît XVI qui ne se sentait plus la force de se battre, sombrant dans une sorte de dépression. François, lui, contre-attaque, en fin stratège, et dénonce au grand jour une opposition puissante au sein même du Vatican.

Combien sont-ils, qui sont-ils ? Derrière les sourires affables, une partie des princes de l'Église, dont certains durs à cuire, supportent de plus en plus mal ce pape venu « du bout du monde » qu'ils ont élu et qui est porteur des espoirs de la chrétienté. Pour nombre d'entre eux, François, désormais, est devenu le diable en personne, le fossoyeur qui va enterrer définitivement l'Église. Une guerre sans merci, larvée, feutrée, mais bien réelle, s'est déclenchée.

Adulé, François règne sur 1,3 milliard de catholiques à travers le monde, mais est un homme seul. Seul contre tous. Contre les puissants et la corruption des États qu'il dénonce, contre les mafias qu'il excommunie, contre la Curie romaine qu'il malmène, contre l'État islamique qui le menace, contre les marchands d'armes qu'il défie, contre les trafiquants de femmes qu'il stigmatise, contre « l'idolâtrie de l'argent » et « l'économie tueuse » qu'il vomit, contre certains milieux traditionalistes catholiques qu'il déstabilise, contre les pollueurs de tout poil qui détruisent la planète…

« C'est le pape du monde de la globalisation, dira de lui l'écrivain italien Umberto Eco, non-croyant revendiqué. Il représente quelque chose d'absolument nouveau dans l'histoire de l'Église. Peut-être même dans l'histoire du monde[1] », s'enthousiasmant encore devant ce souverain « de l'ère internet ».

Audacieux, le pape François désacralise l'Église-institution, car c'est d'abord Dieu, à ses yeux, qui est sacré. Il la veut moins mondaine. Il souhaite faire aussi la part belle aux exclus, aux marginaux, aux plus pauvres, aux homosexuels, aux divorcés remariés, aux immigrés et aux réfugiés. Il est le porte-voix de tous les opprimés de la planète. Pour la première fois, avec lui, l'Église invite à « comprendre ». Il n'y a plus l'Église des bons et des mauvais, une Église qui condamne au nom de la morale, mais une Église pour tous, où chacun peut entrer et être le bienvenu. Le pape milite clairement pour « un accueil, non un jugement », citant volontiers la Bible et l'évangéliste Luc : « Il y a plus de joie dans le ciel pour un seul pécheur converti que pour quatre-vingt-dix-neuf justes qui n'ont pas besoin de repentance. »

François fait tomber les masques et veut changer le monde en changeant les cœurs. Mais il sait aussi que le temps est compté : « J'ai la sensation que mon pontificat sera bref, disait-il en mars 2015. Quatre ou cinq ans, je ne sais pas, deux ou trois, peut-être. Bon, deux ans sont déjà passés. C'est une sensation un peu floue... J'en parle, mais peut-être que ce ne sera pas le cas. C'est comme quelqu'un qui joue et se convainc alors qu'il perdra pour ne pas être déçu ensuite. Et s'il gagne, il est content. J'ai la sensation que Dieu m'a placé

---

1. *La Nación*, Buenos Aires, 28 septembre 2013. Entretien avec Elisabetta Piqué.

ici pour quelque chose de bref, rien de plus… Mais c'est seulement une sensation[1]. »

« Ce qui rend ce pape si important, écrivait *Time* en le sacrant « Homme de l'année » en 2013, est la rapidité avec laquelle il a capté les imaginations de millions de personnes qui avaient renoncé à espérer quelque chose de l'Église. » De fait, les grands de ce monde se bousculent pour lui rendre visite au Vatican, tandis qu'il cherche, lui, à rencontrer les petits, les sans-abri, les prisonniers, ceux qui se trouvent dans ce qu'il appelle « les périphéries géographiques et existentielles ».

Rares sont ceux qui osent le défier ouvertement, mais chacun en prend pour son grade. Cet acteur politique global semble donc inclassable. Plus radical que les écologistes modérés, plus franc que bien des syndicalistes, il attaque en même temps la « mondanité » et parle du diable ou de l'Enfer comme aucun pape moderne ne l'avait plus fait. Il est un souverain pontife prophétique. Un Saint-Père qui clame et proclame sans cesse, à temps et à contretemps, la radicalité absolue de l'Évangile ! Sans laisser apparaître aucun signe de lassitude, Jorge Mario Bergoglio paraît plus déterminé que jamais et sans la moindre intention de céder la place avant la fin de sa révolution programmée. Son temps est limité, il le sait, il le dit. Audacieux, déroutant, inattendu, il saute dans un avion pour l'île de Lampedusa, où débarquent des dizaines de milliers de migrants venus d'Afrique après une traversée terrifiante de la Méditerranée, ou bien il tranche dans le vif autour de lui, congédiant sans ménagement ceux qui fautent ou se prennent les pieds dans le tapis, secrétaire d'État, puissants cardinaux ou commandant de la Garde suisse.

---

1. Entretien avec Valentina Alazraki pour la chaîne mexicaine Televisa, 6 mars 2015.

François sera-t-il le dernier des papes, comme l'annonce la célèbre prophétie de saint Malachie ? Traduite du latin, elle dit ceci : « Dans la dernière persécution de la sainte Église romaine siégera Pierre le Romain qui fera paître ses brebis à travers de nombreuses tribulations. Celles-ci terminées, la cité aux sept collines [Rome] sera détruite, et le Juge redoutable jugera son peuple. » Quelques lignes, datant de la fin du XVIe siècle, qui enflamment toujours les esprits, malgré leur caractère apocryphe. Donc, François est-il le pape de la fin des temps ?

Certains semblent y croire dur comme fer, en grande majorité sur la Toile, déversoir infini des délires les plus fous. Mais cela est plus inquiétant lorsqu'une députée américaine, membre de la Chambre des représentants du New Hampshire, partisane fervente du nouveau président américain Donald Trump, va jusqu'à qualifier d'« Antéchrist » le pape François, avec un aplomb inébranlable, sur sa page Facebook. Ou lorsque, dans le même genre, certains sites évangéliques américains déglinguent « *the pope Francis* » avec un bonheur indicible, trop contents de pouvoir lui régler son compte et de semer le doute à grand renfort de prétendues analyses de prophéties, Malachie, Jean XXIII et Nostradamus en tête.

Certains partisans de la théorie du complot se vautrent même dans le « pouvoir occulte » des Jésuites, trop contents de barboter avec les Illuminati, du nom des membres d'une supposée société secrète de « Maîtres du monde » qui auraient infiltré le Vatican, mettant en péril les fondements mêmes de la chrétienté. Une fable bien huilée, chère à Dan Brown et à son *Da Vinci Code*, best-seller traduit dans le monde entier.

En fait, plus sérieusement, et jusqu'à preuve du contraire bien sûr, les sataniques maîtres de l'invisible ne semblent pas avoir un grand rôle dans cette révolution papale programmée : il s'agit d'abord, plus concrètement, d'un gigantesque thriller, et en même temps d'une redoutable partie d'échecs. Qui, tous deux, se jouent aujourd'hui à Rome avec pour cible Jorge Mario Bergoglio.

Durant ce vol pas comme les autres de retour d'Arménie, le pape François s'épanchera encore, comme rarement. « Je me souviens de la culture de Buenos Aires quand j'étais enfant, la culture catholique fermée, j'en viens… », confie-t-il de sa petite voix douce, évoquant la rigidité passée de l'Église face aux exclus et aux différences. À plusieurs reprises, il émaille son discours d'allusions à sa terre natale, par exemple en parlant du génocide arménien, « reliant cela avec [son] passé argentin », et à la vision qu'il en avait alors, comme si, après trois ans de pontificat et à bientôt 80 ans – il les a fêtés depuis, le 17 décembre 2016 –, il ressentait à la fois un manque et un début de nostalgie.

Et surtout, comme si les souvenirs de son passé revenaient en vrac, un peu pêle-mêle, de manière puissante. « Pour qu'on m'écoute, j'ai dû quitter l'Argentine et devenir pape[1] », avait-il glissé malicieusement à l'oreille d'un ami proche, peu après son élection sur le trône de saint Pierre. Car c'est bien là-bas, à 11 000 kilomètres de Rome, que se situe le théâtre de ses premiers combats, de ses premiers coups, de ses premières batailles. C'est bien là-bas, dans sa chère ville de Buenos Aires, que tout a commencé. Quand il n'était encore qu'un certain Jorge Mario Bergoglio…

---

1. Confidence à l'auteur, Rome, juillet 2015.

Chapitre 1

Un retour à Buenos Aires

« Méfiez-vous, Jorge, les Borgia sont toujours au Vatican. »

Alicia Oliveira,
ancienne juge et avocate, amie du pape

Comme un lendemain de fête, ce matin-là, Buenos Aires a la belle gueule de bois. En ce mois d'août 2016, devant la cathédrale, sur la fameuse Plaza de Mayo, où dorment quelques sans-abri dans des cartons et des couvertures de fortune, tout à côté de la Casa Rosada, le palais présidentiel, plus rien ne semble vraiment comme avant. L'exubérante euphorie qui avait suivi l'élection du pape argentin, le 13 mars 2013, a disparu. « Dieu est argentin », répètent les *Porteños* dans les nuits de Buenos Aires. Et cette fois, le pape l'était aussi, devenu du coup le personnage le plus important de l'histoire du pays depuis José de San Martín, héros de l'indépendance au XIXᵉ siècle, bien avant, dans les cœurs, Carlos Gardel, Eva Perón, Juan Manuel Fangio, Lionel Messi ou Diego Maradona. Mais, depuis, les banderoles, les calicots, les posters géants célébrant le « *papa peronista* » ont été remisés. Les larmes de joie ont séché, oubliées aussi vite qu'une victoire de l'équipe nationale de football. Et les bougies allumées sur le parvis se sont éteintes en même temps que l'enthousiasme parfois un peu surjoué des Argentins. La vie a repris son cours dans la douce mélancolie de la capitale fédérale, avec ses préoccupations quotidiennes, minée par l'angoisse du lendemain et la lutte permanente des classes défavorisées pour subsister. Avec en toile de fond, politiques, les belles promesses d'un pouvoir qui peine à faire le bonheur de tous – le maire de la ville, Mauricio Macri, a succédé à la présidente Cristina Kirchner à la tête du pays le 10 décembre 2015, sans résultats très probants jusqu'à aujourd'hui.

De hautes barrières métalliques encerclent la vénérable cathédrale, à l'architecture inspirée du Palais-Bourbon à Paris, et dont le fronton représente les retrouvailles de Joseph avec ses frères, « symbole de la soif de réconciliation des Argentins[1] » pour le pape François, fasciné par cette scène sculptée dans la pierre. Des remparts dissuasifs à d'éventuels attentats terroristes ont été installés – le continent sud-américain, pour l'heure, a été préservé de la barbarie islamiste du XXIe siècle naissant mais on ne sait jamais. Personne n'a oublié l'attentat à la bombe contre l'ambassade d'Israël du 17 mars 1992 qui avait fait 29 morts et 242 blessés, ni celui contre l'Association mutuelle israélite argentine (AMIA) du 16 juillet 1994, le plus sanglant et meurtrier de l'histoire du pays : 84 morts et 230 blessés. Deux attentats portant la signature du Hezbollah iranien, à une époque où on ne parlait pas encore d'Al-Qaida ni d'État islamique.

L'Argentine a essuyé les tempêtes du monde moderne bien avant l'Europe. Enfant de ces rues, prêtre de ces quartiers, évêque de ces diocèses puis archevêque de cette ville tentaculaire, le futur pape François a été confronté avant les autres aux réalités qui minent désormais l'Occident : les crises financières et économiques, les flux de migrants, la crise spirituelle,

---

1. « Le frontispice comme miroir » par Jorge Mario Bergoglio, préface à *Sur la terre comme au ciel*, Jorge Bergoglio, Abraham Skorka, Robert Laffont, 2013, p. 13. (Première édition en espagnol en 2010.)

la misère, l'analphabétisme, la pauvreté, la faim, la violence urbaine... Désigné comme l'homme à abattre par la mafia et les trafiquants de drogue, « les puissants marchands des ténèbres » ainsi qu'il les appelait alors, détesté par les hommes de pouvoir qui le menaçaient de manière à peine voilée et dont il ne cessait de dénoncer les dérives, il a fait front et bataillé courageusement, stigmatisant sans relâche « l'anesthésie quotidienne » de sa ville face à la *coima* (la corruption, en argot argentin), mais prônant toujours les vertus des échanges. Il mena par exemple à une cohabitation parfaite catholiques, juifs et musulmans à travers un dialogue inter-religieux harmonieux et respectueux de chacun. Mais il a été aussi en danger de mort voire dans l'œil du cyclone, ses ennemis restant prêts à tous les coups bas pour le faire trébucher.

Une vie de combats

En fait, tout l'itinéraire qui va voir naître Jorge Mario Bergoglio sous les traits du pape François un soir de mars 2013 dans la chapelle Sixtine du Vatican, est d'abord une vie de batailles : « On ne peut pas connaître Jésus en première classe ou dans la tranquillité, encore moins en bibliothèque. Jésus, on ne le connaît que sur le chemin quotidien de la vie[1] », dit-il volontiers. De son enfance dans un modeste quartier ouvrier jusqu'aux lumières de la papauté, c'est sans relâche qu'il a affronté les épreuves et les chausse-trapes, souvent sans donner l'air d'y toucher. L'itinéraire du pape François est une succession d'engagements et de combats. Contre lui-même, contre les autres. Et, bien sûr, contre l'injustice et les inégalités touchant toutes les couches de la société. Des affrontements qui l'ont marqué et ont forgé son inlassable apostolat.

---

1. Messe à Sainte-Marthe, 22 septembre 2013.

Citant un compagnon de route d'Ignace de Loyola qu'il vénère, Pierre Favre[1], quand Bergoglio cherche à détecter une âme, il s'applique depuis toujours à lui-même, comme ce grand jésuite savoyard, une règle d'or : lui proposer quelque chose de « plus ». Si cette âme est fermée à la générosité, elle réagira mal. « L'âme s'habitue à la mauvaise odeur de la corruption, expliquait-il en mars 1991. C'est ce qui arrive dans un environnement fermé : seul celui qui vient de l'extérieur se rend compte que l'air s'est raréfié[2]. »

Le grand air, l'appel du large, il faut le respirer à pleines bouffées, dans ces rues et faubourgs de Buenos Aires. Comme le primat d'Argentine aimait à le faire, sans aucune protection policière malgré les menaces dont il était l'objet, le plus souvent seul, sans secrétaire ni chevalier servant à ses basques. Il s'évadait en permanence, refusant voiture officielle et chauffeur. Perpétuel flâneur, il aimait arpenter sa ville tentaculaire, à pied, en bus ou en métro, pour vagabonder à travers ses rues et ses quartiers. Il confie volontiers, depuis qu'il est à Rome, combien il aimerait parfois pouvoir sortir incognito tel le commun des mortels et aller simplement manger une pizza : « En ce sens, je me sens un peu en cage. [...] Ça me plairait d'aller dans les rues mais je comprends que cela n'est pas possible, je comprends. Parce que mon habitude était – comme nous le disons, nous de Buenos Aires – d'être un prêtre *callejero*[3] »... *Callejero*, traduisez un prêtre des rues, à l'écoute

---

1. Le pape le canonisera d'ailleurs en procédure accélérée dès le début de son pontificat, le 17 décembre 2013. Ni Jean-Paul II ni Benoît XVI n'utilisèrent cette manière expéditive de « canonisation équipollente » qui reconnaît l'« évidence » historique de la sainteté d'un personnage du passé, sans qu'il y ait procès.

2. Jorge Mario Bergoglio, *Réflexions sur l'espérance*, éditions Parole et Silence, 2013, p. 173.

3. Pape François, *Parlons ! Entretiens avec des journalistes*, éditions Parole et Silence, 2015, p. 30.

de ses ouailles, appelant personnellement par leur prénom chacun des huit cents prêtres de son diocèse, qu'il compare volontiers à « son épouse », allant vers eux, dans leurs églises, dans leurs paroisses, jusque dans les bidonvilles, les *villas miserias*, au plus proche de tous ceux qui ont besoin de lui, les exclus, les éclopés et les naufragés de l'existence. Devenu pape à Rome, il a vite compris que cela ne serait plus jamais possible : « Un jour, racontera-t-il, je suis sorti en voiture seul avec le chauffeur et j'ai oublié de remonter la vitre. Elle était abaissée et je ne m'en suis pas aperçu. Cela a été la pagaille. J'étais assis à côté du chauffeur, il fallait avancer, mais les gens ne nous laissaient pas passer. C'est sûr, rencontrer le pape dans la rue[1]... »

La capitale argentine, ville de tous les contrastes, fut son univers et son « laboratoire » expérimental – vieux reliquat, peut-être, de ses études de chimiste. Il s'est nourri de cette réalité latino-américaine, de ce melting-pot bigarré, des rencontres inlassables, du foisonnement de cultures souvent opposées qui y sont possibles. « Je crois que l'Amérique latine est l'un des endroits où le métissage, au sens noble et généreux du terme, c'est-à-dire une rencontre et non une fusion des cultures, a le mieux marché[2] », confiera-t-il un jour. Si l'on souhaite appréhender tous les mystères de Jorge Mario Bergoglio, c'est donc d'abord ici qu'il faut s'attarder. Rétablir le parcours, pister sa vie, comprendre son fonctionnement personnel jusqu'au plus profond de son âme. Qu'est-ce qui l'a animé ? Qu'est-ce qui l'a façonné ? Et, au final, on le verra plus loin, tout devient plus transparent, sautant même parfois

---

1. Entretien du 21 mai 2015 au quotidien argentin *La Voz del Pueblo* paraissant dans la petite ville de Tres Arroyos, dans la province de Buenos Aires.
2. Entretiens entre Jorge Bergoglio et Abraham Skorka, *Sur la terre comme au ciel, op. cit.*, p. 164.

littéralement aux yeux, de ces évidences éclairant d'un seul coup l'ensemble de son pontificat.

El papa Francisco, comme on l'appelle en ses terres latino-américaines, est le premier pape de l'histoire moderne de la chrétienté issu d'un milieu citadin et urbain, une mégalopole grouillante de près de 15 millions d'habitants. Le bon Jean XXIII, comme après lui Paul VI et Jean-Paul Ier, sortait de villages perdus au milieu des belles campagnes italiennes. Jean-Paul II, lui, provenait d'une ville polonaise sans histoire, Wadowice, bourgade de quelques milliers d'habitants située à un jet de pierre de ce qui était encore la Tchécoslovaquie. Son successeur, Benoît XVI, était originaire d'un petit village de Bavière et de verdoyantes sapinières s'étalant jusqu'à la frontière autrichienne. Changement total de décor donc avec le pape François qui, lui, vient d'une capitale contrastée et colorée, deuxième ville la plus peuplée d'Amérique latine, où 87 % de la population se déclare catholique, où 91 % croient en Dieu[1]. Un bric-à-brac bariolé, qui est son ADN.

Buenos Aires, la ville qui ne dort jamais. La fourmilière. Un gigantesque enchevêtrement de rues aux bâtisses à l'architecture anarchique et désordonnée, où l'ancien se mêle au moderne dans une joyeuse pagaille. Un concentré d'Italie, de France et d'Espagne. « Une des particularités de Buenos Aires, c'est qu'on ne peut pas en voir la fin », écrivait un certain Georges Clemenceau en 1910. Des rues interminables, comme des grilles de mots croisés, qui paraissent toutes tirées au cordeau. « Capharnaüm, multiplié mille fois par Capharnaüm[2] ! », s'exclamera le reporter Albert Londres

---

1. Selon le Centro de Estudios e Investigaciones Laborales, CONI-CET, à Buenos Aires.
2. Albert Londres, *Le Chemin de Buenos Aires*, Albin Michel, 1927, p. 45-46.

en 1927 face à ce gigantisme déstructuré, qui ne croit à rien. « Une ville plate, géométrique, immense », écrira François Mitterrand, « sensible à sa beauté toute cernée d'immensité[1] ».

Mais d'abord « une ville païenne[2] », une capitale « vaniteuse, frivole et corrompue », comme la qualifiera plus tard le futur pape François. En fait, toutes les clés se trouvent derrière les portes de cette incroyable mégapole, autant dans ses mentalités contrastées que dans ses réalités mouvantes.

La mémoire de cette ville « est celle de l'archevêque de Buenos Aires, mais il n'existe plus. À présent, je suis évêque de Rome et successeur de Pierre, et je crois que je voyage avec cette mémoire, mais avec cette réalité : je voyage avec ces choses[3] », résume joliment le pape.

Les amis de Buenos Aires

Toujours, donc, il faut revenir à Buenos Aires. Pour y retrouver aussi, bien sûr, sa galaxie, son univers, sa famille, ses clans. Comme Don Camillo, le pape François a son petit monde. Un supplément d'âme qui l'a suivi et ne le quitte plus depuis, et avec lequel il garde un contact permanent, par téléphone, ou lors de discrètes visites privées qui lui sont faites derrière les murs du Vatican.

« Je n'ai jamais eu autant d'amis entre guillemets que maintenant, tous sont les amis du pape », plaisante-t-il avec le théologien protestant Marcelo Figueroa, vieux compagnon de route, responsable depuis peu d'une édition argentine de

---

1. François Mitterrand, *Lettres à Anne*, Gallimard, 2016, p. 908.
2. Entretiens entre Jorge Bergoglio et Abraham Skorka, *Sur la terre comme au ciel, op. cit.*, p. 234 et 143.
3. Aux journalistes, dans l'avion papal, au retour de Strasbourg, le 25 novembre 2014.

L'Osservatore romano, mais « l'amitié est quelque chose de très sacré[1]. »

Sur les bords du Rio de la Plata, la plupart de ses vrais complices et alliés sont toujours là, fidèles à *padre Jorge*, gardiens de la mémoire d'un destin extraordinaire. Certains toujours en grâce, d'autres, peut-être jugés trop bavards, un peu moins en cour. Il est tellement incroyable d'être devenu, d'un coup de conclave magique, un homme qui murmure à l'oreille du pape que, trop vite parfois, on s'épanche un peu trop et on commente tout, telle encyclique, telle homélie, en croyant savoir. « Il n'y a qu'un seul porte-parole du pape, c'est le père Lombardi », avait d'ailleurs dû rectifier François à l'été 2016, quand l'un de ces bavards avait développé dans la presse ce qu'il présentait alors comme des prises de position du Saint-Père : le pape n'apprécie pas du tout qu'on parle à sa place.

Ce compagnon de route rappelé soudainement et brièvement à l'ordre, c'est Gustavo Vera, l'ami fidèle, le « cher frère » comme François l'appelle dans les lettres et messages privés qu'il lui fait parvenir. L'incroyable et improbable rencontre de deux caractères bien trempés. Un syndicaliste, indécrottable athée aux méthodes musclées, toujours prêt à descendre dans la rue et à défier les puissants, ancien professeur de langues et de sciences sociales dans une école du quartier de Villa Lugano, ex-porte-parole de coopératives d'entreprises puis fondateur d'une ONG, La Alameda, qui livre des combats sans répit contre la traite des personnes. Leurs membres appartiennent dans leur majorité à une gauche très active, des militants prêts à en découdre au premier coup de sifflet. Un programme de lutte tous azimuts : contre les négriers qui utilisent la sueur des travailleurs au

---

1. Radio FM Milenium 106.7, Buenos Aires, 13 septembre 2015.

noir dans des ateliers de couture clandestins, contre les mafias de la prostitution qui exploitent des jeunes filles venues des quartiers déshérités, contre le dénuement et ses laissés-pour-compte, contre l'exploitation des enfants mineurs… Sans eux, Bergoglio, cela ne fait guère de doute, ne serait pas le même homme, ni le même pape. « En Argentine, j'ai vu des situations difficiles, dira plus tard à Rome l'ancien archevêque de Buenos Aires, de pauvreté et de marginalisation, même de toxicomanie. Ce sont des choses qui me stimulent. C'est pourquoi, parfois, je suis un peu sans scrupule, je ne me retiens pas de parler, mais cela importe peu[1]… »

La plus visible et la plus connue des figures argentines de l'entourage papal est sans nul doute le rabbin Abraham Skorka, un homme de 76 ans au regard pénétrant, chef de la communauté *Benei Tikva* (en français, Les enfants de l'espérance), qui affectionne désormais les allers-retours entre l'Argentine et le Vatican. On l'a vu apparaître au grand jour aux côtés du pape lors de son voyage en Israël en mai 2014. Le nom des deux hommes est indissociablement lié, un peu comme des frères jumeaux, depuis le début des années 2000. « Nous nous demandions toujours quelle était la prochaine chose que nous pourrions faire ensemble[2] », sourit-il dans son bureau du séminaire rabbinique latino-américain, fondé en 1962, un bâtiment de verre et d'acier dans une rue paisible, la calle José Hernández, au cœur du quartier juif de Belgrano.

De leur belle amitié, et de leurs trente heures d'entretiens sur le *Centro Televisivo Arquidiocesano CTA Canal 21* est né un livre intitulé *Sur la terre comme au ciel*, qui a suscité un engouement international après l'élection de Bergoglio : un ouvrage passionnant, d'une grande envergure spirituelle,

---

1. Entretien avec Valentina Alazraki pour la chaîne mexicaine Televisa, 6 mars 2015.
2. Entretien avec l'auteur, Buenos Aires, août 2013.

traduit aujourd'hui en plusieurs dizaines de langues, après un premier tirage confidentiel à Buenos Aires passé inaperçu. En apparence, tout devait les séparer, mais tout les réunit. L'humour, la foi, la passion du dialogue, la tolérance et la miséricorde. En 2004, par exemple, à l'approche du nouvel an juif, le jour du Yom Kippour, ils prient ensemble et « demandent pardon à Dieu ».

Après avoir été durant quelques jours sous les feux médiatiques à l'élection de son frère, María Elena, la sœur cadette du pape et dernière survivante de la fratrie Bergoglio, vit désormais très discrètement au premier étage d'une maison médicalisée dont l'adresse est jalousement tenue secrète, dans la grande banlieue de Buenos Aires. Elle ne reçoit plus personne, sauf ses deux grands garçons, Jorge et José Ignacio et quelques rares proches. « Oui, je pense qu'il va faire la révolution. Mais si on attend que tous les changements viennent de lui, c'est foutu, il faut aussi que nous changions tous », disait-elle en juillet 2013, analysant avec confiance : « La meilleure chose de François, c'est qu'il continue à être Jorge[1]. » En août 2016, lors de notre dernière visite, María Elena, allongée dans son lit, regardait un jeu télévisé en dégustant un petit morceau de chocolat suisse, le regard pétillant, les yeux expressifs et rieurs et remplis d'émotions fortes et belles. D'une santé fragile, trop âgée pour entreprendre le déplacement à Rome, elle attend depuis des mois avec impatience le retour de son frère en Argentine pour le serrer une dernière fois entre ses bras. Une visite en souverain pontife triomphant qui tarde à venir. Souvent annoncée, souvent reportée, plus personne ne pronostique vraiment la date d'un tel retour sur sa terre natale. Mais tous s'accordent à dire que si l'idée venait au pape de renoncer, à l'image de

---

1. Entretien avec l'auteur, Ituzaingó, juillet 2013.

Benoît XVI, et comme il l'a envisagé dans certaines de ses déclarations publiques, il finirait forcément sa vie dans la petite pension de son quartier d'enfance de Flores pour prêtres retraités où il avait déjà réservé une chambre avant le conclave, la numéro 13. Que n'a-t-on pas murmuré et parfois écrit sur ce chiffre qui émaille la vie de Bergoglio, régalant les aficionados de numérologie, dont sans doute le pape lui-même[1]: ordonné prêtre un 13 décembre, élu pape un 13 mars 2013, apparaissant ce jour-là à 20 h 13 au balcon de la basilique Saint-Pierre, premier pape non européen depuis treize siècles, prenant le nom de François d'Assise, un saint ayant notamment vécu au XIIIe siècle, dont les lettres du nom « *papa* Francisco » forment à leur tour 13 lettres…

Certains de ses vieux amis, eux, sont déjà partis vers l'audelà, sans attendre ce retour sur sa terre natale qu'ils espéraient tant en 2013, juste après la conclusion du conclave. À l'image d'Alicia Oliveira, 71 ans, ancienne juge et avocate des droits de l'homme, persécutée sous la dictature militaire ; sa plus vieille amie, sans doute l'une des personnes dont il fut le plus proche – ne pas y voir ici de manière un peu tordue une liaison secrète mais bien une vraie et authentique fraternité d'esprit. « Nous n'avons pas compris le bien qu'une femme peut faire dans la vie du prêtre et de l'Église, dans un sens de conseil, d'aide, de sainte amitié », répondait le pape à son retour du Mexique[2] à une question insidieuse d'Antoine-Marie Izoard, lui demandant, en évoquant la

---

1. On apprenait en juin 2016 que le pape avait refusé un don du président argentin Mauricio Macri de 16 666 000 pesos (près d'un million d'euros) à la Scholas Occurentes, une fondation argentine soutenue par le pape. Le souverain pontife a exigé de la fondation qu'elle retourne l'argent à son destinataire, précisant dans un post-scriptum : « Je n'aime pas le 666 » – qui est, comme on le sait, le chiffre du diable.
2. Conférence de presse dans le vol Ciudad Juarez-Rome, 17 février 2016.

correspondance entre Jean-Paul II et la philosophe américaine Anna Tymieniecka, si un souverain pontife pouvait avoir une relation aussi intime avec une femme. « J'aime aussi entendre l'avis d'une femme, elles t'apportent tant de richesse ! Elles regardent les choses d'une autre manière. [...] Le pape a aussi besoin de la pensée des femmes. » Le pape Bergoglio, lui, avait son Alicia, celle qu'il écoutait sans doute avec le plus d'attention, celle qui lui parlait aussi avec franchise, sans jamais prendre de gants. « Méfiez-vous, Jorge, les Borgia sont toujours au Vatican », lui lança-t-elle un jour, pour s'entendre répondre aussitôt avec malice : « Ne vous en faites pas, Alicia, je ne bois jamais de thé[1]. » La veille de sa mort, le 5 novembre 2014, dans sa modeste maison du quartier d'Almagro, entourée des siens et de ses chiens qu'elle adorait, enfoncée dans son lit de souffrances à demi consciente, on lui demanda si elle avait des nouvelles de son ami Jorge. Soudain, son œil s'illumina. Et elle prononça ces quelques mots : « Lequel ? Celui qui est à Rome[2] ? » Mais on ne saura jamais si ce fut un dernier trait d'humour digne d'elle ou si elle divaguait déjà dans un épais brouillard avant son passage dans l'au-delà.

Autre vieille connaissance du pape, Clelia Luro de Podesta, la veuve de l'évêque « rouge » Jerónimo Podesta – évêque rendu à l'état laïc par le Vatican – elle aussi disparue, le 4 novembre 2013, à l'âge de 87 ans. Entourée de ses souvenirs, elle vivait dans une vieille maison un peu décatie du quartier de Caballito, à l'ombre d'un gigantesque avocatier qui déployait ses larges branches jusque sur les toits. Aux murs, des photos de son défunt mari, dont elle soufflait « que seul Jésus était mieux que lui », mais aussi des images souriantes de ses dix petits-enfants et onze arrière-petits-enfants. Avant son départ pour le Vatican, elle avait annoncé son élec-

---

1. Entretien avec l'auteur, Buenos Aires, juillet 2013.
2. Derniers propos à l'auteur, Buenos Aires, novembre 2014.

tion au cardinal Bergoglio et exigé qu'il se prépare : « Prends tes affaires avec toi, car tu ne vas pas revenir », avait-elle prophétisé. Puis elle s'était réjouie de le voir devenir pape, « un bon pape qui va enfin semer la bonne graine[1] ». « Il faut que tu te protèges maintenant car le monde a besoin de toi, lui glissait-elle encore peu après le conclave qui avait vu son triomphe en mars 2013, tu as 76 ans, fais une loi pour que le pape renonce à 80 ans et en cinq ans, tu balaies tout ce qui est mauvais. » Au téléphone, Jorge avait rigolé[2].

Tout balayer, vraiment ? Les mots de Clelia résonnent-ils aujourd'hui dans la tête du pape François, comme un défi ? Dans la capitale argentine, où on le connaît bien, chacun sait de quoi est capable l'ancien cardinal Bergoglio devenu le vicaire du Christ sous le ciel de Rome. Tous, parmi ses proches, l'ont vu à l'œuvre dans son vaste diocèse métropolitain parer les coups, éviter les traquenards, contrer les offensives malveillantes. La tendre et attachante Alicia Oliveira était convaincue elle aussi que son cher Jorge allait changer le monde. « Vous savez, murmurait-elle, s'il arrive à changer l'Église, alors il pourra changer le monde, j'en suis persuadée. » Jusqu'au brave et modeste Daniele del Regno, son marchand de journaux sur la Plaza de Mayo qui lui livrait chaque jour de la semaine *La Nación*, qui n'avait aucun doute au soir de son élection[3] : « Jorge, as-tu conscience de ce que tu es en train de créer ? », lui avait-il lancé quand il avait été appelé depuis Rome, quelques jours après le conclave. De sa petite voix douce, le pape avait répondu : « Je ne sais pas si c'est le sentiment qu'on a chez toi, mais ici, c'est certain »…

---

1. Entretien avec l'auteur, Buenos Aires, août 2013.
2. Entretien avec l'auteur, Buenos Aires, septembre 2013.
3. Entretien avec l'auteur, Buenos Aires, juillet 2013.

Chapitre 2

Prophétie à Rome

« Dans la Sainte Église, il faut s'attendre à tout. »
Pape émérite Benoît XVI,
Dernières Conversations, 2016

C'était une journée ordinaire à Rome. Un mercredi hivernal, dans sa belle lumière saisonnière. En cette matinée du 27 janvier 2010, journée de la traditionnelle audience générale sur la place Saint-Pierre, un vent frais balaie la capitale italienne. Devant la foule des pèlerins réunis, le vieux pape Benoît XVI est assis, quelques feuillets entre les mains. Bientôt, il entame son homélie, comme chaque semaine, d'une voix un peu faible, mais ferme. Ses propos allaient être prophétiques mais passer totalement inaperçus. Qui, à ce moment-là, aurait bien pu savoir et deviner qu'ils étaient annonciateurs d'un renouveau ?

Le pape allemand choisit d'évoquer un épisode de la vie d'un personnage illustre de la chrétienté, saint François d'Assise. Et soudain, on va voir apparaître à chaque mot, comme par enchantement, la figure du futur pape François, l'homme du bout du monde qui allait lui succéder trois années plus tard.

« Surgit au monde un soleil », prononça doucement Benoît XVI. « À travers ces paroles, poursuit-il en italien, dans la *Divine Comédie* (*Paradis,* chant XI), le plus grand poète italien Dante Alighieri évoque la naissance de François, survenue à la fin de 1181 ou au début de 1182, à Assise. Appartenant à une riche famille – son père était marchand drapier –, François passa son adolescence et sa jeunesse dans l'insouciance, cultivant les idéaux chevaleresques de l'époque. À l'âge de 20 ans, il participa à une campagne militaire, et fut fait prisonnier. Il tomba malade et fut libéré. De retour à Assise, commença en lui un lent processus de conversion spirituelle, qui le conduisit à abandonner progressivement le style de vie mondain qu'il avait mené jusqu'alors. C'est à cette époque que remontent les célèbres épisodes de la rencontre avec le lépreux, auquel François, descendu de cheval, donna le baiser de la paix, et du message du Crucifié dans la petite église de Saint-Damien. Par trois fois, le Christ en croix s'anima, et lui dit : " Va, François, et répare mon Église en ruine". Ce simple événement de la parole du Seigneur entendue dans l'église de Saint-Damien renferme un symbolisme profond. »

« Immédiatement, poursuit le pape Benoît XVI, saint François est appelé à réparer cette petite église, mais l'état de délabrement de cet édifice est le symbole de la situation dramatique et préoccupante de l'Église elle-même à cette époque, avec une foi superficielle qui ne forme ni ne transforme la vie, avec un clergé peu zélé, avec un refroidissement de l'amour ; une destruction intérieure de l'Église qui comporte également une décomposition de l'unité, avec la naissance de mouvements hérétiques. Toutefois, au centre de cette Église en ruine se trouve le crucifié, et il parle : il appelle au renouveau, appelle François à un travail manuel pour réparer de façon concrète la petite église de Saint-Damien, symbole de l'appel plus profond à renouveler l'Église même du

Christ [...]. Cet événement, qui a probablement eu lieu en 1205, fait penser à un autre événement semblable qui a eu lieu en 1207 : le rêve du pape Innocent III. Celui-ci voit en rêve que la basilique Saint-Jean-de-Latran, l'église mère de toutes les églises, s'écroule, et un religieux petit et insignifiant la soutient de ses épaules afin qu'elle ne tombe pas. Il est intéressant de noter, d'une part, que ce n'est pas le pape qui apporte son aide afin que l'église ne s'écroule pas, mais un religieux petit et insignifiant, dans lequel le pape reconnaît François qui lui rend visite. Innocent III était un pape puissant, d'une grande culture théologique, et d'un grand pouvoir politique, toutefois, ce n'est pas lui qui renouvelle l'Église, mais le religieux petit et insignifiant : c'est saint François, appelé par Dieu. [...] C'est ensemble que se développe le véritable renouveau »...

Benoît XVI semble prophétique : l'énorme Église pourrait bien écraser un jour par son poids le petit *padre* qui lui succédera, François l'Argentin, homme seul contre tous. Mais on a bien lu : « charisme » et « renouveau » d'un homme nommé « François, appelé par Dieu », et puis cette incroyable injonction, comme un appel inconscient : « Répare mon Église en ruine » !

Benoît XVI, la fin de règne

Débordé de toutes parts, miné par les tensions à l'intérieur du Vatican, par les affaires, les trahisons et les scandales (pédophilie, affaire Williamson, lobby gay au Vatican, et bien sûr scandale Vatileaks), Benoît XVI est aspiré dans une tourmente infernale que rien ne semble pouvoir arrêter. Sur l'océan catholique déchaîné, la tempête est trop forte, le navire papal tangue. Des secteurs entiers de la Curie vont alors à la dérive.

Et puis, l'homme est vieux et fatigué : il sait déjà, au fond de lui-même, qu'il n'aura plus la force d'entreprendre le voyage aux Journées mondiales de la jeunesse, prévues pour juillet 2013 à Rio de Janeiro, au Brésil. Le déplacement à Cuba, en mars 2012, l'année de ses 85 ans, l'a littéralement éreinté, de même que le séjour au Liban six mois plus tard. Son médecin personnel lui a d'ailleurs fortement déconseillé d'entreprendre de nouvelles tournées apostoliques. Un avis qui va peser de manière décisive dans sa décision de passer la main.

Il faut rendre justice ici à Giancarlo Zizola, vaticaniste distingué aujourd'hui disparu. Fin avril 2011, il nous avait confié, face caméra, pour une émission de la Télévision suisse romande[1], que Benoît XVI, à bout de souffle, bousculé de toutes parts, allait très probablement renoncer. Pour lui, cela ne faisait aucun doute : le pontife allemand montrait aussi des signes évidents de lassitude, voire carrément de dépression.

Dans un livre d'entretiens[2] avec le journaliste allemand Peter Seewald, paru en septembre 2016, le vieux pape émérite a tenu à clarifier les choses. « Ce ne fut pas un retrait sous la pression des événements ou une fuite par incapacité à faire face, assure-t-il. Personne n'a essayé de me faire chanter. Je ne l'aurais absolument pas permis. Si on avait essayé de le faire, je ne serais pas parti parce qu'on ne peut pas se laisser faire quand on est sous pression. » Une manière de couper court à la version généralement admise par la majorité des observateurs et au Vatican même. « Et il n'est pas vrai non

---

1. « Jean-Paul II le retour », un reportage de Jochen Bechler et Arnaud Bédat. Émission « Mise au point », Télévision suisse romande, diffusée le 1er mai 2011.

2. *Dernières Conversations*, Fayard, 2016. (Édition originale en allemand.)

plus que j'étais déprimé ou quelque chose comme ça. En effet, Dieu merci, j'étais dans l'état d'esprit paisible de celui qui a surmonté la difficulté. L'état d'esprit de celui qui peut, tranquillement, passer le gouvernail à celui qui vient après. » À la question de savoir s'il regrette d'être parti, il rétorque sans hésitation : « Non ! Non, non. Je constate tous les jours que j'ai eu raison. »

Sa lettre de renonciation, lue le teint pâle lors d'un consistoire en vue de la canonisation des martyrs d'Otrante, dans une salle du palais apostolique le 11 février 2013, il explique l'avoir écrite lui-même, « au maximum deux semaines avant », en latin, « parce qu'une démarche aussi importante se fait en latin », une langue « que je maîtrise suffisamment bien pour l'écrire correctement ». « J'aurais pu l'écrire en italien, bien sûr, mais il risquait d'y avoir quelques fautes. » Un cercle très réduit de son entourage avait été informé. Le geste du pape allemand est une première dans l'histoire moderne de la papauté. Avant lui, seul Célestin V avait démissionné de son plein gré, mais c'était en... 1294, après cinq mois de règne, alors qu'il avait 85 ans. Mais l'idée même d'un possible renoncement était déjà dans l'air lors des pontificats précédents : on sait aujourd'hui que Jean-Paul II, suivant l'exemple de Paul VI, avait lui aussi rédigé une lettre de démission en cas d'empêchement majeur d'exercer sa charge[1]. Écrite en italien, datée du 15 novembre 1989, ce dernier déclarait « renoncer » à ses fonctions « en cas de maladie, qu'on estime incurable, de longue durée et qui empêche d'exercer suffisamment les fonctions du ministère apostolique, ou dans le cas d'un autre empêchement grave et prolongé ». Il laissait

---

1. Le pape Pie XII, durant la Seconde Guerre mondiale, avait prévu aussi une telle éventualité, mais c'était dans le contexte d'un possible kidnapping par les troupes allemandes à Rome. Il ne voulait leur permettre d'enlever de force « qu'un simple cardinal ».

la décision finale à un groupe de cardinaux qui, on le sait, n'ont jamais fait usage de la lettre durant sa longue maladie – il est mort le 2 avril 2005 après un long règne de vingt-six années…

Dans ce tout dernier livre et ces ultimes conversations, Benoît XVI le confesse avec franchise : il n'avait pas pensé un seul instant au cardinal Bergoglio pour lui succéder : « Je ne l'avais pas considéré comme un des candidats les plus probables, avoue-t-il, je pensais que c'était du passé, on n'avait plus entendu parler de lui », tout en se disant « satisfait » et « heureux » de son élection. En apparaissant au balcon de la basilique Saint-Pierre, explique le pape émérite, « la façon dont il a prié pour moi, le moment de silence, puis la gentillesse avec laquelle il a salué les gens a fait que l'étincelle, pour ainsi dire, a frappé immédiatement. […] L'élection d'un cardinal latino-américain signifie que l'Église est en mouvement, qu'elle est dynamique, ouverte à la perspective de nouveaux développements. » « Elle n'est pas gelée dans des modèles. Il se passe toujours quelque chose de surprenant dans une dynamique interne capable de la renouveler sans cesse. […] Ce qui est beau et encourageant est que, même à notre époque, des choses se produisent que personne n'attendait et qui montrent que l'Église est vivante et pleine de nouvelles possibilités. Il est évident que l'Église abandonne de plus en plus ses anciennes structures traditionnelles de vie européenne et change dans son apparence. »

« Beaucoup apprécient que le nouveau pape s'adresse à eux dans un style différent. D'autres éprouvent peut-être quelques regrets, mais ils finissent par m'en savoir gré, eux aussi. Ils savent que mon heure était passée et que ce que je pouvais donner l'avait été », glisse Benoît XVI. Entre bonté et réserve onctueuse, on sent tout de même, à travers des mots choisis, que le pape émérite considère son successeur avec un petit peu de méfiance : « François est l'homme de la réforme pratique. Il a longtemps été archevêque, il connaît le métier. » Sous son apparente banalité, la formule est assassine : elle tend à réduire la réforme de l'Église et de la Curie à une ambition dérisoire de haut fonctionnaire ou de préfet en mission spéciale...

La révolution François

Mais le pape François va très vite faire l'éclatante démonstration de son habileté. Dans la fosse aux lions, au cœur de l'action, il va soigner ses alliés, éloigner les plus obtus de ses adversaires et réaliser son projet pour l'Église de demain. Par son style de vie, sa proximité avec les fidèles, ferraillant inlassablement par exemple contre « la mondanité spirituelle » ou « l'économie qui tue ». Très rapidement, son charisme va faire recette, comme on dit dans le langage populaire, et ses formules mouche, déplaçant plus de 6,5 millions de fidèles durant ses dix premiers mois de pontificat, trois fois plus que Benoît XVI, selon les relevés de la préfecture de la maison pontificale. La vie de l'Église d'aujourd'hui, comme une émission de téléréalité, consiste aussi à faire du chiffre : le pape François attire 51 000 personnes en moyenne à ses audiences générales hebdomadaires, battant largement Jean-Paul II dont la moyenne n'était que de 33 000 fidèles par audience. Ses pages Twitter en différentes langues comptent plus de 30 millions de followers. Sans parler de son compte Instagram : plus de 500 000 abonnés rien que le jour même de son ouverture, le 19 mars 2016 !

Il déstabilise, surprend, mais les attaques restent feutrées, les critiques directes ne fusant que sur des sites traditionalistes : on l'y présente comme un populiste, irréaliste, désacralisant la fonction papale. Il faut dire que François évite soigneusement les polémiques et élève le débat à la façon des Jésuites, en surprenant toujours et en jouant sur une forme d'intelligence subtile. Avec lui, l'Église pardonne, ne sanctionne plus, n'interdit plus. L'humain passe avant le dogme, l'inamovible dogme, qui n'est plus systématiquement mis en avant en réponse aux problèmes de la société d'aujourd'hui. Mais surtout, pour le pape François, « un religieux ne doit jamais renoncer à l'attitude prophétique. [...] Être prophète peut parfois signifier faire *ruido* – faire du bruit. La prophétie fait du bruit, on pourrait même dire qu'elle sème la pagaille[1]. Son charisme est d'être un levain dans la pâte : la prophétie annonce l'esprit de l'Évangile[2]. »

La révolution François est bien en marche, reléguant presque aux oubliettes le populaire Jean-Paul II et son règne interminable. De La Havane à Philadelphie, de Sarajevo à Mexico, avec des gestes simples, un sourire plein de générosité, il va irradier, capter les âmes, fasciner, étreindre, engloutir, malgré un service d'ordre sur les dents qui l'empêche d'aller à la rencontre des gens de la rue, comme il l'affectionne, réconfortant les malades, étreignant les handicapés, bénissant les foules. Dans ce monde globalisé qui n'a plus de repères, il s'impose rapidement comme une référence, distillant une philosophie accessible à tous, un peu comme un dalaï-lama, un Gandhi ou un Nelson Mandela, les trois grandes consciences morales incontestables du XXe siècle.

Même ses plus farouches adversaires, qui voyaient en lui un irréductible gauchiste, sont sous le charme, Donald Trump ne résistant pas à l'envie de se poster quelques

---

1. L'expression italienne utilisée par le pape devant son ami jésuite est plus forte : « *qualcuno dice casino* », littéralement « on pourrait dire le bordel ».
2. Pape François, *L'Église que j'espère*, entretiens avec le père Antonio Spadaro, Champs/Flammarion, 2014, p. 75.

minutes devant son building pour le voir passer lors de sa visite à New York en septembre 2015, avant de disparaître sous les huées de la foule massée sur le trottoir. Et les mécréants sont eux aussi troublés, comme Raúl Castro et même son frère Fidel, qui auraient confié leurs doutes, lézardant ainsi leurs vieilles certitudes d'athée. « Quand il était cardinal, toutes les personnes qui entraient dans son bureau en ressortaient amoureuses[1] », rappellent volontiers ses amis à l'archevêché de Buenos Aires. Une dévotion qui va parfois jusqu'au fétichisme le plus absolu, le sénateur républicain Bob Brady, par exemple, allant jusqu'à se jeter sur le verre d'eau à moitié plein laissé par le pape à la tribune du Congrès à Washington – buvant ensuite une partie avec ses proches comme un philtre d'amour, et conservant quelques gouttes pour bénir ses enfants…

---

1. Divers entretiens avec l'auteur, Buenos Aires, entre 2013 et 2016.

Chapitre 3

La longue traversée

> *« Il ne peut y avoir de révolution sans conscience. »*
>
> Jean Jaurès

Mais d'où vient-il donc, cet étonnant petit homme en blanc au regard profond et au sourire ravageur, ce pape résolument pas comme les autres ? Son parcours ressemble un peu aux itinéraires cabossés sur lesquels il porte aujourd'hui un regard bienveillant, plein de douceur et de miséricorde. Un cheminement le long duquel on retrouve les multiples sources des grands axes de son pontificat et les fondements des thématiques qu'il aborde et distille aujourd'hui du haut du trône de saint Pierre.

Comme la plupart des familles argentines, celle de Jorge Mario Bergoglio est issue de l'immigration. Elle vient de la lointaine Italie, du petit village de Portacomaro, dans le Piémont, à huit kilomètres d'Asti. Une bourgade de 275 habitants fiers aujourd'hui de porter les couleurs papales et qui ne se privent pas d'en faire la démonstration dans les rues étroites de cette petite cité érigée sur un piton rocheux : des photos aux balcons, des affiches aux devantures des magasins, des banderoles suspendues sur les murailles, des drapeaux argentins, rappellent cette illustre filiation. À la sortie du village, contre un mur du cimetière donnant sur un champ verdoyant, un caveau « Bergoglio » où reposent les ancêtres. Un peu plus loin, sur les hauteurs, au lieu-dit Bricco Marmorito, qui est aussi le nom de cette minuscule commune, la maison familiale, achetée en 1864 par les Bergoglio, bien barricadée désormais des regards indiscrets. Malgré les demandes incessantes des touristes, on ne peut visiter la demeure qui appartient, aujourd'hui, à un policier italien à la retraite, un peu las des sonneries importunes, mais qui se souvient de la visite chez lui de celui qui n'était encore que le tout frais émoulu cardinal Bergoglio, venu en 2001 avec les siens, dont sa sœur cadette María Elena. Cette dernière n'a rien oublié non plus de ce voyage aux sources familiales et des émotions « indescriptibles[1] » ressenties : le jardin où leur père jouait enfant, la cave où leur oncle faisait le vin, les collines alentour...

Jusque sous le dôme et les arches de la cathédrale de Buenos Aires, le cardinal Bergoglio n'oubliait pas de rappeler, chaque fois qu'il le pouvait, qu'il est aussi un fils de migrants, à l'image de beaucoup d'Argentins, comme lors de cette homélie de 2007 : « Regardons vers l'autel. Tous ceux qui sont autour de cet autel, moi y compris, sont soit des immigrés, soit des fils d'immigrés. [...] Les immigrés ont souffert, ils n'avaient pas de papiers, ne pouvaient pas aller à l'école, ne pouvaient engager un certain nombre de procédures ou étaient exploités[2] »...

C'est donc dans ces terres fertiles produisant de si bonnes truffes et en ces vignes offrant de si bons Barbera, qu'est

---

1. Entretien avec l'auteur, Ituzaingó, juillet 2013.
2. Homélie du 27 septembre 2007, citée par Nicolas Senèze, *Les Mots du pape*, Bayard, 2016, p. 137.

enracinée l'histoire de la famille du futur pape François, dont le destin argentin commencera par un miracle : toute la maisonnée devait embarquer, via le port de Gênes, sur le *Principessa Mafalda* pour lequel il avait été réservé des billets. Mais quelques jours avant la date prévue, ce bateau devint tristement célèbre et fit la une des journaux : à la suite d'une avarie, sa coque fut transpercée, et il coula le 25 octobre 1927 au large de Rio de Janeiro, sur les côtes brésiliennes, faisant des centaines de morts, parmi lesquels de nombreux émigrants syriens. Les Bergoglio embarquèrent finalement quelques mois plus tard sur le *Giulio Cesare*, comme avant et après 3 millions d'Italiens contraints de quitter leur terre dans l'espoir d'une vie meilleure.

Le 25 janvier 1929, le bateau entre dans le port de Buenos Aires sans encombre. Rosa, Giovanni et Mario Bergoglio rejoignent Paraná, sur la route du Nord, la capitale de la province de l'Entre Rios, où l'on peut encore voir le « palais Bergoglio », sur la calle San Martín, privé depuis d'une partie de sa coupole. L'ancien sergent de l'armée italienne, Giovanni Angelo Bergoglio, ne gagne pas le bout du monde avec les siens par nécessité économique : il s'ennuie de ses frères partis sept ans avant lui. Il laisse derrière lui un commerce de détail qui marche fort bien et un pays traumatisé où les plaies de la Première Guerre mondiale ne sont pas encore cicatrisées.

Jorge Mario Bergoglio racontera que sa grand-mère Rosa lui avait expliqué qu'elle avait débarqué sous un soleil radieux dans le port de Buenos Aires, affublée d'un manteau en col de renard qu'elle ne voulait pas enlever malgré la chaleur étouffante : dans sa doublure étaient cachées ses économies !

À Paraná, l'un de ses fils, Mario, âgé d'une vingtaine d'années, père du futur pape, travaille d'abord comme comptable dans l'entreprise de carrelage familiale, jusqu'à la crise de 1932 où tous se retrouvent sans le sou, obligés même de vendre la crypte familiale.

« Ils ont recommencé leur vie avec le même naturel que celui dont ils étaient pourvus à leur arrivée, je crois que cela démontre la force de la race[1] », se souviendra le cardinal de Buenos Aires. Comme pape, il n'a rien oublié non plus : « Mon papa, jeune, est allé en Argentine, plein d'espérance, pour "tenter sa chance en Amérique", et il a souffert la terrible crise des années trente, révélera-t-il à la foule lors d'un voyage en Sardaigne. Ils ont tout perdu ! Il n'y avait pas de travail ! Et dans mon enfance, j'ai entendu parler de cette époque à la maison… Je ne l'ai pas vue, je n'étais pas encore né, mais j'ai senti cette souffrance, j'ai entendu parler de cette souffrance. Je connais bien cela[2] »…

Des racines qui ne cessent de le hanter : quatre-vingt-six ans plus tard, en septembre 2015, dans l'hélicoptère de Barack Obama mis à sa disposition durant son séjour à New York, avant de gagner Philadelphie, dernière étape de son voyage aux États-Unis, il demandera aux pilotes de survoler la statue de la Liberté et Ellis Island, point d'arrivée des migrants en Amérique, expliquant que cela lui rappelait le port de Buenos Aires et l'histoire de sa famille…

« *Papa Tour* » argentin

Dans le quartier de Flores, au 531 de la calle Membrillar, une rue ombragée de platanes, la maison familiale du pape François attire les badauds et les pèlerins – son père était un

1. Sergio Rubín et Francesca Ambrogetti, *Je crois en l'homme*, conversations avec Jorge Mario Bergoglio, Flammarion, 2013, p. 20.
2. Discours à Cagliari lors d'une rencontre avec le monde du travail, 22 septembre 2013.

ancien livreur de l'épicerie familiale, avant de devenir ensuite un modeste comptable dans une usine de chaussettes. Sa mère, Regina María Sivori, fille d'une Piémontaise et d'un Argentin descendant de Génois – « C'est la raison pour laquelle je ne connais du génois que des expressions qu'on peut répéter partout[1] », rigolera un jour le futur pape – était originaire du quartier d'Almagro… C'est d'ailleurs dans ce secteur de la ville qu'ils s'étaient rencontrés en 1934 lors d'une messe à l'oratoire salésien de San Antonio.

Jorge Mario est l'aîné des cinq enfants du couple. Il voit le jour le 17 décembre 1936, un an après leur mariage. Et ce nouveau-né, qui est en train de changer le monde contemporain, est baptisé tout naturellement le jour de Noël dans la basilique de San Carlos et María Auxiliadora, en plein quartier d'Almagro, par don Enrique Pozzoli, un prêtre salésien émigré lui aussi d'Italie – plus tard, Bergoglio reviendra chaque 24 mai sur place, à la date de son décès, afin d'y célébrer une messe en sa mémoire. Suivront ensuite Oscar Adrian, Marta Regina, Alberto Horacio, aujourd'hui décédés, et María Elena, la cadette, dernière survivante.

Aujourd'hui, la maison qu'on présente aux touristes n'a plus l'allure d'autrefois. C'est maintenant un logement cossu, d'environ 80 mètres carrés, bâti dans les années 1960 sur les ruines des murs porteurs de l'ancien bâtiment, qui n'a plus rien à voir avec la demeure simple aux murs blancs, d'un seul étage, où vivaient naguère les Bergoglio. De ses origines ne restent que deux grilles et une tonnelle dans la petite cour intérieure où ont poussé depuis un citronnier et un arbre à pamplemousses. Il y a peu, une plaque a été posée par la municipalité de Buenos Aires.

---

1. Sergio Rubín et Francesca Ambrogetti, *Je crois en l'homme, op. cit.*, p. 24.

Dans les heures qui suivirent l'élection de Jorge Mario Bergoglio à Rome, la maison de la calle Membrillar est devenue
une destination prisée des *Porteños* et des touristes de passage,
qui s'y rendirent pour y déposer des fleurs ou des messages
d'affection. Ce que ne goûtait guère le propriétaire, Arturo
Blanco, un ancien séminariste aux cheveux blancs qui tourna
le dos à la prêtrise, surgissant inlassablement de l'intérieur
du bâtiment pour déchirer rageusement ces témoignages
d'affection. « Cette maison est bénie », disait pourtant le soir
de l'élection son épouse Marta Romano. Depuis, la bâtisse
a été classée monument historique par la ville de Buenos Aires
avec pour conséquence directe que s'il venait un jour à l'esprit
de l'actuel maître des lieux de la mettre en vente, il ne pourrait la céder qu'à un seul acheteur : l'État argentin. Et bien
sûr au... prix du marché, sans aucune spéculation possible.
Certains y verront le signe d'une punition divine.

« Le quartier n'a pas changé, témoigne María, voisine de
ce nouveau lieu de pèlerinage. Il y a un peu plus d'agitation,
c'est certain, mais on est heureux et fier de savoir que le
pape a vécu ici. C'était une maison très modeste, vous savez.
Nous sommes dans un quartier populaire, mais celle du pape
a toujours été la plus simple. Quand il avait été élu cardinal,
des personnes, peut-être de l'archevêché, étaient venues ici
rechercher où il était né. C'est comme ça qu'on a su[1]. »

Mais la vérité historique est souvent ailleurs : la vraie maison
natale du 266ᵉ successeur de saint Pierre se situe en fait à
quelques mètres de là, calle Varela. Au numéro 268, il a vu le
jour, le 17 décembre 1936, dans une petite maison blanche
sur un seul niveau, au bout d'un couloir du rez-de-chaussée,
selon les propres souvenirs du pape, qui a fini par le faire savoir,
depuis Rome, à la nonciature apostolique de Buenos Aires.

---

1. Entretien avec l'auteur, Buenos Aires, mars 2013.

Autre lieu d'importance, à quelques mètres de la calle Membrillar, le nº 2280 de la calle Francisco de Bilbao : c'est la demeure de sa grand-mère Rosa, qui y tenait une *almacén*, une épicerie, au rez-de-chaussée. Cette vieille femme très pieuse a transmis sa foi profonde au jeune Jorge Mario, qui passait beaucoup de temps avec elle. Affection jamais démentie jusque dans les années 1970, quand il allait s'occuper inlassablement d'elle dès son placement en maison de retraite, dans le quartier de Caballito. Le jour de sa mort, il était à son chevet. Quand il a vu qu'elle venait de s'éteindre, il resta prostré un instant sur le sol avant de dire aux religieuses qui l'entouraient : « En ce moment, ma grand-mère affronte le moment le plus important de son existence. Elle est en train d'être jugée par Dieu. Tel est le mystère de la mort. » Avant de se relever et de tourner les talons, « aussi calme que d'habitude », se souvient sœur Catalina qui ajoute : « Nous avions toutes des frissons. Il l'adorait, elle était son point faible. Elle écoutait seulement ce que Jorge lui disait[1]. »

« J'ai eu la grâce de grandir dans une famille où la foi se vivait de manière simple et concrète, racontera plus tard le pape François ; mais c'est surtout ma grand-mère, la maman de mon père, qui a marqué mon chemin de foi. C'était une femme qui nous expliquait, qui nous parlait de Jésus, elle nous enseignait le catéchisme. Je me souviens que le vendredi saint, elle nous emmenait toujours, le soir, à la procession aux flambeaux, et à la fin de cette procession, quand arrivait le "Christ gisant", ma grand-mère nous faisait agenouiller, nous les enfants, et nous disait "Regardez, il est mort, mais demain il ressuscitera." C'est justement de cette femme, de ma grand-mère que j'ai reçu la première annonce de la foi. C'est très beau, cela ! La première annonce, à la maison, en famille[2] ! » Dans la toute

---

1. *Clarín*, Buenos Aires, 18 mars 2013.
2. Veillée de Pentecôte avec les mouvements ecclésiaux, 18 mai 2013.

dernière interview qu'il donne avant le conclave de 2013, à l'invitation de la radio des bidonvilles de la paroisse Notre-Dame des Miracles de Caacupé et du père Juan Isasmendi, Bergoglio n'a pas une seconde d'hésitation quand on lui demande : « Qui a eu une influence sur vous ? » « Ma grand-mère, répond-il du tac au tac, c'est elle qui m'a appris à prier. Elle a beaucoup marqué ma foi. Elle me racontait des histoires de saints. J'avais treize mois quand mon petit frère est né. Avec nous deux, maman était débordée et ma grand-mère, qui vivait juste à côté, venait me chercher le matin et me ramenait le soir. Ce dont je me souviens le mieux, c'est de cette vie scindée entre la maison de mes parents et celle de mes grands-parents. »

Comme un talisman, une relique de sa grand-mère, qui était aussi sa marraine de baptême, « une sainte qui a tant souffert », ne le quittera jamais, même à Rome une fois devenu chef de l'Église catholique. À l'été 2013, dans l'incontournable interview à son ami jésuite Antonio Spadaro, le pape François confessera : « Dans mon bréviaire, j'ai son testament et je le lis souvent : pour moi, c'est comme une prière. » Que dit ce texte ? « En ce beau jour où tu peux tenir dans tes mains consacrées le Christ sauveur et où s'ouvre devant toi un vaste chemin pour un apostolat plus profond, je te laisse ce modeste présent de valeur matérielle infime, mais de valeur spirituelle très élevée », écrivit Rosa en tête du missel, probablement en 1969, date de son ordination comme prêtre, ajoutant ces quelques mots : « Que mes petits-fils et mes petites-filles, auxquels j'ai donné le meilleur de mon cœur, aient une vie longue et heureuse ; mais si un jour la souffrance, la maladie ou la perte d'une personne aimée les remplit d'affliction, qu'ils se rappellent qu'un soupir devant le tabernacle, où se trouve le plus grand et le plus auguste martyr, et qu'un regard vers Marie au pied de la croix, peuvent faire tomber une goutte de baume sur les blessures les plus profondes et les plus douloureuses. »

À quelques mètres à peine en contrebas, à deux maisons de l'ancienne *casa natale* « officielle » de Bergoglio, habite une figure incontournable du quartier : Amalia, une vieille dame qui fit les manchettes des journaux quelques heures après qu'un nouveau pape eut été donné au monde. Elle passait dans cette rue et rentrait chez elle ce jour-là. Son histoire fit les délices de la presse du monde entier, reprise sans discernement depuis dans des biographies prétendument sérieuses. Mais l'intéressée est maintenant devenue invisible, enfoncée dans le mutisme. Elle ne veut plus voir personne, « écœurée qu'on ait pu écrire autant de bêtises[1] », selon la dame de compagnie qui répond aujourd'hui à sa place lorsqu'on sonne à sa porte.

C'est une meute de journalistes argentins qui, les premiers, avaient réussi à la retrouver dans les heures suivant l'élection du pape argentin. Alpaguée par un reporter, elle donna alors une véritable conférence de presse en pleine rue, sous une nuée de micros. Devant les caméras, Amalia égrena des souvenirs, sans trop se faire prier, et sans qu'on prenne la peine de vérifier toute la mythomanie que comportait son récit – María Elena, la sœur du pape, qui a passé toute son enfance dans le quartier, n'a par exemple conservé aucun souvenir de cette prétendue voisine des temps anciens. Amalia racontait notamment avoir joué enfant à la marelle avec le futur pape et confiait l'avoir beaucoup aimé, dépeignant même « un vrai petit garçon[2] ». « Il avait dessiné une maison avec

1. Entretien avec l'auteur, Buenos Aires, mars 2013.
2. « Si no me caso con vos, me hago cura », *El Mundo*, 14 mars 2013. Repris notamment dans *Libération* du 15 mars 2013, « Amalia, amour de jeunesse du pape François ».

un toit rouge et des murs blancs, et il avait écrit : "Cette petite maison est celle que j'achèterai quand nous nous marie- rons" », expliquait-elle encore, refusant obstinément de dévoi- ler son nom de famille. Ses parents, scandalisés, auraient décidé de l'éloigner de son prétendant, et sa mère aurait même déchiré cette lettre, qui aurait pu faire des années plus tard les délices de Christie's ou de Sotheby's. « Je n'ai rien à cacher, nous étions enfants, c'était si pur », concluait-elle un peu naïvement.

Diffusé en boucle, son récit se transforma très vite en belle histoire d'amour. Aussi vite que la vitesse de la lumière, l'affa- bulatrice Amalia devint « *la novia del papa* », la fiancée du pape, et on découvrit son visage sur les chaînes de télévision du monde entier...

La réalité est qu'il n'en était rien : Amalia, qui n'en deman- dait pas tant, s'était amusée, un peu comme le personnage d'un conte fantastique de Borges, à inventer une histoire de toutes pièces pour se faire mousser devant les caméras qui la sollicitaient par hasard au coin d'une rue. L'occasion fait le larron, mais le mal était fait. Et la légende demeurera, sans doute pour longtemps encore.

Moins volubile et nettement plus discret, Rafael Mussolino habite, lui aussi, le quartier de Flores qu'il n'a jamais quitté depuis son enfance. D'origine italienne, ce Calabrais est né en janvier 1937, un mois après le pape. Émigré en Argentine en 1948 avec sa mère et ses deux frères, après la mort de son père durant la Seconde Guerre mondiale, il n'est curieu- sement jamais retourné dans son pays natal. Il suit pourtant inlassablement les programmes de la RAI, lit tous les jours la *Gazetta dello Sport* et est un fan acharné de la Juventus de Turin. Il a épousé Marta, sa voisine du quartier, et ils ont eu deux garçons.

Ce vieux monsieur plein de bonté généreuse a gardé des souvenirs très vivaces de son camarade Jorge Mario : « Quand on était gamins, on se voyait presque tous les jours. On se retrouvait toujours sur la petite place avec les autres enfants du quartier. Moi, j'habitais alors juste en face de chez lui. On l'appelait "*el flaco*" (le mince). Moi, j'étais "*el tano*" (l'Italien). Je ne parlais pas bien la langue à l'époque, j'étais un petit Italien débarqué du bateau. J'ai toujours, ancrées, au fond de moi, les images de Jorge jouant au football ou tenant un ballon dans les mains et me répétant, en me le montrant, "*pelota*", "*pelota*" m'aidant ainsi à apprendre la langue espagnole[1]. »

On le voit, le jeune Bergoglio est déjà un leader, humble et discret, au service des autres. Mais c'est aussi un vrai fan de foot, d'où il tire assurément, aujourd'hui, un peu de son intelligence tactique. En 1946, le futur pape, âgé de 10 ans, ne manque ainsi aucune rencontre du championnat argentin. Son équipe préférée, San Lorenzo, l'emporte, marquant 90 buts en 30 matches. C'est un club fondé par un curé, Lorenzo Massa, dans lequel son père l'entraînait chaque dimanche. Une équipe qu'il vénère toujours, même à Rome, désormais célèbre détenteur de la carte de membre n° 88235. « San Lorenzo, confiera-t-il plus tard, c'est l'équipe dont toute ma famille était supporter : mon père jouait au basket pour le compte de San Lorenzo et, enfant, quand nous y allions, maman venait aussi avec nous au Gasómetro. Je me souviens comme si c'était hier de la saison 1946. San Lorenzo avait une brillante équipe, ils ont été champions. Tu sais, je le vis avec joie, avec joie[2]. »

Tout remonte toujours à l'enfance, dit-on volontiers. À Flores, le futur pape revenait souvent dans le quartier, en

1. Entretien avec l'auteur, Buenos Aires, juillet 2013.
2. Propos tenus dans l'avion au retour de Corée du Sud, 18 août 2014.

prenant le métro par la ligne D. « Il venait toujours ici pour les Fêtes », rapporte notamment Manuel Joachim Novo-Briones, de la paroisse Santa Francisca Javier Cabrini, juste en face de chez les Mussolino. « Il se déplaçait aussi pour donner l'eucharistie aux malades[1] », se souvient-il.

Lui qui a fait de la miséricorde la clé de voûte de son pontificat et même une année sainte en 2016, commence sa scolarité en fréquentant l'école de son quartier, l'Institut Notre-Dame de la… Miséricorde ! C'est entre ces murs, au numéro 2138 de l'avenida Directorio, que le petit Jorge Mario Bergoglio fait ses classes enfantines, mais aussi sa première communion, le 8 octobre 1944. Et c'est ici que prend naissance l'une des plus belles anecdotes de l'enfance du pape : la très vieille sœur María Ilda, dans un entretien à l'*Osservatore romano*, rapportait que le petit Jorge Mario avait appris à compter et à faire des multiplications en montant et en descendant les escaliers de l'école enfantine. « Alors que les autres enfants apprenaient sur une feuille ou avec les doigts, lui créa sa propre méthode », racontait-elle.

Haut comme trois pommes, rêve-t-il d'être pape ? « Non ! Et pas même d'être président de la République ou général de l'armée. Il y en a qui ont ce rêve, moi pas », rigolera-t-il plus tard de bon cœur devant un journaliste argentin[2].

L'école primaire qu'il fréquente ensuite n'est pas loin de là, au numéro 358 de la calle Varela. Elle s'appelle toujours l'école de la Journée simple n° 8. Jorge Mario y fait ses classes primaires jusqu'à l'âge de 13 ans, scolarisé avec son cousin, mais il use aussi ses fonds de culottes sur les bancs de classe avec un petit camarade qui deviendra un pianiste renommé, connu aujourd'hui de tous les Argentins, Ernesto Lach. « Je

---

1. Entretien avec l'auteur, Buenos Aires, mars 2013.
2. Entretien avec *La Voz del Pueblo*, 21 mai 2015.

n'ai pas le souvenir d'un élève extraordinaire, mais plutôt dans la moyenne », racontera-t-il aux journaux de Buenos Aires.

Dans les registres de l'école, on peut encore exhumer quelques vieux papiers jaunis où apparaissent les noms et les notes de chaque élève passé entre ses murs. « Jorge Bergoglio, âge : 6 ans. Note : suffisante. » Son institutrice de première année, Estela Quiroga de Arenaz, marqua d'ailleurs fortement le futur pape qui la considérait un peu comme sa seconde maman. Elle lui donnera l'amour de l'école et l'envie d'apprendre. Jusqu'à sa mort, en avril 2006, à l'âge de 96 ans, elle échangea de nombreuses lettres avec lui. « Il lui a rendu régulièrement visite, même quand il est devenu cardinal », se souvient un membre de sa famille, le jésuite Juan Carlos Scannone[1]. Ils se parlaient souvent au téléphone. Était-il bon élève ? « Je n'ai jamais posé la question à ma cousine, car je ne savais pas qu'il deviendrait pape, mais je suppose que oui », rigole-t-il. Signe marquant de son intangible affection : Bergoglio l'avait choisie comme marraine lors de son ordination comme prêtre en 1969, mais elle fut aussi de toutes les étapes marquantes de son ascension dans la hiérarchie de l'Église catholique. Dans une interview à *La Nación* en 2001, elle confiait, alors qu'il venait d'être nommé cardinal par Jean-Paul II : « Pour moi, Jorge est comme mon fils. Il était un gamin serein et respectueux. »

Quelques semaines avant de partir pour Rome, peu avant la mort de Jean-Paul II et le conclave qui verra l'élection de Benoît XVI, il lui écrivait encore ces quelques lignes empreintes d'émotion, datées du 26 février 2005 : « Ma chère Madame Estela, aujourd'hui je pars à Rome et le 6, je ne serai pas là pour te saluer pour tes 95 ans. Je te souhaite un

---

1. Juan Carlos Scannone, *Le Pape du peuple*, Éditions du Cerf, 2015, p. 111.

joyeux anniversaire. Ce jour-là, je vais offrir une messe pour toi. Que Jésus te bénisse et la Vierge te protège. S'il te plaît, je te demande de continuer à prier pour moi. Affectueusement. Jorge. »

Il est ensuite scolarisé chez les Salésiens, dès 1949, à l'âge de 13 ans, au collège Wilfried Barón de Santos Ángeles dans le quartier de Ramos Mejía. Plus tard, il reconnaîtra dans une lettre que c'est là qu'il a appris « à chercher le sens des choses[1] ».

L'appel de Dieu

Un peu plus haut, au nord, à 650 mètres à pied de la Plazoleta Herminia Brumana, qui se situe à l'angle de Membrillar et de Bilbao où jouait le petit Jorge Mario Bergoglio, voici l'avenue la plus interminable de Buenos Aires, et même du monde, dit-on. Elle s'appelle Rivadavia, longue de 22 kilomètres. Même le roi du grand reportage Albert Londres, à la fin des années 1920, avait essayé de la remonter à pied, avant d'y renoncer, « définitivement écœuré de la ligne droite[2] ».

Rivadavia, c'est tout le pape Francisco résumé en une seule rue et que son destin a remontée en sens inverse : au début, la cathédrale, théâtre de son sacre comme archevêque de Buenos Aires et primat d'Argentine. À la fin de l'avenue, la basilique de San José, théâtre de la révélation de sa foi, dans son quartier d'enfance de Flores, face à la statue du général Puyerredón.

---

1. Lettre à l'historien Cayetano Bruno, écrite de Córdoba le 20 octobre 1990, publiée notamment dans *La Stampa* du 29 janvier 2014.

2. Albert Londres, *Le Chemin de Buenos Aires*, Albin Michel, 1927, p. 44.

Bénie en 1806, inaugurée le 18 février 1833, devenue basilique sous Pie X en 1912, ce n'est pas seulement l'église de l'enfance et de l'adolescence de Bergoglio : c'est ici qu'il a entendu l'appel de Dieu, très précisément le 21 septembre 1953, jour de la Saint-Matthieu. « J'avais quasiment 17 ans, c'était la journée de l'étudiant, pour nous aussi le jour de printemps[1], racontera-t-il. Avant d'aller à cette fête, je suis passé à côté de la paroisse où je me rendais souvent et j'ai rencontré un curé que je ne connaissais pas. J'ai senti le besoin de me confesser. Ce fut pour moi l'expérience d'une rencontre. J'ai rencontré quelqu'un qui m'attendait depuis longtemps. Après cette confession, j'ai senti que quelque chose avait changé. Je n'étais plus le même. J'avais senti une voix, un appel. J'étais convaincu qu'il fallait que je sois prêtre[2]. »

Le père s'appelait Carlos Benito Duarte Ibarra ; il venait de Corrientes et vivait à la maison du clergé, à Flores. Terrassé par une leucémie, il est mort l'année suivante. « Après son enterrement, confiera plus tard Bergoglio, j'ai beaucoup pleuré, je me suis senti complètement perdu, comme rempli de la crainte d'avoir été abandonné par Dieu[3]. »

Le confessionnal est toujours visible : c'est le tout premier sur la gauche, en entrant par la porte principale. Près de l'autel, deux anges entourent une Vierge. En face, un Christ sur la Croix. « Le cardinal Bergoglio s'échappait souvent de la cathédrale pour venir prier ici en toute tranquillité, pour revenir là où il avait découvert la présence de Dieu », se souvient le père Gabriel Marronetti, 46 ans, ordonné prêtre par le *padre* Bergoglio, aujourd'hui en charge de la basilique de

---

1. En Argentine, dans l'hémisphère Sud, les saisons sont bien évidemment inversées par rapport à l'Europe, dans l'hémisphère Nord.
2. Discours sur la place Saint-Pierre de Rome. Veillée de Pentecôte avec les mouvements ecclésiaux, 18 mai 2013.
3. Entretien à l'hebdomadaire italien *Credere*, 6 décembre 2015.

San José, dont le futur pape François fut aussi le vicaire en 1992, en charge de quarante-deux paroisses. « Je l'ai encore vu, un mois avant le conclave, venir ici et prier. »

Adolescent et jeune homme, Bergoglio vit calle Membrillar, avec ses parents, ses frères et sœurs, mais aussi plus tard, sur l'avenida Rivadavia, très exactement au numéro 8862, dans le quartier de Vélez Sarsfield. La maison est aujourd'hui dans le même état que naguère. María Elena, la dernière survivante de la famille, se souvient des jours vécus là-bas, comme son frère, rapportant qu'on y écoutait la Radio del Estado (aujourd'hui Radio Nacional), le samedi à 14 heures, car elle diffusait à cette heure-là des opéras lyriques, qu'on y jouait aussi en famille à la *brisca* et à d'autres jeux de cartes[1].

« Au cours de cette confession, il m'est arrivé une chose étrange, confiait encore Jorge Mario Bergoglio au journaliste Sergio Rubín. J'ignore ce que c'était, mais cela a changé ma vie : je dirais que ça m'a pris au dépourvu alors que je baissais ma garde… Ce fut la surprise, la stupeur de la rencontre. Je pris conscience d'être attendu. Voilà ce qu'est l'expérience religieuse : le choc de se retrouver face à quelqu'un qui vous attend. À partir de cet instant, pour moi, Dieu a été celui qui anticipe tout[2]. »

Mais il n'entre pas tout de suite au séminaire de Villa Devoto. Bergoglio vit d'abord « l'expérience de la solitude », « comme si cet appel bouleversant avait besoin de mourir », confiera-t-il plus tard. Quatre années s'écouleront durant lesquelles il continue d'enchaîner les petits boulots, ménage, balayeur de l'atelier de son père, paperasserie administrative,

---

1. Entretien avec l'auteur, Ituzaingó, août 2013.
2. Sergio Rubín et Francesca Ambrogetti, *Je crois en l'homme, op. cit.*, p. 43-45 de l'édition française. (L'extrait intégral ici reproduit est repris et traduit de l'édition argentine, plus complète, p. 33.)

secrétariat et même, avouera-t-il un jour à la stupéfaction générale lors d'une audience du mercredi, videur de boîte de nuit !

Il travaille enfin dans un laboratoire de chimie alimentaire, l'École technique et industrielle n° 12 (aujourd'hui 27), calle Goya, dans le quartier de Floresta, puis chez Hicketier et Bachmann, un autre laboratoire alimentaire dans le quartier de Recoleta. « Je suis très reconnaissant à mon père de m'avoir envoyé travailler, racontera-t-il, le travail est la meilleure chose qui me soit arrivée dans la vie, et dans ce laboratoire, tout particulièrement, j'ai appris ce qu'il y avait de meilleur et de pire[1]. »

Là, il y rencontre Esther Ballestrino de Careaga, une Paraguayenne, communiste convaincue, qui est sa supérieure dans cette officine où Jorge fait du contrôle de qualité. Âgée de 35 ans, elle allie douceur et autorité naturelle, les cheveux châtains courts. « C'est une femme qui m'a appris à travailler, racontera Bergoglio, à faire les analyses exactes [...]. Elle m'a appris à travailler, de manière scientifique. Une femme avec un bon sens de l'humour, qui m'a introduit au monde de la politique. [...] Je dois beaucoup à cette femme[2]. »

Durant la dictature, elle devra affronter l'enlèvement d'une fille et d'un gendre, puis sera elle-même enlevée le 8 décembre 1977, en même temps que deux religieuses françaises, Alice Domon et Léonie Duquet. Fondatrice du mouvement des Mères de la Plaza de Mayo, elle est torturée pendant dix jours et assassinée, puis son corps jeté d'un avion dans l'un des tristement célèbres vols de la mort. Elle repose aujourd'hui dans l'église de Santa Cruz – ses restes furent retrouvés sur les bords

1. Sergio Rubín et Francesca Ambrogetti, *Je crois en l'homme*, op. cit., p. 28.
2. Déposition du cardinal Bergoglio devant la Cour, procès de l'ESMA, 8 novembre 2010.

du río de La Plata et abandonnés dans une fosse commune, avant d'être identifiés enfin en 2005 ; et c'est bien entendu l'archevêque Bergoglio qui célébra ses funérailles.

Autre obstacle à l'affirmation de la foi du jeune Bergoglio : sa mère, qui refuse longtemps l'idée qu'il devienne prêtre. « La vérité, c'est que ma mère l'a mal pris. Mon père m'a davantage compris », expliquera-t-il plus tard. Mais le futur pape fera souvent allusion à cette rencontre inattendue avec Dieu dans le confessionnal de la basilique San José de Flores. À son ami le rabbin Abraham Skorka, il livrera d'ailleurs cette remarque : « En fait, tout naît du fait d'être appelé, convoqué, touché par Dieu[1]. »

Lui qui n'aime guère les musées, ne les visitant que très rarement, est hypnotisé à cette époque par un célèbre tableau – qu'on lui présentera d'ailleurs « en vrai », en novembre 2015, lors d'une visite à Florence. Il est signé Marc Chagall, c'est *La Crucifixion blanche*, qui représente de manière allégorique la persécution des juifs en Espagne : « La souffrance y est montrée avec sérénité », aime-t-il alors à évoquer[2].

Ce n'est pas un hasard : en 1957, le jeune Jorge Mario, alors âgé de 21 ans, fait lui-même l'expérience de la douleur. Brûlant de fièvre, il est transporté à l'hôpital syro-libanais, calle Campana, dans le quartier de Villa Devoto. Ses souffrances sont insoutenables. Après certaines hésitations, les médecins diagnostiquent une maladie des poumons. On lui injecte du sérum pour nettoyer la plèvre et les cicatrices. « Nous pensions tous qu'il allait mourir[3], se souvient sa sœur cadette, María

1. Abraham Skorka, *Entre la terre et le ciel*, op. cit., p. 497 de l'édition argentine.
2. Sergio Rubín et Francesca Ambrogetti, *Je crois en l'homme*, op. cit., p. 38.
3. Entretien avec l'auteur, Ituzaingó, août 2013.

Elena Bergoglio. Au début, personne n'arrivait à savoir ce qu'il avait. Cela avait commencé comme une pneumonie, puis on a appris qu'il avait une tumeur congénitale, qui s'était réveillée de manière inattendue [en fait trois kystes]. On a dû enlever une partie de son poumon droit à l'hôpital syro-libanais. Et il est revenu à la vie, petit à petit », relate-t-elle. María Elena se souvient d'un long chemin de croix qui avait duré des semaines. Elle n'a oublié aucun détail de son frère souffrant le martyre sur son lit d'hôpital. Avec toute sa famille, elle se relayait à son chevet, sans jamais trouver les bons mots. Seule une religieuse, nommée sœur Dolorés, qui l'avait préparé enfant à sa première communion, sait alors le réconforter : « Avec ta douleur, tu es en train d'imiter Jésus », lui chuchote-t-elle.

En danger, le futur pape l'est donc en fait depuis cette époque. Cette fragilité physique l'expose en permanence, sa santé demeurant toujours fragile. Même si, en lui, il se sent solide comme le roc. Et puis, finalement, l'Esprit-Saint ne décide-t-il pas à sa place ?

C'est à la suite de ce drame intime que Bergoglio, à peine intégré quelques mois plus tôt au séminaire archidiocésain de Buenos Aires, dans le *barrio* de Villa Devoto, décide d'être jésuite. Mais il doute encore. Après une cure de repos sur les hauteurs de Tandil, ville au sud de la capitale argentine, à la villa Don Bosco où il fréquente les Salésiens, il décidera de suivre les pas de saint Ignace de Loyola.

Dans cette ville[1], à 360 kilomètres au sud-est de Buenos Aires, il a comme condisciple le futur cardinal Leonardo Sandri, qui participera avec lui au conclave de mars 2013, et

---

1. Elle est la ville natale du joueur de tennis argentin Juan Martín del Potro, et du président actuel de l'Argentine, Mauricio Macri.

qui est entré dans l'histoire vaticane en annonçant la mort de Jean-Paul II le 2 avril 2005 sur la place Saint-Pierre aux dizaines de milliers de fidèles rassemblés en prière. « Il venait nous réveiller tous les matins, c'était un séminariste exemplaire et sérieux mais déjà avec ces petites touches d'humour, comme il les a maintenant », se souviendra-t-il dans la presse argentine.

Un Sandri fait cardinal par Benoît XVI en 2007 qu'il retrouvera au Vatican comme préfet de la Congrégation des églises orientales, après avoir été nonce durant de longues années à Madagascar, à l'île Maurice et au Venezuela. Le pape François l'enverra notamment en mai 2015 à Bagdad et au Kurdistan irakien, à Erbil et Dohuk, apporter soutien et réconfort aux chrétiens d'Orient.

Mais le chemin est encore long : quatorze années d'apprentissage et d'études sont devant lui. Et il s'en est fallu de peu qu'il ne renonce définitivement, la tentation venant se placer en travers de son chemin.

« Quand j'étais séminariste, confessera Jorge Mario Bergoglio à Skorka, j'ai été ébloui par une fille que j'ai rencontrée lors du mariage d'un oncle. J'ai été frappé par sa beauté, sa lumière intellectuelle… et bon, j'étais mordu, ça a duré un bon moment, elle me trottait sans arrêt dans la tête. De retour au séminaire, après le mariage, j'ai passé une semaine sans pouvoir prier parce que je n'arrêtais pas de penser à elle. Je n'étais encore que séminariste, j'étais libre, je pouvais rentrer chez moi et on n'en parlait plus. Il a fallu que je réfléchisse à nouveau à mon choix. Et j'ai choisi la vie religieuse – ou plutôt je me suis laissé choisir par elle[1]… »

---

1. Jorge Bergoglio, Abraham Skorka, *Sur la terre comme au ciel*, *op. cit.*, p. 61-62.

Chapitre 4

Coups et blessures d'un jésuite

« Tout esprit profond a besoin d'un masque.
Je dirai plus encore : autour de tout esprit
profond, grandit et se développe sans cesse un
masque. »
Friedrich Nietzsche, *Par-delà le bien et le mal*

« Je me sens jésuite et je pense en jésuite », confirme clairement, s'il en était besoin, le pape François au retour de son premier voyage apostolique en dehors d'Italie, dans l'avion, au terme des JMJ au Brésil en juillet 2013 en s'adressant aux journalistes présents à bord. « Je me sens jésuite dans la spiritualité que j'ai dans le cœur. [...] Je n'ai pas changé de spiritualité », dira-t-il plus tard. Pour lui, les Jésuites sont et demeurent « le levain – pas le seul, mais sans doute le plus efficace – de la catholicité : culture, enseignement, témoignage missionnaire, fidélité au souverain pontife[1] ». Mais ils sont très rarement évêques, et presque jamais cardinaux, et n'ont bien sûr, jusqu'au pape François, jamais été souverains pontifes !

---

1. Entretiens d'Eugenio Scalfari avec le pape François, *Ainsi je changerai l'Église*, éditions Bayard, 2014, p. 69.

Dans son pays natal, en Argentine, la Compagnie de Jésus jouit depuis des siècles d'un prestige incomparable. Fondée en 1539 par l'Espagnol Ignace de Loyola, approuvée l'année suivante par le pape Paul III, c'est l'élite de l'élite, la crème de la crème, la fine fleur des intellectuels, philosophes, professeurs et érudits du monde religieux. Presque un État dans l'État, ce qui lui valut dans l'histoire d'être expulsée de plusieurs pays et même d'être un temps suspendue. Aucun ordre religieux n'a autant d'ennemis. Il faut dire qu'il se distingue des autres par la longueur des études, d'une exigence extrême, ainsi que par le vœu d'obéissance au pape, inconditionnel et absolu, qui lui est propre.

Futur premier pape jésuite et premier souverain pontife issu du continent américain de l'histoire de la chrétienté, futur premier pontife issu d'un ordre religieux depuis le Camaldule[1] Grégoire XVI en 1831 – courageux pape qui demandera avec force l'abolition de l'esclavage – le jeune Jorge Mario Bergoglio s'oriente presque naturellement vers les Jésuites après sa douloureuse hospitalisation. Quittant le séminaire de la Villa Devoto, il intègre le noviciat de la Compagnie de Jésus à Córdoba, le 11 mars 1958, où s'est implantée la première université du pays, plus important centre religieux et éducatif du pays depuis... 1573 !

Il va y rester deux années, vite repéré par son style jugé « peu commun ». On raconte en effet qu'il déjeunait à genoux, baisait les pieds de ses supérieurs, se lavait à l'eau froide en plein hiver et qu'il lui arrivait de passer un mois entier sans adresser la parole à quiconque pendant les exer-

---

1. L'ordre camaldule ou ordre des Camaldules (en latin : *Congregatio Monachorum Eremitarum Camaldulensium*), d'inspiration bénédictine, a été fondé par saint Romuald de Ravenne en 1012.

cices spirituels[1]. Très émotif, pleurant facilement, il récitait le chapelet sous un araucaria planté dans le patio, encore visible aujourd'hui. Chaque samedi, il donnait le catéchisme aux enfants alentour, garçons et filles, puis partageait ensuite avec eux du maté[2] et un morceau de pain.

À l'origine, la Compagnie avait pour mission de reconquérir en Europe les espaces gagnés par le protestantisme et de poursuivre l'évangélisation des territoires lointains par-delà les mers. Mais les Jésuites prônent aussi la « théologie morale », à savoir la reconnaissance du caractère sacré de la vie, et développent le refus de considérer une personne comme un objet ou un moyen. Ils sont les champions de la casuistique : ne pas seulement affirmer la règle mais la mettre en contexte, d'où parfois leur réputation de laxisme, de subtilité et d'ambiguïté et de maîtres ès combines. Ils insistent également sur le culte du pardon, de l'amour et de la bienveillance divine où les mérites humains ont davantage de place. Soit deux axes centraux de toutes les actions entreprises aujourd'hui par le pape François, qui aime rappeler que saint Ignace était « un réformateur et un mystique, surtout un mystique », et qu'une « religion sans mystiques est une philosophie[3] ».

---

1. On consultera avec profit l'enquête fouillée et détaillée sur cette période charnière de la vie de Bergoglio réalisée par deux journalistes de Córdoba, Javier Camara et Sebastien Pfaffen, qui ont publié *Aquel Francisco*, aux éditions Raíz de Dos, à Córdoba, en 2016.
2. Le maté est une infusion traditionnelle sud-américaine à base de feuilles de yerba mate (appelé aussi « thé du Paraguay » ou, ça ne s'invente pas, « thé des Jésuites »), dont les propriétés seraient bénéfiques pour la santé.
3. Entretiens d'Eugenio Scalfari avec le pape François, *Ainsi je changerai l'Église, op. cit.*, p. 69-70.

L'incroyable épopée des Jésuites, qui sont aujourd'hui un peu plus de 17 000[1] dans le monde – ils étaient encore 35 000 en 1964 – et possèdent un réseau de 700 collèges et 200 séminaires ou universités à travers la planète, a laissé des traces profondes dans les endroits les plus reculés de la république Argentine, où leur histoire se confond avec celle du pays des gauchos.

À partir de 1691, des missions jésuites furent créées dans un vaste territoire à cheval entre l'Argentine, la Bolivie, le Brésil – où ils fondèrent notamment la ville de São Paulo –, le Paraguay et l'Uruguay, pour protéger la population indienne des abus commis par les conquistadors, notamment dans la province de Misiones, près des fameuses chutes d'Iguaçu, à la frontière brésilienne. Le but de la Compagnie de Jésus et des missionnaires ? Évangéliser, bien sûr, mais aussi regrouper et protéger les Indiens guaranis contre l'esclavage.

C'est la grande époque jésuite en Amérique latine. Car, au siècle suivant, les choses se gâtent : toujours vaillamment soutenus par les Jésuites, dont la montée en puissance devient soudain suspecte, les Indiens guaranis tentent sans succès de résister aux assauts de l'armée portugaise venue les déloger en brandissant l'accord de partage des terres entre Espagnols et Portugais. C'est ce que raconte notamment un film à succès, *Mission*, de Roland Joffé, Palme d'or à Cannes en 1986, avec un saisissant Robert de Niro et un tout aussi étonnant Jeremy Irons. Un épisode dramatique qui vit le massacre de milliers d'Indiens guaranis et d'une trentaine de jésuites.

---

1. Très exactement 17 200, selon Austen Ivereigh, *El Gran Reformator, Francisco, retrato de un papa radical*, Barcelone, Éditions B., 2015, p. 230 (traduit de l'anglais).

Cette très longue aventure, faite de hauts et de bas, est marquée ensuite par la perte du soutien du Vatican, le 21 juillet 1773, le pape Clément XIV[1] sous la pression des monarchies européennes promulguant le bref apostolique *Dominus ac Redemptor* par lequel il supprime officiellement la congrégation des Jésuites – le supérieur général et son secrétaire conseiller sont même incarcérés sans procès dans le château Saint-Ange de Rome, à quelques centaines de mètres de la basilique Saint-Pierre. Ils sont soupçonnés de défendre des thèses trop laxistes, affaiblissant notamment la doctrine de la grâce, prenant trop en compte les excuses morales possibles – ce que l'on appelle, on l'a vu, la casuistique, qui cherche d'abord à résoudre les problèmes moraux par la discussion et par la mise en contexte. En cela, le jésuitisme est l'anticalvinisme par excellence ; un siècle plus tôt, en 1656, en pleine tourmente suivant le concile de Trente[2], dans ses célèbres *Provinciales*, Blaise Pascal avait fait des Jésuites ses cibles de choix et commencé le travail de sape.

Les membres de la Compagnie de Jésus, expulsés au fur et à mesure par les cours royales européennes, se réfugient alors en Russie (orthodoxe) et en Prusse (protestante),

---

1. Peu après son élection, l'ex-cardinal de Buenos Aires, évoquant le choix du nom de François, déclare avec une pointe d'ironie devant la presse mondiale, en évoquant l'issue du conclave entouré de ses frères cardinaux : « Beaucoup ont dit que je devrais m'appeler Adrien pour être un vrai réformateur, ou encore Clément, comme vengeance contre Clément XIV qui abolit la Compagnie de Jésus. » Le pape Clément XIV, qui avait pourtant reçu son éducation chez les Jésuites, restera également dans l'Histoire, plus positivement, pour avoir fondé les musées du Vatican, qui assurent aujourd'hui encore en partie le financement du plus petit État au monde.

2. Le concile de Trente, dix-neuvième concile œcuménique reconnu par l'Église catholique, a été convoqué par le pape Paul III le 22 mai 1542, en réponse aux demandes formulées par Martin Luther dans le cadre de la Réforme protestante. Il débute le 13 décembre 1545 et se termine le 4 décembre 1563, après plusieurs intersessions.

accueillis par l'impératrice Catherine II de Russie et par le roi Frédéric II de Prusse. Mais l'appui du Vatican est finalement rétabli une bonne génération plus tard, en 1814, par la bulle *Sollicitudo omnium ecclesiarum* du pape Pie VII, désireux de contrer la puissance des mouvements francs-maçons qui risquaient de miner l'Église catholique.

Dans le fond, on ne sait pas trop ce qui a attiré Jorge Mario Bergoglio chez les Jésuites, l'ordre le plus important au sein de l'Église actuelle, avec les Salésiens, les Franciscains, les Bénédictins et les Capucins[1]. Mais tout ce passé latino-américain, glorieux et mouvementé, a dû agiter son imaginaire depuis l'enfance et s'imposer comme une évidence. Lui-même sera toujours assez avare de confidences à ce sujet, n'ayant vraisemblablement pas d'explication concrète à fournir. « En fait, je ne savais pas très bien quelle direction prendre, dira-t-il. Ce qui était clair, c'était ma vocation religieuse. » Tout juste admettra-t-il, du bout des lèvres, avoir été attiré par « le bras armé de l'Église, pour parler le langage militaire, fondé sur l'obéissance et la discipline, et parce qu'elle avait une vocation missionnaire[2] ».

Devenu souverain pontife, il sera un peu plus prolixe lors de ses fameux entretiens avec le père Antonio Spadaro, lui-même jésuite et journaliste : « Je voulais quelque chose de plus, mais je ne savais pas quoi. J'étais entré au séminaire. Les Dominicains me plaisaient, j'avais des amis dominicains. Mais ensuite, j'ai choisi la Compagnie que j'ai bien connue parce que le séminaire était confié aux Jésuites. Trois choses m'ont frappé dans la Compagnie : le caractère missionnaire,

---

1. Dans toute l'histoire de l'Église catholique, les papes venant d'un ordre religieux sont assez rares. Il y en a eu 34 en tout et pour tout sur les 266 souverains pontifes ayant régné jusqu'à aujourd'hui.

2. Sergio Rubín et Francesca Ambrogetti, *Je crois en l'homme*, *op. cit.*, p. 45 de l'édition française.

la communauté et la discipline. C'est curieux parce que je suis vraiment indiscipliné de naissance[1]... »

« Il est difficile de parler de la Compagnie », reconnaît le pape François devant Antonio Spadaro. « Si nous sommes trop explicites, nous courons le risque d'être équivoques. La Compagnie peut se dire seulement sous une forme narrative. Nous pouvons discerner seulement dans la trame d'un récit et non pas dans des explications philosophiques ou théologiques, lesquelles en revanche peuvent être discutées. Le style de la Compagnie n'est pas la discussion, mais le discernement, qui, évidemment, dans sa mise en œuvre, inclut la discussion. L'aura mystique ne définit jamais ses bords, ne clôt jamais la pensée. Le Jésuite doit être une personne à la pensée incomplète, à la pensée ouverte[2]. »

Le fameux, le prétendu « secret des Jésuites », analysé à qui mieux mieux de manière plus ou moins farfelue, ne serait-il donc pas d'abord cet insaisissable homme incomplet dont le commun des mortels peine à cerner les fondements ? Une chose est sûre : la plupart des déclarations et décisions actuelles du pape François découlent bien de sa spiritualité jésuite et de sa longue formation.

Il rêve même un temps d'être missionnaire au Japon, comme celui qui fut longtemps le supérieur général des Jésuites, le père espagnol Pedro Arrupe y Gondra, le fameux « pape noir », désigné ainsi en raison de la puissance qu'on lui attribue. Encore une particularité qui a dû plaire à Bergoglio, lequel aime cheminer à contre-courant, loin des discours dominants. Arrupe était un pur mystique, également philosophe et médecin, qui a épousé toutes les tragédies du XXe siècle et fut mis sur la touche par Jean-Paul II qui le

---

1. Pape François, *L'Église que j'espère*, *op. cit.*, p. 33-34.
2. Pape François, *L'Église que j'espère*, *op. cit.*, p. 39.

trouvait trop à gauche. Mais le pape François semble entretenir avec lui un lien très mystérieux.

Contraint de quitter son pays après que la République espagnole a interdit la Compagnie de Jésus en 1932, Pedro Arrupe est ordonné prêtre en Belgique, à Marneffe, le 30 juillet 1936, avant d'être envoyé aux États-Unis, notamment à New York où il est aumônier dans une prison de haute sécurité. Une expérience qui lui inspire ce cri du cœur, sans aucun doute celui du pape François : « Il semble que le prêtre doive toujours être là où est la souffrance. » Deux ans plus tard, Pedro Arrupe réalise le rêve qu'il cultivait depuis dix ans : partir au Japon où il va être témoin du premier bombardement nucléaire de l'Histoire. Le 6 août 1945, les États-Unis larguent une bombe atomique sur Hiroshima. Un éclair de feu déchire le ciel, 80 000 personnes sont tuées, plus de 100 000 personnes blessées. Pedro Arrupe était dans le noviciat des Jésuites, à sept kilomètres de la ville. Il le transforme en hôpital de fortune où il soigne les blessés, nettoyant les plaies et procédant sans narcose aux opérations les plus urgentes. Le 22 mai 1965, il est élu supérieur général de la Compagnie de Jésus et il devient ensuite, à partir de la fameuse conférence de Medellín en août 1968, le champion de la théologie de la libération, qui préconise une « option préférentielle pour les pauvres » et rencontrera un écho tout particulier dans cette Amérique ravagée par l'injustice sociale et la violence des classes dominantes. Victime d'une thrombose cérébrale le 7 août 1981 à l'aéroport de Rome, au retour d'un voyage aux Philippines, il perd l'usage de la parole et demeure en partie paralysé. En 1983, il passe la main et décède dix ans plus tard, le 5 février 1991.

Bergoglio, comme Pedro Arrupe, émet le désir de se rendre au Japon pour porter la parole du Christ, mais ses supérieurs refusent en raison de ses problèmes de santé. Dieu, en fait, lui indique un autre chemin… « J'en connais qui auraient été soulagés de mon absence ici si l'on m'avait envoyé là-bas, vous ne pensez pas ? », ironisait-il, des années plus tard[1]. Car son avenir, on le verra, va être mouvementé et il devra faire face à beaucoup de résistances et d'oppositions. Seul contre tous, déjà.

L'éveil aux pauvres

De Córdoba, où il vient de passer deux ans, il franchit plus prosaïquement la cordillère des Andes pour accomplir ses humanités au Chili, à la Casa Loyola, dans la municipalité de Padre Hurtado, du nom d'un père jésuite aujourd'hui canonisé, à une vingtaine de kilomètres du centre de Santiago[2]. Entouré de jardins et d'arbres fruitiers, le séminaire chilien de la Compagnie a été construit en 1938, dans ce qui était alors une zone rurale. C'est une maison de trois étages contenant près de cent pièces. Bergoglio dort aile nord, dans une modeste chambre, avec d'autres séminaristes. On s'y lave à l'eau froide, car il n'y a pas assez d'eau chaude. Il est interdit de lire le journal et on n'y écoute que de la musique classique. Bien sûr, dans cette ambiance austère et contemplative, on parle très peu, et uniquement pendant les repas, le reste du temps étant réservé au silence et à la méditation. Bergoglio y étudie le latin, le grec, la littérature et l'histoire de l'art. Dans ce pays qui n'est pas encore celui d'Allende ou de Pinochet, le long de cette bande de terre au bout du monde coincée entre la cordillère des Andes et l'océan Pacifique, le jeune Jorge Mario se retrouve pour la première fois en contact

---

1. Sergio Rubín et Francesca Ambrogetti, *Je crois en l'homme, op. cit.*, p. 45 de l'édition française.
2. « Nuevo Pontifice estudió tres años en seminario próximo a Santiago a fines de los 50 », *La Tercera*, Santiago de Chile, 14 mars 2013.

direct et concret avec la misère. Face à cette « Église des pauvres pour les pauvres », qui deviendra des années plus tard la marque profonde de son pontificat.

Une lettre magnifique et déchirante, datée du 5 mai 1960, tapée à la machine – comme il le faisait le plus souvent – simplement signée « Jorge » à l'encre bleue, témoigne des racines profondes de cet engagement. Elle est adressée à sa sœur, sa « chère María Elena », qui est allée la rechercher au fond d'un tiroir pour nous la faire lire : « Je vais te raconter quelque chose, écrit-il, je donne des cours de catéchisme dans une école à des élèves de 8 ou 9 ans. Les enfants sont d'une grande pauvreté ; certains viennent même pieds nus à l'école. Ils n'ont souvent rien à manger et, en hiver, ils sentent le froid dans toute sa rigueur. Tu ne sais pas ce que c'est, car tu n'as jamais manqué de nourriture et que, quand tu as froid, tu t'approches du poêle. Pense bien à ce que je te dis… Quand tu es joyeuse, beaucoup d'enfants pleurent. Quand tu t'assieds à table, beaucoup n'ont qu'un bout de pain à manger et, quand il pleut et qu'il fait froid, beaucoup vivent dans des abris en tôle, et certains n'ont rien pour se protéger. L'autre jour, une vieille me disait : "Oh, mon père, si je pouvais avoir juste une couverture, qu'est-ce que je serais bien ! J'ai si froid la nuit !" Et le pire de tout, c'est qu'ils ne connaissent pas Jésus. Ils ne le connaissent pas parce que personne ne leur en a parlé. Tu comprends maintenant pourquoi je te dis qu'il nous faudrait tellement de saints ? J'attends donc que tu m'envoies rapidement une lettre dans laquelle tu me dises ce que tu vas faire pour m'aider dans mon apostolat. De "ce que" tu vas faire dépend le bonheur d'un enfant, ne l'oublie pas. Je voudrais que tu sois une petite sainte. Pourquoi ne pas essayer ? Il nous faudrait tellement de saints[1]… »

---

1. Archives personnelles de María Elena Bergoglio.

Après ses trois années au Chili, Jorge Mario revient en 1963 dans son Argentine natale – alors que le concile Vatican II vient de s'ouvrir à Rome, le 11 octobre 1962 –, pour décrocher un diplôme de troisième cycle en théologie à la faculté de philosophie et de théologie du Colegio Maximo San José[1], imposante bâtisse de pierre rose perdue au milieu des champs à San Miguel, dans la province de Buenos Aires. Le dimanche, il prépare les repas pour toute la maisonnée. Malicieusement, un journaliste argentin lui demandera s'il cuisinait bien. « Disons que je n'ai jamais tué personne », rigolera-t-il de bon cœur.

Mais Jorge Mario Bergoglio doit encore accomplir l'une des missions à laquelle tout jésuite doit sacrifier : enseigner.

Entre 1964 et 1966, il devient professeur au collège de l'Immaculée Conception de Santa Fe, à 475 kilomètres au nord de Buenos Aires, le plus vieux et le plus prestigieux collège jésuite d'Amérique latine. Il y donne des cours de psychologie, d'art et de littérature, fait étudier à ses élèves *Le Cid*, Cervantès, la poésie médiévale du religieux castillan du XIIIe siècle Gonzalo de Berceo, et même García Lorca. Et il invite le grand Jorge Luis Borges à venir rencontrer ses élèves !

« Borges avait le don de parler pratiquement de tout sans s'esquiver, se souvenait le cardinal Bergoglio. C'était un homme d'une grande sagesse, un homme très profond. Borges m'a laissé l'image d'un homme qui, dans la vie, remet les choses à leur place, range les livres dans les rayons, en bon bibliothécaire qu'il était. » Mais n'était-il pas agnostique ? « Un agnostique qui récitait chaque soir le *Notre Père* car il

---

1. L'ombre du pape François hante toujours les murs du vénérable établissement : un de ses neveux, le prêtre jésuite José Luis Narvaja, fils de sa sœur Marta, y enseigne aujourd'hui à la faculté de théologie.

l'avait promis à sa mère, et qui mourut assisté religieusement[1]. » Le courant est passé entre les deux hommes : Borges ira jusqu'à préfacer un petit livre de quatorze contes, *Cuentos Originales*, paru en 1965, que Bergoglio fait écrire à ses élèves ! Parmi eux, Jorge Milia, devenu un journaliste et écrivain fameux dans son pays, qui aimait à rappeler le surnom dont ils affublaient Bergoglio : « *carucha* », visage de bébé.

Parmi les lectures que le futur pape affectionne, il y a aussi la poésie d'Hölderlin[2], Dante et sa *Divine Comédie*, *Les Fiancés* d'Alessandro Manzoni, un des chefs-d'œuvre de la littérature italienne, et les romans de Leopoldo Marechal[3]. Mais encore, plus étonnant, Graham Greene, le célèbre auteur anglais de polars mystiques, rapportait son amie Alicia Oliveira[4]. « De manière générale, j'aime les artistes tragiques, particulièrement les plus classiques[5] », dit-il. Au nombre de ses « maîtres de vie », pour reprendre l'expression de Bergoglio, il ne faut pas oublier un grand auteur russe, Dostoïevski, dont une question, « implicite et explicite », a toujours habité son cœur : « Pourquoi les enfants souffrent-ils[6] ? » Il aime

---

1. Sergio Rubín et Francesca Ambrogetti, *Je crois en l'homme*, *op. cit.*, p. 134.

2. Les œuvres du grand poète et écrivain allemand sont traduites par Philippe Jaccottet dans la « Bibliothèque de la Pléiade », 1967.

3. Poète, dramaturge et écrivain argentin (1900-1970), fameux dans son pays, d'origine française (son grand-père, communard, s'était exilé en Uruguay en 1871), mais peu connu en Europe, dont deux romans seulement sont disponibles en français : *Le Banquet de Severo Arcángelo* (Gallimard) et *Adan Buenosayres* (Grasset).

4. Entretien avec l'auteur, Buenos Aires, juillet 2013.

5. Pape François, *L'Église que j'espère*, *op. cit.*, p. 125.

6. Entretien avec Andrea Tornielli pour *La Stampa*, 10 décembre 2013. Rappelons que Dostoïevski avait été terriblement affecté par le décès de sa fille Sonia, née et morte à l'âge de deux mois en 1868 lors d'un séjour de ses parents en Suisse. Sa sépulture est toujours visible au cimetière des Rois à Genève, non loin de celle d'un certain Jorge Luis Borges.

aussi la musique depuis son enfance et écoute souvent l'ouverture de « Léonore 3 » de Beethoven, extraite de son opéra *Fidelio*, ou la *Tétralogie* de Wagner, dans leurs versions dirigées par le grand chef d'orchestre allemand Wilhelm Furtwängler[1], « l'interprète le plus prométhéen[2] ». Mais aussi Mozart, interprété par Clara Haskil : « Il me comble, je peux le penser, je dois le sentir. »

« C'était quelqu'un de rigoureux, correct et droit dans les cours qu'il dispensait », se souvenait Patricio Feune de Colombi, l'un de ses anciens élèves. Peu avant sa mort, en août 2016, ce descendant d'une vieille famille suisse évoquait aussi un régent « pas toujours sympa ». Mais dans le salon de son appartement du centre-ville de Buenos Aires, à quelques pas de la fameuse tour des Anglais, il nuançait aussitôt le propos : « Mais maintenant, il est devenu un homme complet, d'abord par sa formation de jésuite. Je le revois nettement, marchant dans les couloirs du collège, toujours son missel à la main, l'air très pénétré. C'était quelqu'un de vraiment à part, complètement dans son monde. Il était différent des autres[3]... »

Quand Jorge Mario Bergoglio rejoint Buenos Aires, il est nommé préfet des quatrièmes années au collège jésuite d'El Salvador, sur l'avenida Callao, au cœur de la capitale, dans le quartier de Balvarena, où il enseigne la littérature et la psychologie.

C'est durant cette période que s'achève à Rome le concile Vatican II, initié par le pape Jean XXIII et conclu par Paul VI le 8 décembre 1965. Une véritable révolution, l'événement le plus marquant du XXe siècle pour l'Église, ainsi que le

---

1. Sergio Rubín et Francesca Ambrogetti, *Je crois en l'homme*, *op.cit.*
2. Pape François, *L'Église que j'espère*, *op. cit.*, p. 124.
3. Entretien avec l'auteur, Buenos Aires, septembre 2013.

pensait notamment le général de Gaulle, provoquant son ouverture au monde moderne, un concile qui va marquer durablement le futur pape François. Si l'abandon du latin et du chant grégorien, ainsi que l'adoption d'un nouveau rituel de la messe, sont les faces les plus visibles de la réforme qui suivit, la grande nouveauté est d'abord l'abandon d'une Église qui se veut une « société parfaite », supérieure aux autres. Elle se déclare désormais « servante et pauvre », à l'écoute de l'homme et de ses problèmes. Le dialogue devient le maître mot, avec une ouverture aux autres confessions chrétiennes, aux religions non chrétiennes et au monde en général.

Mais Paul VI, pour éviter d'aller trop loin et pour ne pas provoquer une rupture trop sanglante, avait demandé aussi au concile de ne pas discuter de trois sujets qu'il se réservait : la contraception, le célibat des prêtres et la réforme de la Curie. « Certains ont interprété cela comme une peur devant l'aventure, d'autres comme une volonté de garder l'unité de l'Église », considère Pierre de Charentenay, jésuite et rédacteur de la revue *Civiltà cattolica*[1].

Dans son dénuement quotidien, la vie de Bergoglio s'inscrit dans une parfaite filiation au « Pacte des catacombes », ainsi que l'a finement remarqué une journaliste de *La Croix*[2]. En effet, à l'issue du concile Vatican II, le 16 novembre 1965, une petite quarantaine d'évêques, parmi lesquels une majorité de Latino-Américains, se retrouvèrent dans les catacombes de Domitille pour y célébrer une messe. À l'issue de celle-ci, ils rédigèrent un document contenant onze articles qu'ils s'engageaient à respecter à la lettre, mettant en avant « une vie de

---

1. *Paul VI, inspirateur du pape François*, éditions Salvator, 2015, p. 11.
2. Isabelle de Gaulmyn, *François un pape pour tous*, Seuil, 2014, p. 131-132.

pauvreté », comme le « pape Jean XXIII l'avait demandé », déterminés à « vivre selon le mode ordinaire de notre population en ce qui concerne l'habitation, la nourriture, les moyens de locomotion et tout ce qui s'ensuit », ou encore de « refuser d'être appelés oralement ou par écrit par des noms et des titres signifiant la grandeur et la puissance (Éminence, Excellence, Monseigneur) »... Du Bergoglio avant l'heure. Ce protocole sera rendu public par l'un de ses signataires, l'archevêque de Recife, Dom Helder Camara, apôtre de la théologie de la libération. L'esprit du pacte des Catacombes planera lors du rassemblement des évêques d'Amérique latine de Medellín, en 1968, avec la fameuse « option préférentielle pour les pauvres » qui fait partie, comme le rappelait Benoît XVI en 2007, de « l'ADN » du catholicisme sud-américain.

Confidences d'un curé défroqué

Une partie des secrets de la vie de jésuite de Jorge Mario Bergoglio est détenue par un vieil homme éminemment respecté dont le bureau se niche dans une rue paisible de Buenos Aires, non loin de la Nonciature apostolique, le docteur Mariano Castex, 84 ans. Médecin et professeur d'université, cet homme au cursus bardé de publications scientifiques est aussi un légiste réputé auquel aucune grande affaire judiciaire n'a échappé depuis des dizaines d'années en Argentine.

Mariano Castex – son nom révèle une origine bien française, sa famille ayant immigré il y a longtemps de Haute-Garonne – possède un signe particulier que beaucoup ignorent : il fut jésuite, ordonné prêtre, avant de renoncer, devenant ce que l'on appelle, dans le langage populaire, un curé défroqué. Mais surtout, il a côtoyé le jeune Jorge Mario Bergoglio. Dans son bureau qui ressemble à un bric-à-brac, *el doctor* s'exprime en un français presque parfait. « Bergoglio était un type aigu, précis, ironique, mystérieux quelquefois. Énigmatique aussi, souffle-t-il d'entrée. Le 13 mars 2013, j'étais ici dans mon bureau, je prenais du maté dans la chambre d'à côté quand tout à coup ma sœur m'a appelé et m'a dit : "Tu pourrais être pape." J'ai dit : "Mais quoi, que se passe-t-il ?" "Bergoglio est pape !" Vous savez, je n'ai jamais cru qu'il pourrait le devenir un jour[1]... »

Il reprend son souffle puis sourit avec gourmandise, sûr de son effet : « J'ai une anecdote très sympathique à vous raconter. Bergoglio avait un frère qui avait des problèmes de conduite et qui, un jour, a demandé à me voir. C'était à la fin des années soixante. Comme je faisais avec tout le monde, je l'ai reçu. Je venais d'acheter un traité de médecine en français très rare, qui m'avait coûté très cher, quelque chose comme 500 dollars d'aujourd'hui. L'apercevant sur ma table, il m'a demandé : "Peux-tu me prêter ce livre qui a l'air intéressant ?" J'ai accepté et il est reparti avec le volume sous le bras. Deux jours plus tard, Jorge Mario vient me voir, très embarrassé, et me dit : "Tu sais que mon frère t'a pris ce livre, mais sais-tu aussi qu'il l'a vendu ?" J'ai haussé les épaules et je lui ai répondu : "Jorge, Dieu me l'a donné et Dieu me l'a repris, c'est tout." Il souffrait terriblement du comportement de son frère. Bien des années plus tard, lorsque j'étais en prison sous la dictature, au début des années quatre-vingt, un gardien est venu un jour me chercher dans ma cellule pour m'annoncer : "Quelqu'un veut te voir ! Je lui ai donné la permission, mais ça ne doit pas se savoir." Et qui je découvre au parloir ? Le frère de Bergoglio ! Si bien que quand Jorge a été nommé pape, je me suis d'abord rappelé son frère. Il connaissait tout le monde, donc il était parvenu sans problème à franchir les obstacles pour pénétrer à

---

1. Entretien avec l'auteur, Buenos Aires, juillet 2013.

l'intérieur de la prison. Il m'avait apporté son soutien et m'avait consolé. En fait, je suis assez persuadé aujourd'hui que Jorge Mario devait être derrière tout ça. Mais, avouez que le frère bon voleur et le pape François, c'est amusant, non[1] ? »

En 1966, Mariano Castex est ordonné prêtre au Colegio Máximo de San Miguel. « Bergoglio revenait du collège de l'Immaculée Conception de Santa Fe, il a donc assisté à mon ordination, se souvient-il. En 1968, quand j'ai fini ma théologie, on m'a nommé immédiatement directeur de l'observatoire de San Miguel. J'habitais dans le même édifice que Bergoglio, qui lui était étudiant en théologie. *Jorgito* était toujours aimable. Mais il me donnait l'impression qu'il avait un peu peur de moi. J'étais un type très actif et très aigu, agile mentalement. Il y a des gens qui me suivent, et d'autres qui me donnent l'impression de moins me suivre. Dans la Compagnie de Jésus de cette époque, j'essayais de récupérer les professeurs laïcs qu'on avait jetés dehors. Au collège San Miguel, j'en avais plus de deux cents sous mes ordres. Quelques-uns avaient été renvoyés et je les ai réintégrés. On disait que j'étais la liste Schindler des scientifiques virés. Le gouvernement de l'époque me soutenait et me donnait l'argent, passant par l'université de Salvador. Mais certains secteurs de la Compagnie avaient peur de cela ; on disait que j'étais communiste[2]... » Pudiquement, Mariano Castex ne le dira pas, mais il est certain que Bergoglio était clairement opposé à ses méthodes, les analysant comme un désordre postconciliaire, comme un abandon prématuré des règles qu'il considérait comme une subversion théologique.

---

1. Entretien avec l'auteur, Buenos Aires, juillet 2013.
2. *Ibid.*

Le 13 décembre 1969, trois jours avant de fêter ses 33 ans, Jorge Mario Bergoglio est, à son tour, ordonné prêtre. Mariano Castex figure bien sûr dans la petite assemblée et participe sans s'en douter, entouré de ses frères jésuites, à un événement historique. Comme les frères et sœurs du futur pape, et sa maman, Regina, qui attend à genoux à l'issue de la cérémonie que son fils la bénisse, de même que sa grand-mère Rosa, fière de ce petit-fils auquel elle a inculqué sa foi, devenu désormais « médecin des âmes ». Peu de temps auparavant, il a rédigé une prière d'une page à l'encre bleue, éclairant magnifiquement sa « profession de foi » : « Je veux croire en Dieu le Père, qui m'aime comme un fils, et en Jésus, le Seigneur, qui a insufflé son esprit dans ma vie pour me faire sourire et me mener ainsi au Royaume éternel de vie. Je crois en l'Église. Je crois en mon histoire, qui a été transpercée par le regard d'amour de Dieu et qui, un jour de printemps, le 21 septembre[1], m'a amené à sa rencontre pour m'inviter à le suivre. Je crois en ma douleur, inféconde à cause de mon égoïsme, dans lequel je me réfugie. Je crois en la mesquinerie de mon âme, qui cherche à engloutir sans donner... sans donner. Je crois que les autres sont bons, et que je dois les aimer sans crainte, et sans jamais les trahir dans le but de trouver pour moi une sécurité. Je crois en la vie religieuse. Je crois que je veux aimer beaucoup. Je crois en la mort quotidienne, brûlante, que je fuis mais qui me sourit en m'invitant à l'accepter. Je crois en la patience de Dieu, accueillante, bonne comme un soir d'été. Je crois que papa est au Ciel avec le Seigneur. Je crois que le père Duarte[2] est aussi là-bas, en train d'intercéder pour mon sacerdoce. Je crois en Marie, ma mère, qui m'aime et ne me laissera jamais

---

1. Rappelons que dans l'hémisphère Sud, les saisons sont inversées.
2. Carlos Duarte Ibarra, le prêtre qui le confessa le 21 septembre 1953, à l'origine de sa vocation.

seul. Et j'attends la surprise chaque jour dans laquelle se manifesteront l'amour, la force, la trahison et le péché, qui m'accompagneront jusqu'à la rencontre définitive avec ce visage merveilleux dont je ne sais pas à quoi il ressemble, que je fuis continuellement, mais que je veux connaître et aimer. Amen[1]. »

Le voilà enfin prêtre, mais il doit encore achever sa formation. Il s'envole à nouveau : pour l'Espagne, cette fois, où il passe sa troisième année de probation à l'université catholique d'Alcalá de Henares, une ville de 200 000 habitants, à une trentaine de kilomètres de Madrid, un bastion des Jésuites où a vécu et étudié Ignace de Loyola. Une année traditionnellement consacrée aux exercices spirituels, au travail pastoral et à la réflexion.

C'est son premier voyage en Europe, très exactement le 4 septembre 1970, se souviendra-t-il précisément : « Je suis d'abord allé à Madrid, puis j'ai visité les noviciats du reste de l'Europe. Je me suis également rendu en Irlande pour y pratiquer l'anglais[2]. »

Enfin il peut prononcer le quatrième vœu jésuite, une ultime promesse « pour que le souverain pontife les répartisse pour une plus grande gloire de Dieu et conformément à leur intention de parcourir le monde, et pour que s'ils ne trouvaient pas le fruit spirituel désiré dans un endroit, ils se portent de là dans l'un ou l'autre, recherchant une plus grande gloire de Dieu et une plus grande aide des âmes », selon la

---

1. Document lu par le nonce apostolique de Buenos Aires, le Suisse Émil Paul Tscherrig, à la cathédrale de Buenos Aires le dimanche suivant l'élection de Bergoglio en mars 2013. Marie Duhamel, dans *Pape François*, éditions Mame, 2015, en a publié l'émouvant fac-similé autographe, de la main même du futur pape François, entre les p. 34 et 35.
2. Sergio Rubín et Francesca Ambrogetti, *Je crois en l'homme*, *op. cit.*, p. 137.

septième partie des Constitutions de la Compagnie de Jésus. Édictée au XVIᵉ siècle par Ignace de Loyola, cette partie met notamment l'accent sur l'éducation des jeunes, l'instruction des pauvres, la visite dans les hôpitaux ainsi que l'aide aux malades et aux prisonniers. Il devra également « toujours accepter sa mission le cœur joyeux comme venant de la main du Seigneur ».

L'affection de Bergoglio pour la mystique jésuite va d'ailleurs en priorité vers « une école française » qu'il a « toujours préférée », confie-t-il en mai 2013. « Le courant français commence très tôt, dès l'origine avec Pierre Favre. J'ai suivi ce courant, celui de Louis Lallemant. Ma spiritualité est française. Mon sang est piémontais. C'est peut-être la raison d'un certain voisinage. Dans ma réflexion théologique, je me suis nourri d'Henri de Lubac et de Michel de Certeau[1]. Pour moi, Certeau reste le plus grand théologien d'aujourd'hui[2]. »

Tout cela, on le verra, n'est pas anodin : une partie des clés du pontificat de François est contenue dans l'œuvre de Michel de Certeau, maître de la stratégie et de la tactique, où l'approche de la vérité est toujours une affaire de tact.

Mais nous n'en sommes pas encore là. En ce début des années 1970, les Jésuites sont engagés dans une approche sociale et politique difficile et sont souvent qualifiés de marxistes, dans la ligne de la théologie de la libération. Des

---

1. Entré dans la Compagnie de Jésus en 1950, « anthropologue attentif à l'existence des gens ordinaires », comme le qualifie un de ses éditeurs, Michel de Certeau (1925-1986) est considéré comme le rénovateur des études sur la mystique, auteur d'un livre essentiel, *La Fable mystique*, ainsi que de *La Faiblesse de croire*. Fondateur, avec Jacques Lacan, de l'École freudienne de Paris. Il avait notamment soutenu à la Sorbonne une thèse de doctorat consacrée à la mystique de Pierre Favre. Il a enseigné aussi à Genève, San Diego et Paris.
2. « Conversation avec le pape », *La Vie*, 10-16 mars 2016, p. 21.

positions qui divisent au sein même de la Compagnie de Jésus. En fait, la théologie de la libération se retrouve en affrontement avec un autre courant, auquel adhère Bergoglio : la théologie du peuple, qui « pense la notion de peuple à partir de la nation », ni libérale, ni marxiste comme sa rivale.

Portée par l'élan rénovateur de Vatican II, cette « école de Buenos Aires[1] puise ses fondements dans la culture et l'histoire argentines : elle part du constat que l'Église, qui a joué un rôle important dans le processus d'indépendance du pays, était déjà là lorsque le peuple, majoritairement catholique, évangélisé, catéchisé, s'est uni en une seule patrie. Elle est préoccupée par le sort des opprimés et des laissés-pour-compte.

En fait, elle est totalement « péroniste », du nom du général et tribun Juan Perón, l'homme providentiel de la nation argentine, président à deux reprises, de 1946 à 1955, puis, après un long exil en Espagne, de 1973 à sa mort en 1974, fondateur du justicialisme, une forme de populisme à tendance autoritaire, qui ranima la flamme du peuple argentin et son nationalisme. Sa doctrine pourrait se résumer ainsi : « Une Argentine socialement juste, économiquement libre et politiquement souveraine », ainsi qu'il le fera inscrire dans la Constitution de 1949 qui s'articule autour du respect de la personne humaine, de la « dignification » du travail et de l'humanisation du capital. Le péronisme veut aussi renforcer l'« argentinité » du peuple – une identité chèrement acquise lorsqu'il s'est libéré de la tutelle espagnole au début du XIXe siècle.

---

1. Elle puise son origine dans la Commission épiscopale de pastorale (COEPAL) créée en 1966 par les évêques argentins. La COEPAL a fonctionné jusqu'au début de 1973. À ce moment, les évêques l'ont arrêtée mais le groupe a continué de se réunir et de réfléchir ensemble.

Le mouvement est en fait, pour Bergoglio, la traduction la plus fidèle de la doctrine sociale de l'Église. « Il était favorable au péronisme sans être membre du parti, croit savoir Juan Carlos Scannone, l'un de ses amis jésuites. Mais il n'était aucunement marxiste ou communiste ; il n'appartenait à aucun parti[1]. » Le communisme l'a-t-il un temps séduit ? « Son matérialisme n'a pas eu de prise sur moi, assure le pape François, mais j'ai compris certaines choses, notamment une dimension sociale que j'ai retrouvée par ailleurs dans la doctrine sociale de l'Église[2]. » Des années plus tard, en novembre 2014, Andreas Gross, homme politique de gauche et ancien député suisse, demandera au pape lors de sa visite au Parlement européen à Strasbourg, en lui serrant brièvement la main, si Jésus était à ses yeux le tout premier socialiste de l'Histoire. Le Saint-Père, hésitant quelques secondes, lui aurait répondu : « Non, ce sont les Jésuites qui furent les premiers socialistes[3]. »

Jamais en retard d'une calomnie, les ennemis de Bergoglio l'accusèrent aussi d'être passé par la Guardia de Hierro (Garde de fer), un mouvement de jeunesse péroniste, clairement anti-communiste et opposé radicalement aux *Montoneros*, mouvement péroniste lui aussi, mais de gauche, révolutionnaire, populiste et anti-impérialiste, qui prônait et mettait en pratique la lutte armée. Or, aucune preuve n'a jamais été apportée quant à cette appartenance. Les anciens chefs de la Garde de fer ont même témoigné que Bergoglio n'avait jamais appartenu à leur mouvement, même s'il avait été pour eux

---

1. Juan Carlos Scannone, *Le Pape du peuple, op. cit.*, p. 117.
2. Entretiens d'Eugenio Scalfari avec le pape François, *Ainsi je changerai l'Église, op. cit.*, p. 65.
3. Entretien avec l'auteur, Porrentruy (Suisse), novembre 2016.

une sorte d'aumônier, agissant comme confesseur de ses dirigeants.

Le 22 avril 1973, lorsque Bergoglio revient en Argentine, Juan Perón est de retour au pouvoir après dix-huit ans d'exil. *Padre* Jorge est désormais un jésuite accompli. À la surprise générale, il est nommé le 31 juillet comme nouveau provincial, la plus haute autorité des jésuites d'Argentine. Responsable de l'administration sur l'ensemble du territoire argentin, tous les membres sont sous son autorité. Il n'a même pas atteint la quarantaine.

Le père Ignacio Pérez del Viso, qui fut son professeur, le dépeint alors comme « un provincial très exigeant » à une époque où, dans la compagnie, « on assistait à un certain désordre ». C'est bien sûr le père Pedro Arrupe, le supérieur général, qui l'a nommé à ce poste exposé. Le père del Viso s'était d'abord opposé à cette désignation « parce qu'il n'avait jamais été supérieur d'une communauté, il n'avait eu affaire qu'à des novices », mais il s'y rallia finalement « comme il n'y avait pas d'autres candidats de qualité » et « qu'il avait une vision claire de ce qu'il fallait faire et une spiritualité forte[1] ».

À l'âge de 36 ans, Jorge Mario Bergoglio est donc déjà un « petit pape », si l'on ose écrire, avec sous ses ordres quinze maisons, cent soixante-dix prêtres, trente-deux frères et vingt étudiants. « Je me suis retrouvé provincial très jeune, dira-t-il. Ma manière de gouverner comportait beaucoup de défauts, les gens se lassent de l'autoritarisme. Ma manière autoritaire et rapide de prendre des décisions m'a conduit à avoir de sérieux problèmes et à être accusé d'ultraconservatisme. »

---

1. Marco Politi, *François parmi les loups*, éditions Philippe Rey, 2015, p. 144.

Bergoglio, dès lors, voyage beaucoup à travers l'Argentine pour visiter sa communauté. Il s'installe d'abord à Flores, dans le quartier de son enfance, avant de venir vivre au collège Máximo de San Miguel. Il impose que les étudiants restent au collège, exigeant qu'ils portent le col romain. Il abandonne aussi l'université Del Salvador, fondée et gérée par les Jésuites, qui est criblée de dettes, la cédant à une association de laïcs. Une décision qui lui vaut de nombreux ennemis à l'interne.

« Il y avait de grandes divisions à ce moment-là dans l'Église et dans la Compagnie, le "troisième monde[1]" face au secteur conservateur, se souvient l'ancien jésuite Mariano Castex. C'était toujours gauche contre droite et moi, j'étais au milieu. Je représentais plutôt un groupe de jésuites qui soutenait que la mission des Jésuites était l'école, l'éducation supérieure, l'apostolat et la présence auprès des pauvres. Je croyais à cela. C'était, pour moi, le sens même du message de saint Ignace. Quand j'étais à l'Université catholique, tout comme lorsque je suis sorti de l'Église, j'ai appris que, dans la Compagnie de Jésus, en Argentine, on n'aimait pas beaucoup Bergoglio. Il faut dire que la Compagnie de Jésus, en Argentine, était très difficile à gérer, avec des personnes assez insupportables. Cela a pris de telles proportions qu'on avait préféré désigner des provinciaux et des pères supérieurs venus d'un autre pays. Bergoglio, lui, on l'a éloigné un temps de Buenos Aires et il a dû lutter avec ces tendances opposant le "troisième monde" aux conservateurs. Mais il a mis beaucoup de gens dans sa poche. Dans le fond, je crois qu'il était un

1. Le « troisième monde », appelé aussi la « théologie de la libération », mouvement apparu en Amérique latine dans les années 1960-1970, dont le Brésilien Dom Helder Camara (1909-1999) fut l'une des figures tutélaires, inspirée du marxisme, visant à rendre dignité et espoir aux pauvres, victimes de l'économie libérale et de la tyrannie du capitalisme sauvage.

peu rigide. Les Argentins n'aiment pas l'autorité. Bergoglio, on disait des choses absurdes sur lui, mais il savait faire en sorte qu'on lui obéisse. »

« J'ai été nommé supérieur très jeune et j'ai fait beaucoup d'erreurs par autoritarisme par exemple », redira en mars 2014 le pape François, devant de jeunes Flamands lui rendant visite au Vatican[1] en compagnie de leur évêque. J'étais trop autoritaire, à 36 ans… Et puis j'ai appris qu'il fallait dialoguer, entendre ce que pensent les autres. Mais on n'apprend pas une fois pour toutes, non. La route est longue. »

C'est flanqué de cette image particulièrement rigide, intransigeante et austère, qu'il s'apprête à affronter la pire tempête de son existence.

---

1. Pape François, *Paroles en liberté*, Plon, 2016, p. 158.

Chapitre 5

L'indicible soupçon

« La vie chrétienne est une lutte. Une très belle lutte... »

Pape François,
Homélie à Sainte-Marthe, 30 octobre 2014

C'est peut-être le plus douloureux de tous ses combats. Une blessure intime, jamais vraiment cicatrisée, qu'il traînera comme un boulet, et qui, sans nul doute, lui a bloqué l'accès à la papauté en 2005 lors du premier conclave auquel il participa et qui vit l'élection de Benoît XVI. On l'avait accusé, curieusement à ce moment-là seulement, de la pire des choses qui soit : avoir, trente ans plus tôt, dénoncé deux prêtres disparus sous la dictature militaire. Une accusation abjecte contre laquelle il a dû se défendre et se justifier, à contrecœur, bien malgré lui. Mais ces années de boue lui collent toujours aux basques, revenant périodiquement, comme un soupçon que rien ne parvient à décoller.

Le 24 mars 1976, le général Jorge Rafael Videla prend le pouvoir par un coup d'État militaire qui destitue la présidente Isabel Perón[1]. Le Parlement est dissous, cinq partis de

---

1. À ne pas confondre avec Eva Perón, figure iconique de l'Argentine, la seconde femme de Juan Perón, disparue en 1952 et dont la

gauche sont interdits, la peine de mort est rétablie. Les opposants sont traqués par l'armée. Les perquisitions se multiplient.

Comme provincial des Jésuites, Jorge Mario Bergoglio se retrouve malgré lui en première ligne. Et est au cœur d'une terrible épreuve : des millions d'Argentins, des femmes, des hommes, des enfants, des religieux, des prêtres, se retrouvent pris, à leur corps défendant, dans des situations d'une violence extrême. À ses séminaristes, il intime l'ordre de ne pas parler entre eux de ces événements ou d'idéologie politique avec quiconque, y compris des jésuites plus âgés et en particulier les aumôniers militaires. Mais il peine en revanche à convaincre les jésuites installés dans des quartiers défavorisés de rester prudents et de ne pas trop s'exposer. Parmi eux Orlando Yorio et Francisco Jalics, qu'il connaît depuis plus de dix ans. L'un a été son professeur, l'autre son directeur spirituel au Collège Máximo. Les deux hommes souhaitent prendre leurs distances avec la Compagnie de Jésus et fonder une congrégation religieuse orientée plus à gauche, plus près du peuple encore.

Mais chaque jour, dans le bidonville où ils apportent soutien et réconfort aux pauvres, la situation se fait plus risquée. Jorge Bergoglio les presse de quitter leur quartier, leur propose de venir vivre en toute sécurité à San Miguel. Mais ils sont enlevés le 23 mai 1976 dans le quartier de Rivadavia, en bas de Flores, près du bidonville de la Villa 1-11-14, avant d'être emmenés à l'ESMA (Escuela Superior de Mecánica de la Armada), le plus grand centre de détention sous la dictature. « Pour tout vous dire, ces prêtres étaient en train de monter une congrégation religieuse, précisera plus tard le cardinal Bergoglio. Le supérieur général des Jésuites d'alors, le père Arrupe, leur a dit qu'ils devaient choisir entre la communauté dans laquelle ils

---

sépulture aujourd'hui est l'objet d'un véritable culte au cimetière de La Recoleta à Buenos Aires.

vivaient et la Compagnie de Jésus, et il leur a ordonné de quitter la communauté. Comme ils insistaient pour maintenir leur projet, et que le groupe avait été dissous, ils ont demandé à quitter la Compagnie. Ce fut un long processus interne qui dura plus d'un an. Il ne s'agissait pas d'une décision punitive dont j'aurais été l'instigateur[1]. »

Dès qu'il est prévenu des disparitions, Bergoglio remue ciel et terre. Il avertit la nonciature et l'archevêché. Et se démène pour rencontrer les dirigeants les plus influents de la junte. « J'ai fait ce que j'ai pu à l'âge que j'avais, dira-t-il plus tard, et j'avais peu de relations pour défendre des personnes séquestrées. À deux reprises, j'ai pu rencontrer le général Jorge Videla et l'amiral Emilio Massera [le chef de l'État et le commandant en chef de la marine, membres de la junte]. Lors de l'une de mes tentatives de dialogue avec Videla, je me suis débrouillé pour vérifier qui était l'aumônier militaire qui célébrait la messe, et j'ai convaincu ce dernier de dire qu'il était tombé malade et de me faire envoyer comme remplaçant. Je me souviens avoir dit la messe dans la résidence du commandant en chef de l'armée, devant toute la famille Videla, un samedi soir. Alors, j'ai demandé à Videla si je pouvais m'entretenir avec lui, toujours dans le but de pouvoir vérifier la situation des prêtres détenus[2]. »

Un témoin capital : Alicia Oliveira

« Bergoglio se faisait du souci pour Yorio et Jalics, se souvenait sa vieille amie Alicia Oliveira, disparue en

---

1. Sergio Rubín et Francesca Ambrogetti, *Je crois en l'homme, op. cit.*, p. 174.
2. Sergio Rubín et Francesca Ambrogetti, *Je crois en l'homme, op. cit.*, p. 172.

novembre 2014, ancienne juge persécutée par la junte, figure morale parmi les défenseurs des droits de l'homme. Un jour, Jorge m'a dit : "Ils ne comprennent pas que les militaires les ont remarqués et pensent qu'ils sont subversifs". Il voulait les protéger, mais les deux prêtres ne voulaient pas partir et ne voulaient pas recevoir d'ordre. Vous savez, on peut refaire l'histoire dans tous les sens, il a fait tout ce qu'il a pu[1]. »

Un sentiment confirmé, notamment, par le prix Nobel de la Paix Adolfo Pérez Esquivel, emprisonné et torturé sous la dictature et lui aussi témoin des événements. « Il y a eu des évêques complices de la dictature, mais pas Bergoglio, dira-t-il à la BBC en mars 2013. On met en cause Jorge Bergoglio parce qu'on dit qu'il n'a pas fait le nécessaire pour sortir deux prêtres de prison, à l'époque où il était le supérieur de la congrégation des Jésuites. Mais je sais personnellement que de nombreux évêques ont demandé à la junte militaire la libération de prisonniers et de prêtres et qu'elle ne leur a pas été accordée. »

L'un des premiers souvenirs d'Alicia Oliveira, en tout cas l'un des plus forts, est la véritable exhortation de Jorge Mario Bergoglio, en février 1976, connaissant son inlassable implication pour les droits de l'homme : « Alicia, je veux que vous veniez vivre avec moi à San Ignacio. Ce qui va se passer va être dangereux, ceci est très organisé depuis l'Angleterre à cause du pétrole des Malouines, je vous en prie, venez avec moi ! » « Ma réponse fut arrogante, disait-elle. Jorge, je préfère me faire enlever par des militaires que de vivre avec des curés ! »

« Le jour du coup d'État militaire, le 24 mars 1976, poursuivait-elle, on m'a appelée pour me prévenir qu'une amie allait être arrêtée et qu'ensuite, ce serait mon tour.

---

1. Entretien avec l'auteur, Buenos Aires, juillet 2013.

Personne n'est jamais venu, je ne sais toujours pas pourquoi. Mais chaque fois que j'entendais un bruit dans le couloir ou dans l'ascenseur, mon cœur cessait de battre. Puis, quelques jours plus tard, j'ai reçu un document du tribunal ordonnant ma mise à pied. Je n'étais plus juge pénale, je n'avais plus aucun pouvoir. Je n'allais donc plus au travail et je restais à la maison. Puis un matin, surprise, on m'a livré un énorme bouquet de fleurs. Il y avait une carte à l'intérieur, chantant les louanges de mon travail passé en tant que juge. Le billet n'était pas signé, mais j'ai tout de suite reconnu l'écriture : c'était celle de Jorge ! »

Pour avoir vécu ces fameuses années de plomb aux côtés de Jorge Mario Bergoglio, qui venait au moins deux fois par semaine chez elle, Alicia fut une observatrice privilégiée en même temps qu'une actrice bien involontaire des événements. Chaque dimanche, elle prenait la route pour rendre visite à son ami à San Miguel. Pour être finalement sauvée par le pape François, aux pires moments de la dictature, alors qu'elle avait échappé de justesse à une arrestation : « J'avais un train à prendre et j'étais partie plus tôt, j'ai eu de la chance ce jour-là. » Comme elle avait fini par accepter son aide, le *padre* Bergoglio la cacha au collège El Salvador durant deux mois, organisant même des rencontres clandestines dans le dédale des couloirs du sous-sol pour qu'elle puisse voir régulièrement son fils, tout petit, qui ne cessait de la réclamer.

Quant aux liens présumés de son vieil ami Jorge avec la junte et l'affaire des pères Francisco Jalics et Orlando Yorio, Alicia Oliveira balaie les critiques d'un revers de la main. « C'est totalement faux », jure-t-elle, dressant au contraire le portrait d'un vrai résistant. « Il faut savoir, dit-elle, que Bergoglio a aussi caché et aidé par dizaines des personnes jugées subversives durant le gouvernement militaire, dans des collèges en banlieue de Buenos Aires. De même qu'il avait

95

notamment exfiltré du pays, par Foz do Iguaçu, un jeune homme recherché par le régime qui lui ressemblait beaucoup. Il lui avait donné sa carte d'identité et son habit de clergyman. C'est comme ça qu'il a pu lui sauver la vie[1]. »

D'autres exemples probants, depuis l'avènement du pape argentin à Rome, sont depuis sortis de l'ombre. Un véritable déferlement de témoins que Bergoglio avait aidés sous la dictature, aux quatre coins du pays, parmi lesquels des récits poignants, comme celui de ce prêtre paraguayen, José Luis Caravias, certifiant qu'il l'avait prévenu qu'on avait « décrété sa mort » et « l'avait protégé ». « Si je suis vivant aujourd'hui, si j'ai pu écrire quarante livres, si j'ai pu continuer à promouvoir les droits de l'homme et l'Évangile au milieu des pauvres [...], c'est à lui que je le dois[2]. »

Dans un ouvrage parfaitement documenté, le journaliste italien Nello Scavo a mis en lumière la vie d'une centaine de personnes au moins – sans doute beaucoup plus – sauvées et exfiltrées discrètement par Jorge Mario Bergoglio durant la dictature, la plupart du temps via un transit par le collège San Miguel ou par le collège El Salvador. Le futur pape procédait à ces sauvetages grâce à un véritable système de cloisonnement, comme il le fera plus tard au Vatican, n'ayant aucun homme de confiance auquel se confier ou à consulter. Toujours, Bergoglio agit et décide seul. « Aucun de ceux qui appartenaient au système Bergoglio ne savait qu'il en faisait partie. Chacun rendait un service précis au chef des Jésuites : l'un procurait un lit pour quelques nuits, l'autre un trajet en voiture, un autre amadouait des fonctionnaires européens,

---

1. Entretien avec l'auteur, Buenos Aires, juillet 2013.
2. Entretiens avec différents journaux argentins, paraguayens et espagnols, mais aussi avec Nello Scavo, *La Liste de Bergoglio*, Bayard, 2014, p. 95-101.

un autre encore se chargeait des billets d'avion ou d'une place sur un navire de commerce levant l'ancre vers l'Europe. Une organisation aux compartiments étanches », rapporte Nello Scalo dans son livre[1].

Être provincial en Argentine durant ces années de braise fut une tâche terrifiante. « C'était une atmosphère politique très tendue, très pesante, admet le jésuite Juan Carlos Scannone. Avec beaucoup d'assassinats. La dictature militaire a été terrible. Il régnait un climat de terreur. Si des soupçons se portaient contre vous, il fallait prouver que vous étiez innocent. Beaucoup de personnes disparaissaient. Ce furent des temps très difficiles, très difficiles[2]... »

Dès qu'on évoque devant lui la collaboration prétendue de Jorge Mario Bergoglio avec le régime militaire du général Videla, et sa participation supposée à la disparition des deux prêtres, l'ancien jésuite Mariano Castex pousse un soupir de lassitude. À ses yeux, tout cela relève de la calomnie pure et simple. Il en est persuadé pour avoir côtoyé de près le futur pape à cette époque, tout comme les religieux enlevés. « À San Miguel, j'ai bien connu les deux prêtres disparus, dit-il[3]. Jalics, c'était un bon type, avec une mentalité européenne, quelqu'un de vraiment intelligent, mais un professeur dont il était difficile d'interpréter la théologie. En 1965, quand on m'a opéré et que j'ai été hospitalisé durant trois mois, il venait souvent me voir, il m'a même tenu la main lorsque j'entrai en salle d'opération. Yorio, lui, a travaillé à mes côtés pendant quinze ans. C'était un homme formidable, dont le père était sous-officier à l'armée. Un saint qui tolérait tout.

---

1. Nello Scavo, *La Liste de Bergoglio*, *op. cit.*, p. 57.
2. Juan Carlos Scannone, *Le Pape du peuple*, *op. cit.*, p. 120.
3. Entretien avec l'auteur, Buenos Aires, juillet 2013.

Il avait une vraie empathie avec moi. On s'est battu ensemble aux côtés d'Alfonsín[1]. Moi, à l'époque, je voulais tuer tous les militaires. Et il me disait : "Pourquoi ? C'est passé, c'est tout." Il était au-delà du bien et du mal, il planait dans le ciel. Et dire qu'on canonise aujourd'hui cet imbécile de l'Opus Dei[2] ! »

Finalement libérés, les deux séminaristes quittèrent le pays avec l'aide de Bergoglio. Jalics déclarera plus tard devant la justice argentine – qui n'a jamais retenu aucun grief contre Bergoglio – que le futur pape François était intervenu auprès de l'ambassadeur d'Argentine en Italie et qu'il avait établi des contacts avec plusieurs hauts responsables de la dictature militaire afin d'obtenir leur libération.

Après son élection à Rome, Jalics, qui vit aujourd'hui en Allemagne, prendra d'ailleurs publiquement la défense de l'ancien cardinal de Buenos Aires : « Nous avons été arrêtés du fait d'une catéchiste qui avait d'abord travaillé avec nous et avait plus tard rejoint la guérilla. Pendant neuf mois, nous ne l'avons plus revue, mais deux ou trois jours après son arrestation, nous avons aussi été arrêtés. L'officier qui m'a interrogé m'a demandé mes papiers. Quand il a vu que j'étais né à Budapest, il a cru que j'étais un espion

---

1. Raúl Alfonsín (1927-2009), futur premier président de la République argentine élu démocratiquement après des années de dictature militaire, en décembre 1983. Grande figure de l'Union civique radicale (UCR), le plus ancien parti argentin, regroupant libéraux centristes et sociaux-démocrates, marqué dans l'Histoire par des relations ambiguës avec le péronisme, tantôt allié tantôt adversaire.
2. Josemaría Escrivá de Balaguer (1902-1975), fondateur de l'Opus Dei en 1928, canonisé en octobre 1982 par Jean Paul II, objet de nombreuses critiques pour son soutien affiché au franquisme et aux régimes réactionnaires, comme la dictature d'Augusto Pinochet au Chili.

russe. Dans les provinces jésuites d'Argentine et dans l'Église catholique, on avait répandu les années précédentes une fausse information disant que nous avions déménagé dans les bidonvilles parce que nous appartenions à la guérilla. Mais ce n'était pas le cas. Je suppose que ces rumeurs étaient alimentées par le fait que nous n'avons pas été relâchés immédiatement. J'étais auparavant enclin à penser que j'avais été victime d'une dénonciation. Mais à la fin des années 1990, après de nombreuses conversations, j'ai réalisé que cette hypothèse n'était pas fondée. Il est donc faux de dire que notre arrestation a été le fait du père Bergoglio[1]. »

Pour les uns comme pour les autres, le temps répare souvent les injustices. Le 5 octobre 2013, au Vatican, les retrouvailles inattendues entre les deux hommes furent chargées d'émotion : Francisco Jalics, âgé de 86 ans, tomba dans les bras du pape François. « La vérité et le temps nous ont réconciliés », murmurera-t-il. Quant à Orlando Yorio, décédé en août 2000 en Uruguay, sans savoir que l'homme qu'il avait violemment accusé lors d'un procès de la junte en 1985 serait un jour l'une des personnalités les plus admirées au monde, il nuancera ses propos. Lui qui affirmait : « Je suis sûr qu'il a lui-même [Jorge Mario Bergoglio] fourni une liste avec nos noms à la Marine », fera marche arrière. Et il confirmera plus tard devant la justice argentine que, dès sa sortie des geôles de la dictature, Bergoglio avait effectué les formalités lui permettant d'obtenir ses papiers et qu'il avait aussi payé son billet d'avion pour Rome, où il était encore intervenu afin de faciliter son entrée à l'Université pontificale grégorienne…

---

1. Propos recueillis et rapportés par l'agence Zenit, à Rome, spécialisée dans l'actualité vaticane, fondée et contrôlée par les Légionnaires du Christ.

Ministre du Développement social, de 1999 à 2001, dans le gouvernement de La Rúa, ex-candidate à la présidence de la République, ancienne sénatrice et députée, Graziela Fernández Meijide faisait partie de la Commission des personnes disparues sous la dictature, créée en 1983 par le président Alfonsín.

« Je dois avouer que je n'ai jamais entendu parler de Bergoglio mêlé à tout ça, confie-t-elle. Pas un seul document, pas un seul témoignage. Les prêtres disparus sous la dictature passaient pratiquement entre les mains des Montoneros, une guérilla catholique et péroniste, très répandue dans les universités du pays. Orientés à gauche, Jalics et Yorio étaient des sympathisants de ce mouvement, si bien qu'ils ont été finalement libérés. » Aujourd'hui, Graziela Meijide en est persuadée : « Je pense que toute cette histoire a bénéficié indirectement à Bergoglio, au conclave. Dans le fond, les cardinaux latinos et tiers-mondistes, qui savaient que cette histoire était fausse, n'étaient pas mécontents d'affaiblir en même temps le gouvernement argentin et de mettre en difficulté la présidente argentine Cristina Kirchner en votant pour Bergoglio[1]... »

Un document « à charge »

En fait, quand on se penche attentivement sur ce dossier, le seul document accusateur contre Bergoglio semble être une fiche sur l'un des deux prêtres, Francisco Jalics, rédigée en 1979 d'après des données envoyées par lui au directeur du Culte catholique du ministère des Affaires étrangères, avec une demande de renouvellement de passeport pour le même Jalics, trois ans après son arrestation, alors qu'il avait déjà

1. Entretien avec l'auteur, Buenos Aires, juillet-août 2013.

gagné l'Europe depuis longtemps. On peut lire, sur cette note dactylographiée[1], que le père Jalics avait eu une « activité provocatrice dans les Congrégations religieuses », qu'il était soupçonné de « contacts avec les guérilleros » et que ces informations avaient été fournies « par le père Bergoglio lui-même, signataire de la lettre ».

Dans son livre d'entretiens avec le journaliste Sergio Rubín, le cardinal Bergoglio constatait, dépité, que Jalics lui avait bien demandé d'intercéder auprès de la chancellerie pour renouveler son passeport car il voulait revenir en Argentine, « mais craignait, à juste titre, de se faire arrêter ». Il avait donc écrit une lettre aux autorités exposant sa requête – sans en préciser la raison réelle, mais en expliquant que le voyage était coûteux – afin d'obtenir la gestion depuis l'ambassade de Bonn. « Je l'ai remise en mains propres à un fonctionnaire qui m'a interrogé sur les circonstances du départ précipité de Jalics », racontait Bergoglio – le fonctionnaire, auteur de la fameuse fiche. Mais le cardinal précisait aussitôt le contenu de leur dialogue. « On les a accusés, lui et l'autre prêtre, d'être des guérilleros, mais ils n'ont rien à voir avec tout cela », précisa-t-il au fonctionnaire qui lui répondit : « Eh bien, laissez-moi la lettre, et on lui répondra plus tard. » La demande fut évidemment rejetée.

---

1. Dont voici la traduction exacte : « Père Francisco Jalics : Activité provocatrice dans les Congrégations religieuses féminines (conflits d'obéissance) ; emprisonné à l'École mécanique de la Marine du 24.5.1976 à septembre 1976 (6 mois) accusé avec le père Yorio ; soupçonné contacts guérilleros ; ils habitaient en petite communauté que le supérieur jésuite a dissous, en février 1976, et ont refusé d'obéir en demandant à sortir de la Compagnie, ont reçu l'expulsion et pas le père Jalics, car il est tenu à des vœux solennels. Aucun évêque du Grand Buenos Aires n'a accepté de les recevoir. *NB* : ces informations ont été fournies à M. Orcoyen par le père Bergoglio lui-même, signataire de la lettre, avec recommandation spéciale de ne pas donner suite à cette demande. »

Et, des années après, poursuit Bergoglio, « l'auteur de la dénonciation à mon encontre est allé consulter les archives du secrétariat du Culte, et la seule chose qu'il a mentionnée, c'est qu'il a trouvé un bout de papier où le fonctionnaire relatait notre dialogue, rapportant que je lui avais dit que les prêtres avaient été accusés d'être des guérilleros. En somme, il a extrait un morceau de la phrase sans retenir la partie où je signalais que les prêtres n'avaient rien à voir avec tout cela. De plus, l'auteur de la dénonciation a fait l'impasse sur la lettre attestant que je soutenais Jalics, et où je faisais cette demande[1]. »

« L'auteur de la dénonciation », comme le qualifie pudiquement Bergoglio à plusieurs reprises ? Il s'agit en fait d'un journaliste argentin, Horacio Verbitsky, journaliste à *Página 12*, un journal au tirage confidentiel (10 000 exemplaires à peine), totalement inféodé aux gouvernements successifs de Néstor Kirchner puis de son épouse Cristina[2]. Cet ancien militant des Montoneros, organisation péroniste de lutte armée, puisant sa philosophie dans Che Guevara et Fidel Castro, avait contribué à faire tomber le président Carlos Menem, mêlé à des scandales de corruption et de pots-de-vin, avant de dérouler le tapis rouge pour les Kirchner, dont il était devenu le zélé porte-voix.

Aujourd'hui, Horacio Verbitsky, qu'Alicia Oliveira surnommait « le chien », ne semble guère décidé à sortir de

---

1. Sergio Rubín et Francesca Ambrogetti, *Je crois en l'homme, op. cit.,* p. 177-178.

2. Néstor Kirchner, président de la République argentine du 25 mai 2003 au 10 décembre 2007, date de son décès. Son épouse Cristina Fernández de Kirchner lui succède, après son élection le 28 octobre 2007, avec 45,23 % des suffrages. Elle a été réélue le 24 octobre 2011 avec 53,96 % des suffrages. Après les élections du 22 novembre 2015, elle cède sa place à Mauricio Macri, n'étant pas autorisée par la Constitution à se représenter pour un troisième mandat.

l'ombre pour justifier son travail : on a bien cherché à le rencontrer, sans succès, malgré des mails et messages successifs laissés sur son téléphone portable. Il est pourtant l'homme à l'origine de toute l'histoire, celui qui a sonné la charge contre le cardinal Bergoglio avant le conclave de 2005, puis remis le couvert en 2013. Mais Verbitsky ne paraît plus vraiment prêt à assumer ses « enquêtes » qui, en 2005, ruinèrent vraisemblablement les probabilités pour Bergoglio d'être élu pape, malgré le tiers de voix qu'il avait réussi à rassembler dans les premiers tours du conclave. Sali à ce moment-là par la rumeur et des courriers électroniques envoyés aux cardinaux électeurs, le primat d'Argentine avait peu de chance de faire l'unanimité sur son nom et de sortir gagnant de l'affrontement avec Joseph Ratzinger, finalement vainqueur (84 voix[1] sur 115).

Alicia Oliveira qualifie aujourd'hui d'« opération d'intelligence ordurière[2] » l'envoi de ces mails à quelques heures de la fermeture des portes de la chapelle Sixtine, sans aucune possibilité pour les princes de l'Église de procéder à la moindre vérification. Ils seront informés entre-temps et arriveront l'esprit parfaitement clair au conclave de mars 2013…

Peu après, alors que les cardinaux sont enfermés dans la chapelle Sixtine pour élire le nouveau pape, Alicia participe à Buenos Aires à une émission de Radio Mitre, où elle se fait prendre à partie par une féministe désignant Bergoglio de tous les noms d'oiseaux : « Comment peux-tu être amie avec cet homme-là ? » Une fois de plus, Alicia prend sa défense,

---

1. Ce score est contesté par plusieurs princes de l'Église qui, sans vouloir trahir le secret, laissent entendre que les voix pour Ratzinger étaient plus nombreuses au dernier tour que ne le prétend le cardinal non identifié ayant confié ses notes du conclave à la revue italienne *Limes* en septembre 2005.
2. Entretien avec l'auteur, Buenos Aires, juillet 2013.

en lui rappelant notamment que toutes les lois de la terre, si elles ne lui conviennent pas, peuvent être faites et défaites. « À un moment donné, quand elle m'a demandé combien de gens il avait sauvés durant la dictature, j'ai répondu : "Je ne sais pas, mais beaucoup plus que le dénonciateur !" Le message était clair, non[1] ? »

« Tout le reste, poursuivait Alicia, décédée peu après nos rencontres, c'est de la polémique fabriquée, remise au goût du jour en 2013, juste avant l'élection de Jorge. » Elle pensait même savoir qui se cachait derrière cet écran de fumée calomniateur : « Des secteurs très à droite de la Compagnie de Jésus, opposés à toute réforme au sein de l'Église », disait-elle. Peut-être en partie, mais ils n'étaient pas seuls. D'autres voix désignent clairement Néstor Kirchner, élu en 2003, puis sa veuve Cristina, en 2007, successivement présidents de la République d'Argentine, que l'engagement du cardinal avait toujours exaspérés.

Bergoglio-Kirchner : des relations contrariées

Entre les Kirchner et Bergoglio, c'est presque une histoire sans fin. Le cardinal ne peut se résoudre à ce que l'Argentine ait un gouvernement qui se veut péroniste, de gauche, mais ne s'occupe pas de ses pauvres. Il dénonce sans relâche cette hypocrisie, déplorant « l'insuffisance de l'éducation à tous les niveaux », « la précarité des services de santé » ou « les stratagèmes mensongers et médiocres », ralliant ces « solutions magiques nées d'arrangements obscurs et de pressions du pouvoir ». Pour lui les droits humains sont « violés non seulement par le terrorisme, la répression et les assassinats, mais

---

1. Entretien avec l'auteur, Buenos Aires, juillet 2013.

aussi par des structures économiques injustes qui causent de grandes inégalités ».

Son homélie du 25 mai 2004 en la cathédrale de Buenos Aires, jour de l'indépendance de l'Argentine, devant le président Kirchner, est une charge héroïque, peut-être d'ailleurs son plus beau discours : « La diffamation et le commérage, la transgression à grand bruit, le refus des limites, la déchéance ou la suppression des institutions font partie d'une longue liste de stratagèmes qui dissimulent et protègent la médiocrité, prête à se débarrasser aveuglément de tout ce qui la menace. On est à l'ère de la "pensée faible". Et si une parole sage voit le jour, en d'autres termes si quelqu'un ose incarner le défi du sublime sans pour autant atteindre nos plus hautes aspirations, notre médiocrité va l'anéantir. Des personnalités illustres de notre patrie meurent déchues tout comme des représentants de l'autorité, des artistes, des scientifiques ou toute personne allant inconsciemment au-delà du discours dominant. [...] Il est interdit de penser et de créer. Le courage, l'héroïsme et la sainteté sont interdits. Ces aveugles n'apprécient pas la subtilité, l'harmonie de la beauté parce qu'elles impliquent le travail modeste et humble du talent. [...] Une culture médiatique confuse et médiocre nous maintient dans la perplexité du chaos et de l'anarchie, de l'opposition interne permanente, distraits par les nouvelles spectaculaires afin de ne pas voir notre incapacité face aux problèmes quotidiens. C'est le monde des faux modèles et des scénarios d'opérette. L'oppression la plus subtile est alors celle du mensonge et de la cachotterie... en ayant recours, bien sûr, à l'information abondante, une information opaque et, de ce fait, équivoque. Chose étonnante, nous sommes plus informés que jamais et pourtant nous ne savons pas ce qui se passe. Mutilée, déformée, réinterprétée, la surabondante information globale embarrasse l'âme avec des données et des images mais il n'y a pas de profondeur dans la connaissance.

Elle confond le réalisme avec la morbidité manipulatrice, envahissante, pour laquelle personne n'est préparé mais qui, dans la perplexité paralysante, devient propagande. Elle laisse des images décharnées, sans espérance... [...] Mais, Dieu merci, notre peuple connaît la voix humble du labeur quotidien, celui de tant d'années de vie cachée. [...] Ce peuple ne croit pas aux stratagèmes mensongers et médiocres. Il a l'espérance mais ne rêve pas de solutions magiques provenant d'arrangements obscurs et de pressions du pouvoir en place. Il ne confond pas les discours ; il commence à se lasser de la torpeur du vertige du consumérisme, de l'exhibitionnisme et du tapage publicitaire[1]... »

Néstor Kirchner restera toujours sourd aux propos du cardinal de Buenos Aires, ne voyant en lui qu'un opposant politique, un affreux réactionnaire aux liaisons dangereuses. Faut-il oublier sa fameuse phrase, prononcée en 2006 : « Dieu est à tous mais, attention, le diable aussi séduit chacun, qu'on porte un pantalon ou une soutane » ? Ou cette confidence d'un de ses intimes, rapportée à *La Nación* : « Tout ce qui vient de Bergoglio le rend très nerveux, irritable. Il le prend mal et se met en colère. » Le président ira jusqu'à lui asséner un gros affront en refusant d'assister – une première depuis 1810 – au *Te Deum* donné à la cathédrale de Buenos Aires, comme chaque année, le 25 mai, date de la fête nationale. Ce boycott, entamé en 2005, durera jusqu'au 25 mai 2013, deux mois et demi après l'élection à la papauté où Cristina remit pour la première fois les pieds dans la cathédrale métropolitaine. Au cœur de la crise, en 2006, Néstor Kirchner « convoqua » Bergoglio au palais présidentiel dans une tentative maladroite de réconciliation, mais ne reçut qu'un refus

---

1. Jorge Mario Bergoglio, *Le Témoignage*, textes réunis par Federico Wals, éditions Mame, 2013, p. 145-157.

cinglant de l'intéressé qui n'avait pas oublié l'affront du *Te Deum* : « Qu'il se déplace lui-même, avait-il fait savoir. Que l'on me considère, moi, comme un opposant, me semble relever de la désinformation, confiera-t-il plus tard. [...] Je ne veux pas regarder en arrière. Seulement réaffirmer ceci : ma volonté, et celle de l'ensemble de l'Église, de bâtir des ponts entre nous, surtout dans la dignité[1]. »

Preuve de ces antagonismes profonds, les amis argentins les plus proches du pape François ont répété en chœur avec assurance, dès les premières heures du pontificat, que le Saint-Père n'effectuerait pas de voyage officiel en Argentine tant que le mandat présidentiel de Cristina Kirchner[2] ne serait pas terminé. Ce fut rigoureusement exact : fin octobre 2015, elle a tourné les talons sans se voir offrir le cadeau tant espéré d'un accueil du pape et d'une liesse phénoménale dans son pays. Ravalant sa fierté, elle avait pourtant tenté, depuis le

---

1. Sergio Rubín et Francesca Ambrogetti, *Je crois en l'homme, op. cit.*, p. 128.

2. Le 13 mars 2013, visiblement prise de court et embarrassée, Cristina Kirchner mettra deux heures à saluer l'avènement du pape argentin sur son compte Twitter, mais se précipitera quelques jours plus tard à Rome pour la cérémonie d'investiture du pape François. Toujours maîtresse d'elle-même, elle fera bonne figure, multipliant les sourires et les amabilités lors de sa visite officielle. Faute absolue de mauvais goût, elle offre au pape des pauvres, en minaudant, un service à maté en... argent, allant même jusqu'à lui expliquer, devant les caméras de télévision, comment il fallait s'en servir ! En retour, le pape Bergoglio lui fait cadeau d'un livre rassemblant les conclusions de la Ve conférence générale du Conseil épiscopal latino-américain, assises tenues en 2007 à Aparecida au Brésil, dont les textes dénoncent notamment la corruption et la démocratie mise à mal en Argentine. Il aura cette phrase assassine, toujours sous les caméras de télévision et les sourires, à laquelle peu ont prêté attention : « Cela va vous aider à saisir ce que nous pensons, nous les pères latino-américains. » On apprendra plus tard (*Clarín*, 16 juin 2013) que la copie remise par le pape était truffée « de soulignements et d'annotations » de sa main.

jour même de l'élection, de séduire le nouveau souverain pontife par tous les moyens. Sans succès. Lors de ses voyages dans les Amériques, le pape François lui prêta à peine attention au Paraguay, comme plus tard à Cuba, où elle était pourtant toujours assise au premier rang, pendant les messes. Elle eut juste droit au strict minimum protocolaire de la part du Saint-Siège. Bergoglio n'a pas oublié non plus les affronts du passé : à quatorze reprises au moins, quand il était cardinal, la présidente avait refusé de le recevoir à la Casa Rosada…

Entre Cristina Kirchner et Bergoglio, les rapports furent toujours une perpétuelle oscillation entre cordialité purement solennelle et petits dézingages, dont le point d'orgue fut sans conteste l'affrontement lors du débat sur le mariage pour tous, autorisant en Argentine l'union entre personnes du même sexe – loi adoptée en juillet 2010. Progressiste sur un plan social, mais conservateur d'un point de vue dogmatique, Bergoglio fut traité comme un ennemi des droits de l'homme et des libertés individuelles par le gouvernement Kirchner. Mais l'archevêque de Buenos Aires, qui se sait évidemment en danger, est persuadé d'être protégé par les pauvres. Sa meilleure-assurance vie est – déjà – sa popularité grandissante. Se savoir menacé et continuer à prendre le métro ou le bus le plus naturellement du monde en disaient long sur le courage du futur pape.

« Concernant la prétendue complicité de Bergoglio sous la dictature, il est difficile de ne pas voir la patte du gouvernement argentin derrière toute cette polémique, confiera le journaliste Sergio Rubín, auteur, on l'a vu, d'un livre d'entretiens avec Bergoglio. Il y a eu une campagne de dénigrement durant dix ans, ça tournait à une véritable obsession… À la fin, avec les Kirchner, il n'y avait juste plus de dialogue possible[1]. »

---

1. Entretien avec l'auteur, Buenos Aires, août 2013.

« À qui a bénéficié cette opération, s'interroge de son côté le rabbin Abraham Skorka, proche ami de Bergoglio, je ne sais pas ; ce que je sais, c'est que quand j'en parlais avec lui, il ouvrait les bras et me disait : "Ils inventent des choses." Il abordait cette question avec beaucoup de calme. Quand on veut accuser quelqu'un, il faut apporter des preuves solides, du début jusqu'à la fin. Sinon, c'est juste salir quelqu'un pour le plaisir de le salir[1]. »

Peu après son élection, l'esprit serein, l'âme apaisée, sans craindre de nouvelles recherches dans les archives, le pape François dira au pacifiste et prix Nobel argentin Adolfo Pérez Esquivel, incarcéré et torturé par la junte durant ces années de braise : « Il faut continuer à travailler pour la vérité, la justice et la réparation des méfaits commis sous la dictature[2]. »

Il en savait quelque chose puisque lorsque la justice lui demanda de s'expliquer, il le fit. Le 8 novembre 2010, à 11 h 30, il avait été convoqué comme témoin au procès de l'ESMA (École des officiers de la marine militaire à Buenos Aires). Pendant trois heures et cinquante minutes, il dut faire face à un feu de questions rudes et insidieuses. Sans complaisance ni ménagement, l'avocat Luis Zamora, qui représentait les victimes de la dictature, ne le lâcha pas d'une semelle. Jamais pris en faute, il s'expliqua et se justifia.

L'intégralité de la déposition a été filmée : on y voit un Bergoglio concentré, rigoureux, précis, qui ne cède rien, mais parfois irrité, le regard triste. Les trois juges de la Cour concluront à l'innocence totale du cardinal-archevêque. La polémique était enfin close.

---

1. Entretien avec l'auteur, Buenos Aires, août 2013.
2. Préface d'Aldolfo Pérez Esquivel à *La Liste de Bergoglio* de Nello Scavo, *op. cit.*, p. 13.

Une trajectoire à reculons

Trop de fractures, trop de tensions. En 1979, Bergoglio n'est pas reconduit comme provincial des Jésuites. Il participe encore à la troisième assemblée de l'épiscopat latino-américain à Puebla de Los Ángeles, au Mexique, mais sa trajectoire va être, dès lors, un peu à reculons. On le met à l'écart en le nommant recteur de la faculté de théologie et de philosophie de San Miguel, où il restera six ans, de 1980 à 1986, mais avant, on l'envoie, en janvier 1980, quelques mois à Dublin apprendre l'anglais – qu'il maîtrise toujours avec grande difficulté. La dictature recouvre toujours l'Argentine du bruit de ses bottes – Raúl Alfonsín ne sera élu président démocratique qu'en 1983.

En 1985, de San Miguel, Jorge Mario Bergoglio s'envole pour l'Allemagne. Il prend d'abord des cours d'allemand au Goethe Institut, à Boppart, avant de se rendre à la faculté de théologie de Sankt-Georgen, à Francfort. Son objectif : écrire une thèse sur l'œuvre de Romano Guardini, un prêtre et théologien allemand d'origine italienne, décédé en 1968, trois années après que Paul VI lui eut proposé de le nommer cardinal, ce qu'il refusa. Ce grand intellectuel fut aussi le professeur à Munich d'un certain Joseph Ratzinger qui, devenu Benoît XVI, revendiquera souvent la concordance de leurs pensées ; il le fera jusqu'à son tout dernier discours devant les cardinaux, dans la salle Clémentine, le 28 février 2013, où il se plaira à citer ce dernier à deux reprises, évoquant l'Église « comme une réalité vivante » dont « le cœur est le Christ » mais « qui se réveille dans les âmes ».

Des années plus tard, lors de la visite du pape François au Parlement européen de Strasbourg, en novembre 2014, une vieille dame de 97 ans se faufile parmi les invités dans une salle réservée aux cérémonies protocolaires : elle s'appelle

Helma Schmidt et fut la logeuse du futur pape, qui séjourna trois mois en sa modeste maison de Boppart, située dans une ruelle étroite, Peter-Josef-Kreuzberg-Strasse. Elle se souvenait lui avoir fait travailler son vocabulaire d'allemand, sur la table de la cuisine, et qu'« il était toujours en train de prier dans notre jardin ».

Dans son livre d'entretiens avec Sergio Rubín et Francesca Ambrogetti, le cardinal de Buenos Aires se rappellera surtout de l'ennui du pays qui le tenaillait alors : « J'en avais une grande nostalgie. Au bout d'un certain temps, je voulais toujours rentrer. Je me souviens que [...] le soir j'allais me promener au cimetière. De là, on peut distinguer l'aéroport. Une fois, un ami m'a surpris et m'a demandé ce que je faisais là : "Je salue les avions... Je salue les avions qui s'envolent vers l'Argentine..." lui ai-je répondu. [...] Je suis *casalinguo*, un mot italien qui signifie casanier. J'aime mon chez-moi. J'aime Buenos Aires[1]... »

En 1987, le retour en Argentine de Jorge Mario Bergoglio paraît un peu précipité. Il n'a pas le temps d'achever sa thèse sur Guardini qui lui tient tant à cœur, mais part. Un retour obscur, dont on peine à cerner les véritables raisons. Il retrouve le Colegio Máximo où il se voit attribuer une chaire de professeur de théologie pastorale, mais préfère loger la plupart du temps au collège del Salvador, au cœur de Buenos Aires. Dans le même temps, il est élu procureur d'Argentine au sein de la Congrégation des procureurs contrôlant le bon fonctionnement de la Compagnie de Jésus, et récupère un réel pouvoir d'influence, ce qui ne semble guère plaire à tous.

---

1. Sergio Rubín et Francesca Ambrogetti, *Je crois en l'homme, op. cit.*, p. 138-139.

La punition de Córdoba

Trois ans plus tard, en 1990, il se retrouve au cœur d'une lutte de pouvoir et d'une campagne de dénigrement dirigée par les têtes pensantes du Colegio Máximo. On lui retire, du jour au lendemain, sa chaire de professeur de théologie pastorale. Et on s'ingénie à l'éloigner. L'Argentine étant un grand pays, va pour le diable Vauvert : on le nomme directeur spirituel et confesseur de la communauté de Córdoba, à 700 kilomètres de la capitale, dans une petite église de la Compagnie de Jésus, au centre de la ville. En bon jésuite, il obéit. En réalité, il a été éloigné de Buenos Aires par certains ennemis jurés qui le voyaient comme un obstacle, et vont jusqu'à le qualifier de « fou et malade ». Cette mise au placard demeure une période floue dans le parcours de Bergoglio. Sa faute était, aux yeux de ses contempteurs, de continuer à exercer un fort leadership spirituel sur une fraction de la Compagnie de Jésus, s'exposant et suscitant l'enthousiasme autour de lui, alors qu'il n'avait plus de rôle dirigeant. Il continuait, selon ses pourfendeurs, à agir comme un « supérieur parallèle ».

Son quotidien, désormais, est celui d'un petit prêtre de quartier, vivant aux côtés de ses ouailles, célébrant la messe, conseillant les paroissiens, célébrant les sacrements, confessant sans relâche, aidant aux cuisines. Un soir, par exemple, il se met aux fourneaux durant toute une nuit pour offrir le repas de noce d'un jeune couple de fiancés de condition très modeste. « Il a compris qu'il devait rester obéissant et silencieux parce qu'il était puni », confie un témoin de cette époque à Córdoba, le père Louis Rausch, à un journaliste de CNN[1].

---

1. « The Pope's Dark Night of the Soul », par Daniel Burke (CNN Religion), sur le site internet « cnn.com ».

C'est une pénitence, une mise à l'écart incontestable. Décidée par le Borgo Santo Spirito, le centre de commandement du supérieur général des Jésuites à Rome – où il ne descendra plus jamais durant ses séjours au Vatican, les « rumeurs » étant parvenues jusqu'aux oreilles du supérieur général de la Compagnie de Jésus, à l'époque le Néerlandais Peter-Hans Kolvenbach, qui les prit au sérieux. « Parmi les Jésuites, Bergoglio avait de forts partisans, se rappelle Juan Carlos Scannone, mais d'autres personnes étaient, elles, très critiques à son égard. C'était comme cela ! Bergoglio a une très forte personnalité. Il provoque des adhésions solides et en même temps des rejets vifs[1] ».

Installé dans la chambre n° 5 de la résidence des Jésuites de Córdoba, lieu aujourd'hui vénéré où une plaque a été apposée, à l'angle des rues Caseros et Obispo Trejo, Jorge Mario Bergoglio a vécu cette période comme un drame intime, traversant cette épreuve avec une « certaine obscurité intérieure ». Ces années passées loin de la capitale fédérale, déclarera-t-il plus tard, « ont déterminé ma force spirituelle ».

La punition de Córdoba a été rondement élaborée par ses détracteurs. Elle est marquée du sceau du provincial des Jésuites, Victor Zorzin, recteur du Collegio Máximo. Ce dernier vit toujours, âgé de 91 ans[2], mais il a un peu perdu la mémoire ou préfère rester pudique sur ce sujet. Pour lui, les divergences avec Bergoglio étaient d'ordre pastoral et spirituel « dans cette grande tourmente que traverse la Compagnie dans le monde entier ». En clair, son travail auprès des pauvres dans les quartiers déshérités ne passait pas. Sa façon de s'exposer, l'enthousiasme qu'il suscitait autour de lui non

---

1. Juan Carlos Scannone, *Le Pape du peuple, op. cit.*, p. 134-135.
2. « Padre Zorzin, el jesuita que trabajó con Bergoglio », *Los Andes*, 24 mars 2016.

plus. « Je peux dire que les joies les plus belles et les plus spontanées que j'aie vues au cours de ma vie, répondra indirectement le pape François, se souvenant sans doute de ces années à Córdoba, dans l'exhortation apostolique *Evangelii gaudium*, sont celles de personnes très pauvres qui ont peu de choses auxquelles s'accrocher. »

En ces temps troublés, le Vatican se montre par ailleurs fort critique envers les jésuites latino-américains. Quelques heures après sa mort, le 29 septembre 1978, le pape Jean-Paul Ier aurait dû prononcer un discours très dur envers l'engagement du père Arrupe et de la Compagnie de Jésus en Amérique latine, perçu comme trop proche d'une théologie de la libération marxisante. À tel point que les tenants de la théorie du complot allèrent jusqu'à accuser les Jésuites d'être responsables de la mort subite et inattendue du nouveau souverain pontife, retrouvé inanimé dans son lit trente-trois jours après son élection ! Son successeur, Jean-Paul II, préférant choyer les membres de l'Opus Dei, inquiet lui aussi de la direction prise par la Compagnie, n'aimait guère non plus les Jésuites, s'en méfiant comme de la peste. Rappelant à l'ordre le père Pedro Arrupe, le pape polonais alla jusqu'à soupçonner les Jésuites de « désobéissance » ou plutôt de non-allégeance au pape, lorsqu'ils voulurent élire eux-mêmes, en congrégations et selon leur Constitution, le successeur de ce dernier lors de son départ en 1983. Il imposa avec autorité un homme de confiance : le père italien Paolo Dezza, confesseur de Jean-Paul Ier, qui sera plus tard créé cardinal en remerciement des services rendus. Sa nomination comme « délégué pontifical » fut alors mal perçue mais acceptée dans l'obéissance. Cependant, Paolo Dezza réussit à convaincre le pape d'organiser une Congrégation générale pour assurer la succession du père Arrupe en présentant un homme plus consensuel comme supérieur général des Jésuites, le Néerlandais Peter-Hans Kolvenbach[1] qui, une fois élu en 1983, parvint à mettre progressivement fin à la crise de confiance entre Jean-Paul II et les Jésuites.

Le grand retour : évêque, archevêque et cardinal !

La nuit obscure dans la sierra de Córdoba est, pour l'exilé Bergoglio, un peu celle de Victor Hugo à Guernesey, qui attend son retour sur le devant de la scène. Et la roue, une fois de plus, va tourner.

À l'âge de 56 ans, le 20 mai 1992, il est nommé évêque auxiliaire à la surprise générale. En bon jésuite, il n'a évidemment rien demandé, mais une fois de plus, le hasard – ou le destin – s'en est mêlé. C'est le cardinal Antonio Quarracino qui a remarqué ses qualités, lors d'une visite pastorale survenue quelques semaines plus tôt, à Córdoba, et qui a décidé de l'appeler auprès de lui parmi ses auxiliaires – il en a déjà cinq, ce qui n'est pas suffisant pour une mégapole de plusieurs millions d'habitants, « qui en compte trois millions la nuit et quasiment huit la journée[2] ». Mais, conformément à la loi canonique, le nouvel élu doit formellement se trouver à la tête d'un diocèse. Le premier poste épiscopal de Bergoglio est donc le siège titulaire d'Oca[3], un diocèse sans juridiction territoriale, dans la province espagnole de Burgos ; comme

---

1. Il fut supérieur général des Jésuites de 1983 à 2008. Retiré ensuite au Liban, il est mort à Beyrouth, quatre jours avant son 88ᵉ anniversaire, le 26 novembre 2016, une nouvelle passée inaperçue, quelques heures seulement après la mort de Fidel Castro.

2. Discours au Congrès international de la pastorale des villes. Rome, 27 novembre 2014.

3. Aujourd'hui Villafranca Montes de Oca, petit village d'une centaine d'habitants sur le chemin du pèlerinage de Saint-Jacques de Compostelle.

un évêque auxiliaire ne peut être en possession du diocèse dans lequel il exerce son ministère, le Saint-Siège lui attribue alors un diocèse « virtuel », mais historique. Jean-Paul II le nomme sur l'insistance expresse de Quarracino, qui s'était pourtant vu mettre des bâtons dans les roues par Estebán « Cacho » Caselli[1], ambassadeur d'Argentine auprès du Saint-Siège, farouche adversaire de Bergoglio. Le combat fut rude : l'archevêque a dû batailler ferme avec le nonce apostolique, Mgr Ubaldo Calabresi, pour convaincre Rome, et dut se rendre en personne auprès du pape Jean-Paul II pour achever de le persuader.

« Quarracino l'estimait beaucoup, se rappelle le jésuite Juan Carlos Scannone. Quand Bergoglio était recteur du Colegio Máximo, ils étaient très proches. [...] Un jour il m'a confié qu'il était en train d'écrire un discours pour le cardinal qui le lui avait lui-même demandé. C'était une grande marque de confiance, non ? Plus tard, le cardinal Quarracino m'a raconté que Bergoglio était devenu l'évêque auxiliaire le plus apprécié des prêtres de Buenos Aires. À chaque étape de sa vie, Bergoglio, je crois, a mûri, progressé, grandi[2]... »

Jorge Mario Bergoglio a été informé de sa nomination le 13 mai 1992 lors d'un voyage du nonce Ubaldo Calabresi à Córdoba, qui a demandé à le rencontrer, le temps d'une escale entre Mendoza et Buenos Aires. À l'aéroport, ils abordent ensemble plusieurs sujets sérieux, d'ordre général, mais rien de personnel. Jusqu'au moment où le représentant du

---

1. La presse argentine reprochera aussi à l'influent Caselli d'avoir distribué aux cardinaux, avant le conclave, un rapport discréditant Bergoglio, allégations que démentira ensuite l'ancien ambassadeur d'Argentine auprès du Saint-Siège, très proche du cardinal Sodano et ami de l'ex-président Carlos Menem : « C'est un mensonge absolu, clamera-t-il, une fable. »

2. Juan Carlos Scannone, *Le Pape du peuple, op. cit.*, p. 139.

Saint-Siège, s'apprêtant à embarquer dans l'avion, lui lance au moment de le quitter : « Ah, une dernière chose : vous avez été désigné évêque auxiliaire de Buenos Aires. Votre nomination sera annoncée le 20. »

Celui qu'on avait voulu éloigner du théâtre opérationnel de l'Église argentine retrouve le devant de la scène. Le 27 juin 1992, la Catedral Metropolitana de Buenos Aires est comble. Il reçoit la mitre, l'anneau et la crosse, symbole de la mission du pasteur chargé de prendre soin de son troupeau. Le nouvel évêque choisit sa devise, *Miserando atque eligendo*[1] (« Par miséricorde et par élection »), devise qu'il conservera en tant que pape, inspirée par une homélie de Bède le Vénérable. Le visage grave, le nouvel évêque aura ces mots prophétiques en ce jour si particulier : « Chaque ascension entraîne une descente. Il faut descendre pour mieux servir. » Lui sait mieux que quiconque de quoi il parle.

Et il va vite être comblé : le 21 décembre 1993, il est désigné vicaire épiscopal du district de Flores, puis vicaire général du diocèse. Le père Bergoglio se retrouve donc en poste sous les voûtes mêmes de la basilique de San José, là même où il eut la révélation de sa foi à l'âge de 17 ans, à quelques centaines de mètres aussi du lieu de sa naissance. Un incroyable retour aux sources. « Le matin, je m'occupais des problèmes de la Curie, racontera-t-il, et à deux heures de l'après-midi, je partais de la gare de Once et je prenais le train pour Castelar, où je conduisais des exercices spirituels destinés à des religieuses. J'avais un esprit de suffisance assez

---

1. Dans sa fameuse interview de l'été 2013 au jésuite Antonio Spadaro, *op. cit.,* le pape explique ce choix : « Je suis un homme qui est regardé par le Seigneur. Ma devise, *Miserando atque eligendo*, je l'ai toujours ressentie comme pour moi profondément vraie. Le gérondif latin *miserando* me semble intraduisible tant en italien qu'en espagnol. Il me plaît de le traduire avec un autre gérondif qui n'existe pas : *misericordiando* ("en faisant miséricorde"). »

marqué, autant dire que j'étais en état de péché. Mais je ne m'en rendais pas compte. Je me disais plus ou moins ceci : "Qu'est-ce que je suis bon, qu'est-ce que je suis grand, que de choses je peux faire !" Mon attitude frisait l'orgueil[1]... »

Quatre ans plus tard, le 3 juin 1997, il est élevé à la dignité d'archevêque coadjuteur de Buenos Aires – c'est-à-dire futur archevêque, avec droit de succession automatique. Pas pour très longtemps, car un événement inattendu va tout précipiter quelques mois plus tard : la mort, le 28 janvier 1998, de Mgr Antonio Quarracino, l'archevêque de Buenos Aires, à la clinique Ottamendi, dans le quartier de Barrio Norte, à l'âge de 74 ans. Malin, se sachant malade, le prince de l'Église argentine avait préparé sa succession. Sans ce cardinal au nez creux, nommé évêque par le bon pape Jean XXIII, qui partageait les mêmes origines italiennes (il avait débarqué du bateau en Argentine à l'âge de 4 ans) que Bergoglio et les mêmes fondamentaux chrétiens, comme l'attention aux pauvres et le dialogue interreligieux, il est certain que la vie et le destin du petit gamin de Flores n'auraient pas été les mêmes. Le cardinal a su déceler la pépite qui était en Bergoglio.

« La première fois que je l'ai croisé dans l'ombre de Quarracino, confie le journaliste Sergio Rubín, à une table de La Biela, la célèbre brasserie de Buenos Aires, j'ai été surpris par son profil bas. C'était comme s'il n'existait pas. J'étais avec le cardinal dans la cathédrale et Bergoglio est passé au loin, il était presque invisible. "C'est notre nouvel évêque", m'a dit Quarracino. Il est tellement discret, c'était impossible d'imaginer qu'il allait devenir pape un jour[2]... »

---

1. Sergio Rubín et Francesca Ambrogetti, *Je crois en l'homme, op. cit.*, p. 71.
2. Entretien avec l'auteur, Buenos Aires, août 2013.

Autant Quarracino était volubile, sarcastique et sanguin, amoureux des médias, vrai prince de l'Église à l'ancienne aimant la bonne chère et les bons vins, ne rechignant pas au luxe et à l'apparat de la fonction, autant le jésuite Bergoglio représente son contraire absolu : renfermé, pénétré, aimant se fondre dans l'anonymat, mangeant chichement, le plus souvent seul ou dans des cantines populaires, entouré de bonnes sœurs ou d'éclopés de la vie dans des quartiers pauvres. Le premier est fan de Boca Juniors, l'équipe la plus prestigieuse, le second de San Lorenzo, la plus populaire, dans un pays où on ne s'identifie socialement qu'à travers le football. Mais ils seront toujours comme deux aimants qui s'attirent irrésistiblement.

« Qu'avait donc vu Quarracino chez son héritier pour avoir systématiquement fait pencher la balance en sa faveur pendant toutes ces années, décevant ainsi ceux qui aspiraient à ce poste ?, s'interroge la journaliste argentine Evangelina Himitian de *La Nación*. C'est un véritable mystère que même les plus proches de Bergoglio ne parviennent pas à expliquer sans évoquer la Providence, la miséricorde et la toute-puissance de Dieu[1]. »

Par la force du destin ou du Saint-Esprit, Jorge Mario Bergoglio succède donc au cardinal Quarracino comme archevêque de Buenos Aires et primat d'Argentine, le 28 février 1998. Il n'y a pas de cérémonie d'installation : puisque sa nomination s'impose d'elle-même à la mort de son prédécesseur, elle ne donne lieu à aucun faste en cette période de deuil. Mais il ne peut échapper à l'obligation de s'envoler à Rome pour recevoir le pallium des mains de Jean-Paul II, symbole de son autorité qui scelle son destin d'archevêque.

---

1. Evangelina Himitian, *Francisco, el papa de la gente*, Buenos Aires, Editorial Águila, 2013, traduction française aux Presses de la Cité, sous le titre *François, un pape surprenant*.

Le président Carlos Menem[1], pensant le flatter – et surtout l'amadouer – lui fait alors envoyer un billet d'avion en première classe. Furieux, Bergoglio quitte l'archevêché et traverse à pied la Plaza de Mayo jusqu'aux grilles de la Casa Rosada, le palais présidentiel, à l'autre extrémité, et se présente auprès du protocole pour rendre le billet à son expéditeur. Il ira à Rome, oui, mais à ses frais, en classe économique. On n'achète pas l'archevêque de Buenos Aires !

Dès son installation dans ses nouvelles fonctions, Bergoglio surprend, comme quinze ans plus tard après son élection sur le trône de saint Pierre : il refuse la magnifique demeure réservée aux princes de l'Église, dans le quartier huppé d'Olivos, préférant un modeste appartement au cœur de l'archevêché, attenant à la cathédrale métropolitaine. Il récuse les domestiques, abandonne les voitures de fonction avec chauffeurs particuliers de son prédécesseur – il mettra d'ailleurs en vente le parc automobile en faveur des pauvres –, augmente significativement le nombre de prêtres dans les bidonvilles, se déplace en autobus ou en métro – il est titulaire d'un « Subte Pass », un abonnement général –, et continue de distribuer généreusement aux pauvres des billets de transport dont il remplit ses poches. Ses habits d'archevêque ? Il reprend simplement ceux de son prédécesseur qu'il fait adapter à sa taille.

Bergoglio surprend, détonne, cassant les codes, modifiant les structures, privilégiant le dialogue, défiant les politiques et les puissants, comme le 25 mars 1999, lors d'une messe d'action de grâce, un *Te Deum* célébré le jour de la fête nationale en la cathédrale métropolitaine de Buenos Aires. Ce jour-là, le président Carlos Menem est assis au premier rang. Il achève son second mandat et n'a plus qu'une seule idée en tête : réformer

---

1. Succédant à Raúl Alfonsín, Menem est président de la République d'Argentine, de juillet 1989 à décembre 1999.

la Constitution pour parvenir à se présenter une troisième fois. Il n'a pas ménagé ses efforts pour essayer de se faire bien voir par l'Église argentine, martelant par exemple la thématique de la morale sexuelle et de la défense de la vie, mais ça ne passe pas. Pour sa première fête nationale dans ses nouveaux habits d'archevêque, Bergoglio donne immédiatement le ton en lui adressant un sévère avertissement. Son homélie, pour une fois, est écrite, chaque mot bien pesé. Sans aucune improvisation, il commence en évoquant les « conflits qui guettent la société dans une Argentine où tous n'ont pas leur place à table, où seul un petit nombre profite, et où le tissu social se détruit, où les brèches s'élargissent alors que les efforts devraient être collectifs ; si les choses continuent ainsi, notre société ira à l'affrontement ». Ses mots résonnent sous la nef centrale de la cathédrale. Il stigmatise enfin les partis politiques pour leur refus d'« affronter les problèmes ». « Nous ne pouvons nous permettre d'être ingénus ; l'ombre de la dislocation sociale pointe à l'horizon, tandis que différents intérêts jouent leur partie sans se soucier du bien de tous », prévient-il. Il conclut, de manière prophétique : « Argentine, lève-toi ! »

Sept mois plus tard, le néolibéralisme est mort, c'en est fini des frasques et des fêtes de Menem et de son clan.

Au Vatican, des années après, le pape aimera à raconter cette blague : des ambassadeurs de plusieurs pays latino-américains vont se plaindre vers Dieu parce qu'il a accordé beaucoup trop de richesses aux Argentins et qu'à eux, il n'a laissé que l'agriculture et les ressources minières. Le Seigneur les écoute et leur répond : « Mais ne vous plaignez pas parce que, pour compenser, je leur ai aussi donné les Argentins[1] !... »

---

1. Entretien avec *La Voz del Pueblo*, Tres Arroyos (Argentine), 21 mai 2015.

Chapitre 6

Les combats d'un cardinal

> *« Les hommes qui luttent un jour sont bons, ceux qui luttent une semaine sont meilleurs, et s'ils luttent toute une vie, ils sont indispensables. »*
>
> Bertolt Brecht

Jorge Mario Bergoglio est-il à son apogée ? On pourrait l'imaginer, mais voilà que, le 21 février 2001, l'archevêque est fait... cardinal par le pape Jean-Paul II ! Avec, pour église titulaire, celle de Saint-Robert-Bellarmin, bâtie en 1931 dans le quartier de Parioli à Rome, près de la piazza Ungheria, pour honorer un jésuite et théologien italien du XVIe siècle, aujourd'hui canonisé et docteur de l'Église, qui fut aussi – ça ne manque pas de piquant – l'un des grands inquisiteurs durant le procès de Galilée ! Depuis 1540, date de la fondation de la Compagnie de Jésus, seule une trentaine de jésuites furent créés cardinaux par le pape régnant. Et Bergoglio est le second[1] cardinal jésuite latino-américain de toute l'histoire de l'Église.

---

1. Le tout premier fut le sympathique cardinal équatorien Mgr Pablo Muñoz Vega (1903-1994), avec lequel nous avions eu le plaisir de pouvoir converser à l'archevêché de Quito en décembre 1983, créé cardinal par Paul VI en 1969 avec le titre de *San Roberto Bellarmino*, église dont héritera donc des années plus tard le cardinal Bergoglio !

Beaucoup y verront, bien sûr, la main bienveillante et la volonté de la fameuse Vierge qui défait les nœuds, l'un des moments clés de la vie religieuse de Jorge Mario Bergoglio, face-à-face qui a changé son existence et dont on retrouve l'image jusque dans la bibliothèque de Sainte-Marthe au Vatican, la résidence où il vit aujourd'hui. L'histoire vaut d'être contée.

Durant son séjour en Allemagne, des années plus tôt, en 1986, lors d'une visite dans la vieille église romane de Sankt Peter de Perlach, au centre d'Augsbourg en Bavière, Bergoglio avait été bouleversé par une toile passant inaperçue au regard de la plupart des visiteurs : une Vierge qui défait les nœuds de rubans que des anges lui tendent sur un fond vaporeux. Un tableau vraisemblablement peint au XVIIIe siècle par un artiste bavarois nommé Johann Georg Melchior Schmidtner. Saisi par la puissance de cette image, Bergoglio se serait agenouillé, puis aurait prié devant elle et aurait alors senti des nœuds se dénouer en lui. Bouleversé, le futur pape tomba alors sous le charme de cette Vierge allemande et décida d'en importer le culte chez lui, en Argentine.

Il rapporte d'abord au pays des images pieuses qui la représentent et les distribue en grand nombre à ses visiteurs, proches et amis. Et bien sûr aux pauvres qu'il croise dans les rues ou dans les paroisses. Mais il ira encore plus loin dans cette dévotion. En effet, le 8 décembre 1996, fête de l'Immaculée Conception, une copie parfaite et à l'échelle de la toile de la Vierge qui défait les nœuds est inaugurée en l'église San José del Talar, calle Navarro 2460, dans le quartier d'Agronomía, à Buenos Aires. Une reproduction placée tout à côté de l'entrée principale, sur la gauche de la nef.

Le sanctuaire est évidemment devenu aujourd'hui un lieu de culte pour des milliers d'Argentins, au même titre que la cathédrale métropolitaine de Buenos Aires. « C'est l'image de notre Mère qui nous aide tous les jours sur les chemins de la vie, elle vient à notre aide, s'occupe de nous, nous montre à Jésus, nous mène à Jésus, dira dans une homélie Jorge Mario Bergoglio, le 15 août 1999, jour de l'Assomption. Nous lui présentons nos difficultés, "nos nœuds", spécialement ceux qui affectent la vie chrétienne de notre famille. Et nous savons que ses mains amoureuses de mère, pleines de tendresse, s'occupent de nous. Je souhaite qu'elle nous aide à mieux vivre chaque jour notre vie de chrétien, en témoignant de notre foi en Jésus-Christ vivant parmi nous, encouragés par l'espérance qui ne déçoit jamais, persévérant dans la charité et l'amour réciproque, en tant que frères que nous sommes réellement. »

Hier encore, marginalisé, cassé, vilipendé, outragé, taxé de « fou » et de « malade », le voilà donc désormais cardinal, respectable et respecté, à la tête de l'Église d'un pays de 42 millions d'habitants ! Patiemment, dans cette fourmilière argentine, Bergoglio a construit son destin sans jamais retourner sa veste, en évoluant certes, mais sans rompre ni trahir ses idéaux, ses convictions, maintenant toujours coûte que coûte ses principes. En tissant sa toile, livrant une succession de batailles, abandonnant chaque fois son parcours au sort de la Providence. Difficile donc d'imaginer que Bergoglio, l'ancien chef des jésuites du pays, ne savoure pas, alors, son plaisir.

Avec le pouvoir décuplé que lui donnent ses habits d'archevêque de Buenos Aires, il ne cesse de dénoncer l'esclavagisme, les mafias, la corruption et le pouvoir occulte de l'argent. Comme Victor Hugo, qui disait déjà « que la grande erreur » de son temps avait été « de pencher, de courber l'esprit des hommes vers la recherche du bien-être matériel[1] », le cardinal ne supporte pas l'injustice. « Il est invraisemblable qu'un pays

---

1. Discours devant les députés de l'Assemblée nationale française, 10 novembre 1848.

qui produit de la nourriture pour 300 millions de personnes soit incapable de nourrir ses 38 millions d'habitants[1] ! », rugit-il. Les combats de l'Argentin sont à l'échelle de ceux de l'écrivain français, avec la même intensité, la même passion, la même fougue, la même volonté d'en découdre avec les inégalités. Certes, Bergoglio ne fait pas de politique. Il ne vote plus depuis l'âge de 30 ans, car il ne ressent de fidélité « envers aucun parti » et se sent « le père de tous ». Le bien commun, seul, compte à ses yeux. Il n'hésite donc pas à fustiger les classes politiques chaque fois qu'elles « s'éloignent du peuple », enfermées « dans leurs intérêts partisans et dans leurs luttes internes » faisant de ses membres des « hommes aux cœurs endurcis ».

« Nous sommes des animaux politiques, avec un *P* majuscule, avouera Bergoglio à son ami Skorka dans leur fameux livre d'entretiens. Nous sommes tous appelés à participer à l'action politique de construction de notre peuple. La prédication en faveur des valeurs humaines, religieuses, a une connotation politique, que cela plaise ou non. La difficulté consiste à défendre ces valeurs sans s'immiscer dans le petit jeu de la politique partisane. » Mais, sur le fond, il n'aime guère les hommes politiques : « La seule chose qui semble les motiver, c'est la course au pouvoir, et, de fait, ils font passer le pouvoir avant l'homme[2]. »

Le théâtre de ses combats n'est pas un Parlement, mais d'abord une place, près du centre de Buenos Aires : la Plaza Constitución, à côté de l'énorme building de la chaîne de télévision Canal 13 et de la plus grande gare ferroviaire de la ville, inaugurée en 1887 – où arrivent toutes les lignes du

---

1. Entretiens entre Jorge Bergoglio et Abraham Skorka, *Sur la terre comme au ciel, op. cit.*, p. 146.
2. Entretiens entre Jorge Bergoglio et Abraham Skorka, *Sur la terre comme au ciel, op. cit.*, p. 143.

sud du pays. Un endroit symbolique qui ne doit rien au hasard : c'est un carrefour. À la nuit tombée, les prostituées y arpentent les allées, de même que les dealers de drogue ; dans les quartiers alentour, vivent les populations de différentes communautés, bolivienne, péruvienne, paraguayenne. Les plus grands bidonvilles de Buenos Aires sont tout proches. « Il suffirait de très peu d'argent pour éradiquer les bidonvilles, mon cœur a mal », répète-t-il souvent.

« Pauvre parmi les pauvres », le cardinal Bergoglio y célèbre des messes en plein air et y prononce ses plus importantes homélies, celles qui lui ont définitivement donné sa dimension. On l'imagine, parlant aux foules de sa petite voix douce et légèrement nasillarde qui, parfois, quand elle s'élève au loin, sait se montrer ferme. « Il y a ici une anesthésie quotidienne dans cette ville face à la *coima* [la corruption, en argot argentin]. Et, aujourd'hui, les consciences sont endormies », dit-il un jour au micro en tentant de réveiller les esprits. Tout y passe, la « corruption généralisée qui mine la cohésion de la nation », le « terrorisme économique et financier », la « tyrannie des marchés », « l'économie de spéculation qui n'a même plus besoin de travail et ne sait plus quoi faire ». Et bien sûr, les dangers de la mondialisation : « Jamais l'humanité n'a eu, comme aujourd'hui, la possibilité de constituer une telle communauté mondiale, solidaire et avec autant de facettes. D'un autre côté, l'indifférence face aux déséquilibres sociaux croissants, l'imposition unilatérale de valeurs et de coutumes par une poignée de cultures, la crise écologique et l'exclusion de millions d'êtres humains des bénéfices du développement, font sérieusement douter des bienfaits de cette mondialisation[1]. »

---

1. *Réflexions à partir de Martin Fierro*, Pâques 2002, publiées notamment in Sergio Rubín et Francesca Ambrogetti, *Je crois en l'homme, op. cit.*, p. 190-192.

Le pape François qui, à Rome, dénonce les injustices, sommeille déjà en lui.

Qui sont les oubliés de la Terre pour Jorge Mario Bergoglio ? « Ceux chez qui la pauvreté, quelle que soit la forme qu'elle prenne, se manifeste par une âme dépouillée, mais aussi par une confiance, un don de soi aux autres et à Dieu, précisait-il dans une homélie de 2006 à Buenos Aires. Celui qui est confronté à la perte de ses biens, de sa santé, qui doit faire face à des dommages irréparables, l'abandon de repères intimes, et qui, dans cette pauvreté, accepte de faire l'expérience de ce qui est sage, lumineux, de l'amour gratuit, solidaire et désintéressé des autres, en sait un peu, ou beaucoup, sur l'espérance. »

Souvent, sur l'estrade, aux côtés de Bergoglio, se trouvent ses amis les prêtres travaillant et vivant dans les bidonvilles, les fameux curés *villeros*, qu'il stimule sans cesse et dont le nombre a augmenté de huit à vingt-deux sous son mandat d'archevêque.

Car c'est aussi dans les bidonvilles que Jorge Mario Bergoglio va forger sa légende. L'un des plus connus est la paroisse de la Vierge des Miracles de Caacupé – une Vierge importée du Paraguay qui fait partie intégrante de l'univers du futur pape. Il aime en effet venir dans cet endroit perdu pour parler avec les déshérités, bénir leurs enfants, écouter leurs vies et leurs souffrances. Dans ce bidonville de 63 hectares où dorment plus de 50 000 personnes, principalement venues de Bolivie, du Paraguay et du Pérou, la paroisse gère treize chapelles, un centre de réhabilitation de toxicomanes, une école professionnelle, un collège secondaire, des maisons de retraite et huit cantines communautaires.

Le cardinal arrive toujours très tôt, après avoir grimpé dans le bus 70 qui part de la Plaza de Mayo. Chacun s'en souvient encore : son image peinte sur les murs recouvre désormais, en de nombreux endroits, les façades des modestes maisons du bidonville. Il a contribué pour beaucoup au « mieux-être » des exclus. *Caacupé*, en indien guarani, veut dire « derrière la montagne ». Et pour eux, le futur pape a littéralement soulevé des sommets.

« L'Église n'est pas là pour contrôler la vie des gens mais pour les accompagner », glisse-t-il un jour au *padre* Toto, arrivé il y a seize ans dans le bidonville, sa paroisse. Une maxime que ce quinquagénaire à la barbe homérique applique au quotidien. Il faut le voir, allant et venant, réconfortant les démunis, les confessant parfois, les aidant toujours, par exemple à trouver un *changa* – un petit travail au jour le jour. L'homme est à la fois le maire, l'ami, le confesseur, le grand frère, le gars qui essaie de répondre aux problèmes. « Dans les années 1970, explique-t-il, voir des curés dans les bidonvilles était assez mal vu par l'Église. Notre présence n'était pas totalement assumée par la hiérarchie catholique, il a fallu parcourir un long chemin, faire beaucoup d'allers-retours. Mais l'arrivée de Bergoglio à l'archevêché a complètement décomplexé cet état de fait. C'est grâce à lui que notre situation s'est améliorée. »

Chaque année, le cardinal célèbre une messe, le 8 décembre, jour de la Vierge de Caacupé, dans ces petites rues poussiéreuses, noires de monde à cette occasion. Il baptise des sans-papiers. Les règles et le dogme passent après l'accueil du plus grand nombre, car il faut aimer les gens, et Bergoglio aime les siens. « Il était généreux avec tous, c'était incroyable, il prenait de vrais bains de foule. Les gens l'adoraient, se souvient *padre* Toto, aujourd'hui, ils le vénèrent. Entrez dans les maisons, poussez la porte, et derrière chacune vous trouverez une photo du pape François[1]. »

Un drame et un sacrilège

Dans la nuit du 30 décembre 2004, un drame effroyable va marquer au fer rouge le cardinal Bergoglio. Dans le quartier de Balvanera, calle Bartolomé Mitre, pendant un concert des rockers Callejeros, l'utilisation d'engins pyrotechniques déclenche un gigantesque incendie peu avant 23 heures dans une discothèque ultrabondée, La República de Cromañón : plus de 2 800 personnes tentent par tous les moyens d'échapper à la fumée et aux flammes. Le bilan est effroyable : 193 morts et plus de 1 400 blessés.

Dès qu'il apprend la tragédie, le cardinal Bergoglio se rend sur place, passe toute la nuit sur le trottoir, entre les ambulances et les corps sans vie, pour réconforter les blessés et les survivants et assister les familles en deuil. « Bergoglio ne nous a jamais abandonnés[2] », reconnaissait Nilda Gómez, qui a perdu son fils Mariano durant cette nuit d'horreur.

Cinq ans plus tard, commémorant la tragédie, le cardinal aura des mots très durs lors de son homélie. Parlant de Buenos Aires, il s'élèvera sans ménagement contre « cette ville vaniteuse, frivole et corrompue qui maquille les blessures de ses fils et ne les guérit pas, n'a pas encore assez pleuré les victimes de Cromañón. Buenos Aires abandonne ses enfants, les expulse, ne les protège pas et cache les miséreux qui ont faim[3]. »

---

1. Entretien avec l'auteur, bidonville 21, Buenos Aires, juillet 2013.
2. *La Nación*, Buenos Aires, 14 mars 2013.
3. *La Nación*, Buenos Aires, 31 décembre 2009.

Mais ses combats ne sont pas seulement politiques. C'est le même Bergoglio, qui, durant cette année 2004, s'oppose vigoureusement à une rétrospective de l'artiste León Ferrari au Centro Cultural Recoleta, calle Junín, exposition réunissant cinquante années de travail, dessins, collages, héliographies et autres sculptures qui expriment, selon les propres mots de leur auteur, « l'absurdité de la société actuelle ».

L'œuvre de ce plasticien argentin a toujours été objet de polémiques, sa critique acerbe de l'Église catholique alimentant des débats nourris entre art et liberté d'expression. Plus de trente mille personnes s'y bousculent. Parmi les visiteurs, anonyme parmi les anonymes, l'archevêque de Buenos Aires, bloc-notes en main. Qui tient une comptabilité précise des œuvres : 51 insultes à Jésus-Christ, 24 à la Vierge Marie, 27 aux anges et aux saints et 7 au pape. Il écrit alors une longue lettre à l'artiste, estimant son œuvre mais la jugeant particulièrement offensante et blasphématoire, mêlant symboles religieux et érotisme. Et de se déclarer « douloureusement blessé », « peiné que cet événement soit réalisé dans une institution mise en place avec de l'argent du peuple chrétien ». Il entame ensuite une véritable croisade pour censurer l'exposition, allant jusqu'à se rendre en personne à la banque faire le dépôt de 3 000 dollars sur le compte de l'association Christo Sacerdote qui entame une action juridique pour tenter de la fermer. Entre-temps, cinq sponsors se retirent. Et le « miracle » arrive : une juge donne l'ordre de fermer l'exposition – le jugement sera cassé ensuite en deuxième instance, mais trop tard, l'événement ayant cédé sa place à un autre.

L'archevêque s'est une nouvelle fois mis en danger. Les journaux du gouvernement Kirchner stigmatiseront avec délice « la destruction de la différence de la pensée ». Trois ans plus tard, León Ferrari, ce mythe vivant du monde de l'art, dont les œuvres sont exposées au MOMA à New York ou à la Pinacothèque de l'État brésilien à São Paulo, sera sacré

Lion d'Or du meilleur artiste à la Biennale de Venise, l'un des prix artistiques les plus prestigieux, récompense qu'il dédiera à… Bergoglio, avec un peu de provocation et bien sûr un brin d'ironie. Âgé de 92 ans, il décédera en juillet 2013, cinq mois après l'élection à Rome de son ennemi juré sur le trône de saint Pierre.

Avec les chiffonniers de Buenos Aires

Jorge Mario Bergoglio donne toujours immédiatement le ton. Il s'investit avec détermination et abnégation, son attention allant en priorité envers les plus démunis de la capitale fédérale.

Sa famille, ce sont encore les *cartoneros*, les chiffonniers qui vivent de la vente du carton et du papier dans les rues de Buenos Aires. Mais aussi les membres de La Alameda, une organisation non gouvernementale qui lutte contre la traite des personnes, née des événements de 2001 en Argentine lorsque la politique néolibérale du président Fernando de La Rúa poussa des millions de personnes dans la rue : économie à terre, banques prises d'assaut, commerces pillés. Le monde entier assiste avec stupeur à une rébellion populaire et violente dans un pays où 56 % de la population sombre dans la pauvreté. Cinq présidents se succèdent en dix jours. La situation est intenable.

Parmi les manifestants en ces heures mouvementées, un jeune Argentin qui n'a même pas 20 ans, Juan Grabois, sent naître en lui une fibre sociale qui ne l'abandonnera plus jamais. Il devient rapidement le chef de file du MTE, le syndicat des *cartoneros*. Un autre personnage se révèle également durant ces événements, un futur compagnon de route de Bergoglio : Gustavo Vera, professeur de langues et de sciences sociales dans une école du quartier de Villa Lugano. La petite trentaine, il est le porte-parole des coopératives d'entreprises qui ont été reprises, après leur faillite, par leurs employés. Avant de fonder une ONG, La Alameda, pour lutter contre la traite des personnes.

Six ans plus tard, en 2007, l'Argentine ayant récupéré un peu sur le front de l'emploi et diminué sensiblement son niveau de pauvreté, le MTE décide d'étendre son combat, en collaboration avec l'Alameda de Gustavo Vera. Tous deux s'allient pour lancer un programme de lutte tous azimuts : contre les négriers qui utilisent la sueur des travailleurs au noir dans des ateliers clandestins de couture, contre les mafias de la prostitution qui exploitent des jeunes filles venues des quartiers déshérités, contre la pauvreté et ses laissés-pour-compte, contre l'exploitation des enfants mineurs... Les collaborateurs des deux organisations appartiennent, dans leur majorité, à une gauche très active, des militants prêts à descendre dans la rue à la première occasion.

Le 1er mai 2007, ils comptent organiser une manifestation géante dans les rues de Buenos Aires. Ils cherchent donc à contacter d'importantes figures argentines prêtes à les soutenir dans leur guerre résolue « pour une société sans esclaves et sans exclus ». Sans le moindre succès ! Ayant épuisé toutes les personnalités de leurs listes, ils arrivent tout naturellement à un dernier nom : le cardinal Jorge Mario Bergoglio.

« Je l'avais contacté, se souvient Juan Grabois, parce que mon père, militant péroniste, s'était souvenu que, pendant la dictature, il avait protégé beaucoup de partisans menacés. Mais pour tous mes militants ayant de lui l'image d'un conservateur très éloigné de nos préoccupations, prendre contact avec l'archevêque de Buenos Aires semblait une idée complètement iconoclaste ! Il y avait une volonté forte aussi, au MTE, de détruire l'Église qui s'éloignait des pauvres[1]. »

---

1. Entretien avec l'auteur, Buenos Aires, juillet 2013.

Un sentiment partagé par le responsable de l'Alameda, Gustavo Vera : « La plupart des gens qui bossent ici ne sont pas catholiques, dit-il. Ici il y a des communistes, des trotskistes, des bolcheviques, des maoïstes, des anarchistes. Mais on s'est souvenu aussi que les missions jésuites avaient combattu l'esclavage à l'époque en Amérique du Sud. Ils avaient fait travailler les gens de manière coopérative, avant que les empires portugais et espagnol, puis le pape de l'époque, ne les expulsent[1]... »

Rendez-vous est donc pris avec le cardinal à l'archevêché de Buenos Aires. Gustavo Vera et Juan Grabois ne savent pas encore que cette rencontre va changer leur vie. « On s'est retrouvé face à un homme très informé de la situation sociale de l'Argentine et nous avons beaucoup parlé », se souvient Juan Grabois. « En fait, poursuit Gustavo Vera, nous avons dit à Bergoglio : la plupart d'entre nous ne sommes pas catholiques, mais toi tu dénonces la traite, et nous aussi. La situation est toujours plus dangereuse. Nous allons finir par flotter sur le río de La Plata. Nous avons besoin d'aide, nous avons besoin que l'Église nous protège. »

« J'ai eu pour lui une sympathie instantanée, se rappelle Juan Grabois, une empathie que j'ai eu de la peine ensuite à expliquer à mes militants. Bergoglio, pour eux, était d'abord un représentant de l'establishment qui allait venir se faire passer pour l'un des nôtres et semer la zizanie. Durant notre rendez-vous, le cardinal avait été très concentré, profondément conscient et préoccupé par les structures de l'esclavage moderne. Il nous disait que la société s'ordonnait autour d'une idolâtrie de l'argent. Il parlait même d'un plan pour éradiquer tout cela. À cette époque, vous savez, il n'était pas une figure très demandée, pas encore une rock star... » Juan Grabois sourit. « En fait, notre admiration n'avait rien à voir

---

1. Entretien avec l'auteur, Buenos Aires, août 2013.

avec sa position hiérarchique. Au contraire, à nos yeux, elle le desservait plutôt... »

« Immédiatement, lâche Gustavo Vera, il m'a surpris et inspiré beaucoup de sympathie. Je ne m'attendais pas à ce qu'une personne exerçant une fonction aussi élevée dans l'Église catholique se comporte ainsi avec nous. J'étais plutôt habitué à voir l'Église proche des classes dominantes. »

Jorge Mario Bergoglio les écoute, ne dit rien, les regarde. Puis laisse tomber simplement : « Je vais vous aider. Nous allons d'abord commencer par organiser une messe. » En échange, il demande un service : pouvoir rencontrer des victimes et leur proposer son aide.

La messe se tiendra à Notre-Dame des Migrants, à La Boca, dans le quartier touristique aux maisons colorées qu'on présente aux visiteurs comme étant le lieu de naissance du tango. Mais derrière l'image carte postale de ces rues très fréquentées se cache une autre réalité, celle de la pauvreté qui frappe dans tout le reste du quartier.

« La cérémonie avait été très formatée, explique Juan Grabois. Un travailleur parlait, puis on priait. Une prostituée témoignait, puis Bergoglio parlait... J'ai été définitivement comblé ce jour-là par ce qu'il a dit. Il s'est vraiment révélé d'un coup comme un leader, comme quelqu'un qui montrait le chemin... » « Moi, laisse tomber Gustavo Vera, à partir de ce premier événement, j'ai su qu'il s'agissait d'un homme de parole et qu'il adhérait totalement aux causes qu'on défendait. Il a prononcé une homélie très forte sur la traite et le trafic des personnes. Dès ce moment-là, je peux dire qu'une véritable amitié est née entre nous. »

À l'issue de la cérémonie, le cardinal rencontre plus de quatre-vingts personnes au parcours de vie cabossé. Il en ressort chaque fois bouleversé. À la fin de la journée, il a les yeux rougis. « Deux jours après, un fonctionnaire nous appelait et nous proposait une aide officielle pour tous ceux dont Bergoglio avait fait la connaissance », rapporte Gustavo Vera. « Il était exemplaire dans son dépouillement, explique Juan, tout ce qu'il faisait, c'était toujours au service d'un projet pour défendre une cause, avec la dignité humaine comme seule et unique valeur. Le soutien de Bergoglio était solide, ce n'étaient pas des mots. »

Une femme courageuse, Nancy Nino Velázquez, peut également en témoigner. Cette Paraguayenne de 43 ans revient de loin : « Bergoglio, dit-elle aujourd'hui, m'a sauvée, je lui dois d'être encore en vie[1]. » Assise dans ce café du quartier du quartier de Recoleta, elle en a encore les larmes aux yeux.

Ancienne inspectrice de la police fédérale argentine, elle infiltrait les réseaux de prostitution mafieux, recherchant sans relâche les prostituées mineures et les femmes enrôlées contre leur gré dans l'un des huit mille bordels du Grand Buenos Aires. Jouant parfois elle-même la prostituée ou se faisant passer pour candidate au job dans différents lieux de débauche, elle s'est retrouvée vite confrontée à une spirale infernale, dénonçant des cas dont les dossiers sommeillaient éternellement sur le bureau de ses supérieurs. Pour fermer les yeux, ceux-ci touchaient la « comète », comme on l'appelle, des proxénètes, en échange de leur impunité.

Révoltée, Nancy finit par dénoncer publiquement cette chaîne de corruption lors de différentes conférences de presse organisées par La Alameda et Gustavo Vera. Mais cela la mit bien évidemment en danger. Elle recevait des menaces de mort. Le cardinal Bergoglio propose alors de la cacher dans un monastère. Il aide aussi son fils à être scolarisé dans une école de son quartier, où la direction refusait d'accepter

---

1. Entretien avec l'auteur, Buenos Aires, juillet 2013.

l'enfant d'une inspectrice qui avait tant défrayé la chronique sur les télévisions argentines.

Les « *trotskistes de Dieu* »

Avec l'organisation de La Alameda, Jorge Mario Bergoglio poursuit un engagement plus politique qu'avec les chiffonniers du MTE. « Il venait dans notre local de La Alameda, au sous-sol, s'asseyait et buvait son maté amer, sans sucre, en parlant de tout. Il y avait des discussions, des idées, des débats avec tous les membres[1] », confie Gustavo Vera. Au fil des mois, Jorge Mario Bergoglio devient un véritable militant qui participe aux réunions, aux dîners, aux rassemblements, aux kermesses. Il fréquente les membres, bénit les couples, baptise les enfants, mange avec eux à la cantine populaire... « Il a vraiment commencé à collaborer pleinement avec nous, se félicite Gustavo, âgé aujourd'hui de 53 ans. Il était sincère, cohérent, réceptif. J'ai ressenti assez vite qu'il prêchait par l'exemple : il vivait comme il pensait, il vivait avec les pauvres, comme les pauvres, et ce n'était pas du cinéma. Vous savez, il ne nous a jamais demandé de changer notre façon de penser ou notre vision politique. Il y a eu entre nous un accord autour des mêmes valeurs. La seule chose qu'il demandait était de continuer à lutter contre la prostitution, l'esclavage, l'exploitation humaine et le trafic de drogue. Ici, à La Alameda, il y a des féministes très remontées contre les doctrines de l'Église. Mais Bergoglio avait la capacité extraordinaire d'attirer à lui toutes les personnes, au-delà de leur idéologie. Il venait nous voir en prenant le bus. Il était très discipliné et rentrait toujours tôt. Une fois, il est resté plus tard. Une seule fois. Nous étions surpris. Il est parti à

---

1. Entretien avec l'auteur, Buenos Aires, août 2013.

8 heures et demie du soir. Nous venions d'apprendre la mort d'un ami journaliste, qui était aussi notre voisin, décédé d'une crise cardiaque à l'âge de 41 ans. L'émotion était très forte. Nous avions organisé une petite cérémonie et Bergoglio est arrivé sans prévenir personne. Beaucoup de monde s'était déplacé. Au premier rang, il y avait des mères de la Plaza de Mayo, des notables, des juges, des journalistes. Lui, il est arrivé et est allé directement s'asseoir au fond, dans les derniers rangs, avec les chiffonniers. Beaucoup de gens ne l'ont même pas remarqué… »

Il est un signe particulier de son ami Gustavo Vera qui a dû amuser le futur pape François : ce dernier est athée. Pour autant, Bergoglio n'a jamais cherché à le convertir. Sur son bureau, au sous-sol d'un ancien restaurant où l'on dansait naguère le tango et qui est aujourd'hui le siège de l'association, cohabitent des dossiers en pagaille, un portrait du Che Guevara, une image de Léon Trotski ou une photo du pape en cardinal de Buenos Aires : « Désormais, je suis plus papiste que le pape », rigole-t-il en allumant une énième cigarette et en tirant sur son maté. Toute son équipe et lui, Bergoglio les surnommait « les trotskistes de Dieu ».

« C'était toute une histoire, sourit le responsable de La Alameda. En 2011, nous avons découvert six bordels dans des appartements appartenant à un juge de la Cour suprême de justice, Eugenio Zaffaroni, qui était le principal référent du gouvernement Kirchner et qui dut démissionner face au scandale. À cette époque, le gouvernement était plus populaire. Deux mois avant les élections, nous étions donc en train de dénoncer l'un de ses principaux symboles. Tous les médias proches du pouvoir ont commencé une campagne de presse acharnée contre nous. Mais comme nous sommes très pauvres, ils n'ont jamais rien pu trouver contre nous, à commencer par de la corruption. Ils ont cherché, mais sont repartis bredouille. Ils n'avaient rien. Alors, ils ont écrit : "Hier, cette institution était respectable car elle luttait contre l'esclavage. Mais maintenant, ses membres se sont reconvertis en trotskistes de Dieu". Ça a fait rire Bergoglio pendant des semaines »…

Un bien étonnant médecin chinois…

Jorge Mario Bergoglio règne sur l'Église d'Argentine, mais il est aussi un homme fatigué. Il doit livrer une nouvelle bataille. Contre la maladie et contre l'épuisement. En janvier 2004, il se résout pour la première fois de sa vie à faire appel à la médecine alternative. On lui a conseillé un médecin chinois et moine taoïste, le docteur Liu Ming.

« Il avait de gros problèmes de santé, se souvient le praticien, un homme d'une grande douceur au visage inexpressif, qui nous reçoit dans son cabinet, au quatrième étage d'un immeuble ultramoderne du quartier de Belgrano, le long de l'interminable avenida del Libertador, une des principales artères traversant Buenos Aires et longeant le río de La Plata. Les médecins souhaitaient l'opérer du cœur et lui ne voulait pas. Il était fatigué de courir les praticiens et d'essayer des traitements habituels qui lui faisaient très peu d'effet. Il était vraiment dans un très sale état et il a décidé de chercher une alternative. Il avait eu mon numéro de téléphone par un autre prêtre, qui avait obtenu d'excellents résultats avec l'acupuncture. Il m'a donc téléphoné et demandé de venir lui rendre visite à la cathédrale. Je suis allé le voir dans son bureau, au troisième étage de l'archevêché. »

Physiquement, le cardinal est bien en danger. « Le bilan était catastrophique, admet le médecin chinois d'une voix monocorde. La première fois qu'il m'a vu, il m'a fixé plusieurs secondes, en silence, sans rien dire, puis on a commencé à parler. J'ai saisi ses mains pour prendre son pouls et j'ai constaté un problème au niveau des énergies du foie et du cœur : ses artères étaient bloquées, le sang passait mal. Il avait du diabète, des problèmes de cholestérol, la thyroïde fonctionnait mal. Il m'a dit qu'on lui avait enlevé la vésicule biliaire et m'a avoué avoir une grande peur des médecins. Je lui ai d'emblée proposé un traitement avec l'acupuncture. Il m'a répondu : "Bon, on va essayer" et il m'a montré ensuite la quantité de pilules qui lui avaient été prescrites. Je lui ai conseillé de ne plus les prendre. Au début, nous avons décidé de nous voir trois fois par semaine pour une séance. »

Le médecin et moine taoïste n'oubliera jamais cette rencontre initiale avec le cardinal de Buenos Aires. « Quand je suis arrivé à ce premier rendez-vous, se souvient-il, il y avait un grand soleil dehors. Dès que j'ai commencé à prodiguer mes soins et à enfoncer des aiguilles dans son corps, je sentais des changements immédiats au moment où je faisais les gestes. Puis, tout à coup, dehors, le ciel s'est assombri en quelques secondes et un énorme orage avec de la grêle s'est abattu sur le centre-ville. J'avais la sensation que son corps se nettoyait de lui-même, c'était quelque chose d'assez incroyable, poétique et extraordinaire. Avec le recul, j'ai l'impression que, dès ce premier jour, son corps a commencé à changer. Pour moi, c'est un miracle, sans aucun doute. Quand je suis sorti, le soleil avait réapparu et je me suis dit : "Ce type est vraiment incroyable." Après un mois, il se sentait déjà mieux. Puis nous nous sommes vus deux fois par semaine, puis une fois, puis une fois par mois. Les rendez-vous se sont espacés naturellement. Quand je lui ai annoncé qu'il était guéri, il a blagué : "Alors, comme ça, je vais vivre jusqu'à 140 ans ?" Je lui ai dit que c'était fort probable. Il a rigolé. »

À chaque rendez-vous, se déroule le même rituel. Jorge Mario Bergoglio se déshabille, reste en sous-vêtements, et s'allonge. « L'agenda, la montre, la croix, le veston, il mettait à chaque fois les choses au même endroit, au millimètre près. C'est inouï. Je n'ai vu ça chez aucune autre personne, détaille Liu Ming. J'ai remarqué qu'il avait des habits troués. Je ne pouvais pas y croire. Je me suis dit : comment une personne d'une telle grandeur peut-elle être aussi humble ?

« Quand je lui faisais de l'acupuncture, qui n'est pas quelque chose de douloureux, je le laissais seul pendant une dizaine de minutes, puis je revenais pratiquer d'autres gestes. Lorsque la séance était achevée, je retrouvais toujours son oreiller mouillé. En fait, à chaque fois, il pleurait... »

Liu Ming s'arrête de parler, réfléchit un instant, comme s'il avait de la peine à dire ce qu'il pense au plus profond de lui-même, puis se jette à l'eau : « Je ne sais comment l'expliquer, glisse-t-il. Mon talent n'a rien à voir là-dedans, mais je pense que Dieu a profité de ma main pour aider son fils... C'est un sentiment très étrange. Ça m'a tellement troublé que j'en avais parlé au cardinal. Il m'avait regardé très longuement, toujours en silence, puis il m'avait murmuré : "Tu as peut-être raison[1]". »

Dieu avait-il déjà choisi le futur pape ? Liu Ming, le magicien des aiguilles, en est persuadé. Et Jorge Mario Bergoglio sans doute aussi désormais. Devenu pape, ne lui adresse-t-il pas ces quelques mots manuscrits dans une lettre déchirante où il le remercie de l'avoir accompagné « sur le chemin de la vie », lui confiant prier Dieu « pour qu'il puisse continuer à faire le bien autour de lui » ?

---

1. Entretiens avec l'auteur, Buenos Aires, juillet 2013 et novembre 2014.

Le tournant d'Aparecida

C'est requinqué que le cardinal Bergoglio peut s'envoler en 2007 pour le Brésil. Il ne le sait pas encore, mais il a une nouvelle fois rendez-vous avec son destin.

Le 31 mai 2007, à Aparecida, au Brésil, s'achève la Vᵉ Conférence générale du Conseil épiscopal d'Amérique latine et des Caraïbes (Célam), après trois semaines de travaux et d'échanges. En ce dimanche de Pentecôte, au sanctuaire marial, à 170 kilomètres de São Paulo, la basilique et ses alentours sont bondés. Au milieu du petit peuple brésilien, deux cent cinquante cardinaux, évêques, observateurs et invités se sont rassemblés. Ils viennent de dessiner les contours d'une petite révolution pour leur Église, dont la clé de voûte est de relancer l'évangélisation de terrain en s'appuyant plus que jamais sur les laïcs et sur les communautés de base de ce sous-continent de 500 millions de catholiques – qui représente 43 % des baptisés dans le monde. Des communautés longtemps boudées par Rome, qui se méfiait d'une théologie de la libération trop marxisante à ses yeux.

Trois semaines plus tôt, à l'ouverture, une des figures de cette conférence était attendue comme une rock star : le cardinal de Buenos Aires, Jorge Mario Bergoglio, dont personne parmi les participants n'ignore qu'il a été le challenger de Benoît XVI deux ans plus tôt durant le conclave. Nombreux sont les évêques qui veulent se faire prendre en photo avec lui. C'est donc tout naturellement qu'il est élu président de la commission de rédaction du document final, « sans aucune campagne[1] », se rappelle le bibliste et écrivain Victor Manuel Fernández, qui collabora étroitement avec le futur pape pour ce texte majeur et qui est aujourd'hui, selon différentes

---

1. *Clarín*, Buenos Aires, 18 juin 2013.

sources, l'un des *ghost writers* du pape, notamment pour l'exhortation apostolique *Evangelii Gaudium*.

L'actuel recteur de l'Université catholique d'Argentine, nommé depuis archevêque par le pape François, affectueusement surnommé « Tucho » par son entourage, se souvient de l'ambiance libre et participative impulsée par l'archevêque de Buenos Aires au cours du travail de rédaction.

« Bergoglio a beaucoup fait pour ce climat positif, confie-t-il, beaucoup étaient captivés par son langage clair et suggestif », rappelant « le patient travail de micro-ingénierie » du cardinal pour prendre en compte les avis de chacun : 2 240 contributions, dont il s'est attaché à faire « non pas une synthèse mais une harmonie », un « art difficile que Bergoglio savait déployer presque imperceptiblement », dans un document d'une centaine de pages, en huit chapitres et six cent quarante-sept paragraphes. Où le mot « vie » est cité plus de six cents fois ! « Un jésuite doit être créatif[1] », répète souvent Bergoglio.

Le document insiste beaucoup sur une mission enthousiaste et généreuse « pour atteindre les périphéries » et mettre l'accent sur les vérités centrales de l'Évangile. Il s'attarde sur les communautés indigènes et afro-américaines, les femmes exclues, les jeunes, les chômeurs, les migrants, les enfants prostitués, les millions de familles qui ont faim, les toxicomanes, les victimes de la violence, les personnes âgées et les prisonniers, et bien sûr les pauvres : « Les pauvres ne sont pas seulement pauvres, mais traités comme déchets, comme surplus, jetables ».

Un thème récurrent des discours de François, aujourd'hui au Vatican. Il répétera presque mot pour mot la même

---

1. Pape François, *L'Église que j'espère*, *op. cit.*, p. 128.

phrase, dans *Evangelii Gaudium* : « Les exclus ne sont pas exploités, mais des déchets, des restes… »

Plus étonnant encore à Aparecida, des paragraphes entiers sont consacrés au respect du milieu naturel, à l'écologie et à l'Amazonie, dans un sous-continent dont plus de 80 % de la culture est urbaine. Du jamais vu ! « Ce fut un moment de grâce pour l'Église latino-américaine, dira plus tard le cardinal Bergoglio, c'est peut-être la première fois qu'une de nos conférences ne part pas d'un texte de base préfabriqué mais d'un dialogue ouvert[1]. »

Ce sont là aussi les fondamentaux de *Laudato si'*, publiée en juin 2015, seconde encyclique du pape François, consacrée aux questions environnementales et sociales, à l'écologie humaine, dénonçant le réchauffement climatique et la « culture du déchet » dans une « société où les choses sont vite transformées en ordures ». Des propos qui, par leur audace, étonneront jusqu'à un Jean Ziegler, le célèbre sociologue genevois, ancien rapporteur spécial pour le droit à l'alimentation de l'ONU, puis membre du Comité consultatif des droits de l'homme. « Ce pape va plus loin que bien des philosophes marxistes[2] », relève-t-il avec enthousiasme. « L'Église latino-américaine reconnaît qu'il y a une spiritualité et une mystique populaires », analyse pour sa part le jésuite Juan Carlos Scannone, avec une « option préférentielle pour les pauvres, indéniablement[3] ».

---

1. Entretien avec Stefania Falasca, novembre 2007, in *Des bidonvilles de Buenos Aires au Vatican*, Bayard, 2013, p. 30-31.
2. Entretien avec l'auteur, Genève, septembre 2016. Jean Ziegler fait référence à quelques reprises au pape François dans l'épilogue de son ouvrage *Chemins d'espérance*, paru aux éditions du Seuil en 2016.
3. Juan Carlos Scannone, *Le Pape du peuple*, *op. cit.*, p. 70-73.

Dès le début Bergoglio avait encouragé chacun à une participation large et libre. Refusant un texte de base imposé, il avait invité chacun à s'exprimer spontanément, dans l'espoir de voir émerger progressivement un consensus. Il confiait alors avoir toujours privilégié cette façon d'agir. Lors d'une homélie prononcée durant une messe à Aparecida, il avait invité aussi à « éviter une Église autosuffisante et autoréférencielle », rêvant « d'une Église capable d'atteindre tous les pourtours humains ».

Aparecida marque un tournant. Bergoglio ira à Rome présenter ses conclusions lors d'un consistoire à ses collègues cardinaux et au pape Benoît XVI – il devra d'ailleurs prolonger son séjour dans la Ville Éternelle, une sciatique le clouant au lit, nécessitant plusieurs jours de repos.

En fait, sous les propos de Bergoglio, c'est déjà une partie du programme du futur pape François – qui puisera dans les travaux de cette conférence nombre de thèmes de ses homélies – qui apparaît, de manière étonnante et prophétique. Il y évoque par exemple pour la première fois les fameuses « périphéries ». Elles sont bien sûr « géographiques et existentielles[1] », et le fondement même de son pontificat, le mot étant prononcé la première fois le 27 mars 2013, quatorze jours après son élection à Rome. Et de le marteler depuis à de nombreuses reprises. « Je suis convaincu d'une chose, précise-t-il, les grands changements de l'Histoire se sont réalisés quand la réalité était vue, non depuis le centre, mais depuis la périphérie[2]. »

Deux ans à peine après le conclave de 2005 et l'avènement de Benoît XVI, Bergoglio est donc à nouveau en orbite. Rien

---

1. Message du pape François aux participants du 4ᵉ congrès national missionnaire d'Argentine à Catamarca, Rome, 19 août 2013.
2. Entretien avec les supérieurs généraux, Rome, 29 novembre 2013.

ne l'arrêtera plus. Il ne le sait pas encore, mais le trône de saint Pierre est en ligne de mire.

À cette époque, avec le pouvoir central du Vatican, rien n'est simple. Depuis Buenos Aires, le cardinal Bergoglio rencontre aussi des problèmes réguliers avec Rome, cette ville éternelle lointaine où il n'aime guère se rendre et où il déplore à chaque fois « l'esprit de cour et le manque d'attention aux exigences des Églises locales[1] ».

En 2009, par exemple, quand il veut nommer son ami Victor Manuel Fernández recteur de l'Université catholique de Buenos Aires, on lui fait comprendre que ce choix n'est guère opportun. Car on soupçonne le personnage, considéré aujourd'hui comme l'un des « nègres » du pape pour certains de ses écrits – on l'a vu –, de n'être pas assez orthodoxe dans sa théologie et de prendre des libertés avec la doctrine. Ce n'est qu'en mai 2011, après d'incessants atermoiements, que le recteur pourra enfin s'asseoir dans sa fonction. Le futur pape confiera à un prêtre de ses amis : « Si ma mère et la tienne ressuscitaient aujourd'hui, elles imploreraient le Seigneur de les renvoyer sous terre pour ne pas assister à la dégradation de cette Église[2]. »

---

1. Marco Politi, *François parmi les loups*, éditions Philippe Rey, 2015, p. 196.
2. Cristian Martini Grimaldi, *Ero Bergoglio, sono Francesco*, Venise, Ed. Marsilio, 2013. Cité par Marco Politi, *François parmi les loups*, *op. cit.*

Chapitre 7

Les derniers secrets

> « *La vérité d'un homme, c'est d'abord ce qu'il cache.* »
>
> André Malraux,
> *Antimémoires*

« Il faut être fou pour vouloir être pape », répètent volontiers nombre des prélats, à l'instar du cardinal Sandri[1], préfet de la Congrégation pour les Églises orientales, en charge de la si difficile mission de soutenir et d'aider les chrétiens d'Orient dans la souffrance de la guerre. Mais tous, bien sûr, en rêvent secrètement, et pas seulement en se rasant.

« En fait, ils ne pensent qu'à ça », ironise un vaticaniste italien bien connu, hilare, derrière son café bien serré. À l'image peut-être du cardinal québécois Marc Ouellet, présenté comme le candidat du compromis, l'un des plus cités parmi les grands favoris de la dernière élection. Jouant en humilité et modestie, il masque avec difficulté son envie irrépressible de tutoyer les sommets, comme on l'a vu lors d'une interview devant la caméra de Radio-Canada[2] où il semblait littéralement piaffer d'impatience à cette perspective. Dès lors que

---

1. Interview au site « Ambito.com », 25 mars 2013.
2. Radio-Canada, 4 mars 2013. Entretien avec Céline Galipeau.

le trône de saint Pierre est vacant, le jeu des ambitions se met en place. Il se déchaîne même ! Mais le vieil adage répété jusqu'à l'usure a la vie dure dans sa profonde vérité : « Qui entre pape au conclave en ressort cardinal » – proverbe qui, au XXe siècle, ne s'appliquera ni à Pie XII ni à Paul VI.

Ne pas parler, faire profil bas, paraître invisible, ne point éveiller l'attention médiatique sont sans doute la meilleure stratégie pour avoir une chance. Et, bien sûr, il convient d'arriver au bon moment, d'apparaître comme l'homme providentiel.

« Quand j'étais invité à l'étranger pour parler de la traite des humains dans des conférences, au Pérou, en Équateur, au Brésil, en Espagne, raconte Gustavo Vera, vieux compagnon de route du cardinal, je m'entretenais avec les milieux catholiques et on me parlait déjà beaucoup de Bergoglio. Car il était l'un des cardinaux les plus cultivés, l'un des mieux formés, qui pouvait s'exprimer d'une manière très simple et populaire. Le plus important aussi, pour beaucoup, c'est qu'il prêchait par l'exemple. Et, avec lui, en fait, il y a très longtemps que j'avais en tête l'idée qu'il puisse devenir pape[1]. »

Le jour de la renonciation de Benoît XVI, le 11 février 2013, Jorge Mario Bergoglio célèbre une messe à la Redonda, l'église de l'Immaculée-Conception, Plaza Morena, dans le quartier de Belgrano à Buenos Aires. La célébration allait s'achever quand la plupart des fidèles se sont levés et lui ont crié : « Tu vas être pape ! » Témoin de la scène, le père jésuite Ricardo Crisólogo Fiat se souvient alors du trouble inscrit sur le visage de son évêque : « Je ne sais pas s'il y croyait, mais il en avait une sainte terreur[2]. »

---

1. Entretien avec l'auteur, Buenos Aires, novembre 2014.
2. *Le Figaro*, 22 mars 2013.

Quelques heures tard, il paraît en revanche parfaitement calme et apaisé quand son assistant et attaché de presse, Federico Wals, parvient enfin à lui parler : « Le téléphone a sonné et j'ai entendu : "Federico, c'est *padre*". Je croyais qu'on allait évoquer d'entrée le sujet du jour, mais non, il a parlé du mercredi des Cendres deux jours plus tard, il voulait qu'on fasse le point sur ce qui était prévu. C'est moi qui, à la fin de la conversation, l'ai interrogé : "Mais qu'est-ce qu'on fait par rapport à la renonciation du pape ?" Et lui, avec une grande sérénité, a répondu : "On verra, on verra ce qui va se passer. Mais son renoncement démontre que c'est une personne de grande foi et de grand cœur. Si tu reçois des appels, tu leur réponds ça, et tu dis que c'est une très bonne décision pour l'Église." Le même jour, il a fait une déclaration identique à l'agence ANSA en Italie. Puis il n'a plus rien déclaré. Il prenait cette annonce avec une énorme tranquillité. Et j'oserais même dire qu'il n'était pas surpris par la nouvelle[1]. »

Ce fin jésuite sait mieux que quiconque que la démission du pape va complètement redistribuer les cartes, ouvrir le jeu. L'occasion unique d'un bon coup de balai au Vatican, une perspective qui ne peut que le séduire voire le réjouir.

Ce même jour, dans l'après-midi, le recteur de la cathédrale, le père Alejandro Russo, croise Bergoglio l'air un peu dépité.

— Quel pataquès que cette succession du pape, lui glisse le cardinal, moi qui pensais qu'on pourrait commencer le processus de ma succession à Buenos Aires, cela va tout retarder de deux à trois mois.

— Ou bien ça va peut-être l'accélérer aussi ?, répond malicieusement le recteur.

---

1. Entretien avec l'auteur, Buenos Aires, juin 2013.

— Ah bon, parce que tu penses que le nouveau pape va me ficher un coup de pied dans le derrière ?, plaisante Bergoglio.

— Non, je pense que le prochain pape, ce sera toi.

— Non, en aucune manière, Alessandro, je viens de renoncer au siège de l'archevêché, j'ai 76 ans, en aucune manière[1]…

« La dernière fois que je l'ai vu, c'était deux jours après le renoncement de Benoît XVI, un mois jour pour jour avant son élection, raconte pour sa part Gustavo Vera. Quand je l'ai quitté, je savais qu'il allait devenir pape. Je l'ai regardé dans les yeux, j'ai observé son regard et j'ai senti que c'était un regard d'adieu. Lui ne m'a jamais confié qu'il imaginait que c'était possible, mais il ne l'a jamais nié catégoriquement non plus. À la fin de cette rencontre, je suis allé dans un bar, j'ai sorti un carnet et j'ai noté toutes les petites phrases qu'il m'avait dites pour ne jamais les oublier[2]. »

Face à Julio Rimoldi, directeur du Centro Televisivo Arquidiocesano CTA Canal 21, la télévision de l'archevêché de Buenos Aires, le cardinal Bergoglio semble dans le même état d'esprit et affiche un sentiment identique face à son interlocuteur. « J'étais avec lui la veille de son départ pour le conclave, témoigne ce dernier. On avait l'agenda sous les yeux pour préparer nos rendez-vous après son retour. Tout à coup, je lui ai lancé : "Mais pourquoi perd-on du temps sur ces dates, puisque vous n'allez pas revenir ?" On a commencé une petite discussion, comme un jeu. "Non, Julio, je vais revenir", disait-il. Je lui répondais : "Non, vous ne reviendrez pas." Et ainsi de suite. Puis il m'a dit : "Regarde-moi,

---

1. Elisabetta Piqué, *Francisco, Vida y Revolución*, Editorial Al Ateneo, Buenos Aires, 2013, p. 14.
2. Entretien avec l'auteur, Buenos Aires, août 2013.

je suis vieux, je ne suis pas en bonne santé, il y a des gens beaucoup plus capables que moi." Et moi d'enfoncer le clou : "De toute façon, vous allez être pape." Alors, il m'a regardé droit dans les yeux et m'a répondu, lentement : "Si moi, je deviens pape, toi tu vas être le premier cardinal laïc de toute l'histoire de l'humanité[1]." Et nous sommes partis tous les deux d'un énorme éclat de rire[2]... »

Quelques heures plus tard, le 26 février, sa petite valise à la main, Bergoglio quitte l'archevêché en taxi – il voulait prendre le bus, mais il était en retard – pour l'aéroport international d'Ezeiza, sautant à 14 h 15 dans le vol régulier d'Alitalia 681 en direction de Rome, en classe économique.

Son attaché de presse et assistant, Federico Wals, n'a pas oublié ces derniers instants et s'amuse encore aujourd'hui de l'anecdote : son chef est parti au conclave avec son trousseau de clés, sans laisser de double à personne ! Celle de sa chambre, au troisième étage, et celle de son bureau, au deuxième, mais aussi celle du portail en fer forgé, des salles de réunion de l'immeuble grisâtre à côté de la cathédrale.

Arrivé à Rome, un curé argentin établi dans le canton du Tessin, dans la partie italophone de la Suisse, croise le cardinal argentin par hasard aux abords du Vatican. Il racontera plus tard au *Giornale del Popolo* lui avoir lancé, sous forme de boutade : « Le prochain pape, ce sera vous ! » À quoi l'archevêque démissionnaire de Buenos Aires avait répondu : « Je suis hors-jeu ! Je suis trop vieux ! »

Mais le pense-t-il vraiment ?

---

1. À noter que le futur pape commet une légère erreur : Mazarin, au XVIIe siècle, par exemple, était un laïc qui avait été nommé cardinal en 1641. Il y en eut ensuite quelques autres jusqu'au début du XXe siècle.
2. Entretien avec l'auteur, Buenos Aires, septembre 2013.

Bergoglio a-t-il fait campagne ?

« Je suis un peu *furbo* » (traduction de l'italien : malin, rusé, voire fourbe), répète volontiers le pape François. Avant son élection, Jorge Mario Bergoglio s'est-il battu, une fois de plus, comme dans toute sa vie, pour parvenir à ses fins ? A-t-il secrètement déployé sa toile, sans le montrer, afin de prendre les cardinaux dans ses filets ? N'y croyait-il et ne l'espérait-il vraiment pas ? N'en rêvait-il pas plutôt secrètement ? À aucun de ses proches, c'est certain, il ne laisse transparaître un tel sentiment.

« Lorsqu'il est parti au conclave, il m'a téléphoné la veille pour me dire au revoir, se souvenait sa vieille amie Clelia Luro de Podesta. Je lui ai dit : "Prends toutes tes affaires avec toi car tu ne vas pas revenir, tu vas rester là-bas. Rends ton billet de retour." Et lui répondit : "Non, je vais rentrer pour Pâques, tu verras." J'ai insisté en lui disant : "Rends ton billet de retour !" Le 13 mars, quand j'ai vu la fumée blanche à Rome, je me trouvais dans ma chambre et j'étais persuadée que c'était lui. Je l'attendais. Quand j'ai entendu son nom, j'ai poussé un cri de douleur, car être pape, c'est une crucifixion. Mais après, j'étais très contente, bien sûr. Il y a des cardinaux qui veulent le pouvoir, le mandat, mais lui voulait juste servir. Quelques jours après l'élection, il m'a téléphoné. Je n'ai pas reconnu tout de suite sa voix car je ne m'attendais pas du tout à son appel. J'ai demandé : "Qui est à l'appareil ?" Il a répondu : "Bergoglio." Au cours de cette conversation téléphonique, la première chose qu'il m'a dite, ça a été : "*Holá,* sorcière[1] !" »

« Il existe une autre façon de se promouvoir, une ambition plus subtile, disait Jorge Mario Bergoglio en 1989. On

---

1. Entretien avec l'auteur, Buenos Aires, septembre 2013.

recherche sa propre promotion, mais de manière cachée. C'est le cas de celui qui agit pour qu'on le voie (et lui-même le croit) chercher la gloire de Dieu, la promotion de l'Église[1]... »

Mis bout à bout, des éléments d'analyse des sept années qui précèdent le conclave de 2013 permettent d'instiller un vrai doute quant à son prétendu refus de penser au trône de saint Pierre. Bergoglio a-t-il fait campagne, à sa façon, de manière quasi invisible, sans jamais rien laisser apparaître ? Entre 2005, date de l'élection de Benoît XVI où il fut le challenger de Joseph Ratzinger dans les premiers tours de scrutin avant de signifier, complètement blême dit-on, d'un non de la tête, qu'il ne voulait plus qu'on vote pour lui, et 2013, il n'est pas resté inactif. Comme s'il semait des petits cailloux, ce qu'il n'avait pas fait avant son premier conclave. Qu'on en juge.

Il crée en 2006 une télévision, le Centro Televisivo Arquidiocesano CTA Canal 21, touchant plus de 5 millions de foyers dans tout le pays, où il apparaît souvent, où ses homélies sont retransmises comme ses dialogues avec le rabbin Abraham Skorka. Il publie deux livres d'entretiens, certes aux tirages confidentiels, mais dont le but n'est pas l'audience mais bien les personnes que ces publications doivent atteindre : en premier lieu les cardinaux et les évêques qui peuvent faire ainsi plus ample connaissance avec lui. Et surtout, ces deux ouvrages tordent définitivement le cou à la suspicion, aux rumeurs qui lui collent à la peau depuis la dictature et qui ont instillé le doute en 2005 dans l'esprit de certains cardinaux. En 2007, on l'a vu, il fait forte impression en pilotant les travaux de la Vᵉ Conférence générale de l'épiscopat latino-américain. Enfin, et surtout, comme archevêque de Buenos Aires et grand chancelier de l'Université

---

1. Jorge Mario Bergoglio, *Réflexions sur l'espérance, op. cit.*, p. 123.

catholique argentine, Bergoglio fait remettre, en février 2010, un diplôme *honoris causa* au cardinal polonais Stanislaw Dziwisz, archevêque de Cracovie et ancien secrétaire personnel de Jean-Paul II durant près de quarante ans. À cette occasion est même créée une chaire en l'honneur du pape disparu. La suite, on la connaît : lors du conclave de 2013, le cardinal polonais fut l'un des artisans de la candidature du *padre* argentin et l'un de ses plus fervents supporters. Sans son soutien appuyé, Bergoglio n'aurait assurément jamais été élu pape.

Alors ? Bergoglio le rusé, le tacticien avec toujours un coup d'avance, a-t-il été, au fond, le principal artisan de son élection en avançant masqué ?

À Rome, aux congrégations générales, quatre jours avant le conclave, l'Argentin marque durablement les esprits en parlant avec simplicité et douceur de la miséricorde de Dieu et de l'Église dont le monde a besoin. Pour lui, il y a deux Églises, « l'Église évangélisatrice qui sort d'elle-même » et « l'Église mondaine qui vit repliée sur elle-même, d'elle-même et pour elle-même ». Cet état des lieux posé, « cela doit nous éclairer sur les possibles changements et les réformes à réaliser pour le salut des âmes ». Il achève son exposé en donnant les caractéristiques qu'il faut, à ses yeux, au prochain pape : « Un homme qui, partant de la contemplation et de l'adoration de Jésus-Christ, aide l'Église à sortir d'elle-même et à aller jusqu'aux périphéries de l'existence »…

Dès lors, dans l'esprit de nombreux cardinaux, l'idée fera son chemin : cet homme, c'est lui ! « Il ne figurait pas parmi les noms le plus souvent cités entre nous avant le conclave[1] », tempérait le cardinal émérite suisse Georges Cottier, privé de Sixtine pour raison d'âge – les cardinaux de plus de 80 ans

---

1. *L'Écho Magazine*, Genève, 21 mars 2013. Et différents entretiens avec l'auteur, à Rome, en 2014 et 2015.

n'ayant pas le droit de voter. Mais le délicieux vieux prélat helvétique sera l'un des plus fervents *aficionados* du pape François, cette « merveilleuse surprise », jusqu'à sa mort en mars 2016, s'enthousiasmant : « Vous avez vu la profondeur de ses gestes ? Son humilité, son charisme, son grand cœur ? Rien de fabriqué, de préparé, tout cela vient d'une grande spiritualité. »

Les secrets d'une élection

Mais que s'est-il exactement passé en mars 2013 sous les fresques du *Jugement dernier* de Michel-Ange, dans la tête comme dans les conciliabules des cent quinze cardinaux réunis en conclave au cœur de la chapelle Sixtine ? Comment Jorge Mario Bergoglio, l'archevêque venu de sa lointaine Argentine, a-t-il émergé du chapeau rouge de leurs cogitations ?

On l'a vu, le cardinal de Buenos Aires est parti l'âme légère à Rome, sans rien laisser transparaître du rendez-vous qu'il avait avec son destin. Si de nombreux amis argentins l'avaient pressenti, deviné ou espéré, lui-même répétait n'avoir aucune chance. Était-il vraiment persuadé qu'il avait laissé passer le destin lors du conclave de 2005 ? « J'imagine que quelqu'un comme Ratzinger pouvait aisément se représenter en pape, car il a été un collaborateur proche de Jean-Paul II, mais pas Bergoglio qui n'avait pas vécu vingt ans à Rome comme Ratzinger qui était devenu un expert de tous les rouages du Vatican, analyse son vieil ami Abraham Skorka. Il faut comprendre qu'il était très engagé dans son diocèse de Buenos Aires. Et puis, quand il partait à Rome, il ne se sentait pas chez lui[1]. »

---

1. Entretien avec l'auteur, Buenos Aires, août 2013.

Le père Ángel Strada, fondateur du Mouvement apostolique international Schoenstatt, une communauté allemande installée à Florencia Varela, dans la banlieue de la capitale argentine, a rapporté[1] la conversation qu'il avait eue avec le cardinal de Buenos Aires trois jours avant son départ pour le Vatican.

Jorge Mario Bergoglio avait défini le profil du futur pape qu'il fallait à l'Église catholique. Il devait, selon lui « d'abord être un homme de prière, d'un attachement profond avec Dieu. Deuxièmement, il devrait être profondément convaincu que Jésus-Christ est le Seigneur de l'Église et l'annoncer. Troisièmement, il doit être un bon évêque, un homme de communion, un bon berger capable d'accueillir, d'écouter chaque homme et chaque femme, qu'il manifeste de la tendresse à leur égard, et qu'il soit à leur écoute. Et enfin, quatrièmement, il doit être capable de nettoyer la Curie romaine. »

Après le pontificat plutôt terne et parfois bousculé de Benoît XVI, l'Église a mal à son image. Elle se doit de retrouver la flamboyance de l'ère Jean-Paul II, le pape polonais superstar. Mais surtout, elle doit faire émerger un cardinal capable non seulement de réformer la Curie, mais aussi d'affronter les grands enjeux de la société moderne et les grands chantiers spirituels. Un sentiment semble en outre prédominer dans le collège des princes de l'Église, encore très cloisonné : être anti-italien. Mais les cardinaux de la Curie n'ont pas dit leur dernier mot.

La majorité des cent quinze cardinaux électeurs, venus de cinquante et un pays, souhaite un changement profond de l'Église catholique. Ils veulent un pape charismatique, un

---

1. Sur son site internet, www.schoenstatt.org.

homme capable de donner un signal fort. Intimement, ils le savent : ils n'ont pas le droit à l'erreur. L'Église s'enlise, s'éloignant de plus en plus de ses fidèles, dans un Vatican miné par les affaires et les rivalités entre ministres du pape : Vatileaks, scandale des prêtres pédophiles, Banque du Vatican, arrogance et toute-puissance de l'opaque, tortueux et assez médiocre secrétaire d'État Tarcisio Bertone, qui conserve tout son pouvoir de nuisance… l'ambiance est morose, l'image ternie. Le très trouble cardinal italien sera d'ailleurs l'artisan principal de la non-élection du grandissime favori, l'archevêque de Milan, le cardinal Angelo Scola, le dauphin du pape Benoît XVI… Bertone s'ingénie en effet en coulisses à saboter cette candidature, pourtant la plus proche de la pensée de Joseph Ratzinger.

Le mardi 12 mars 2013, tous les cardinaux sont réunis dans la basilique Saint-Pierre pour la grand-messe solennelle *Pro eligendo romano pontifice*, présidée par le cardinal doyen Angelo Sodano, précédant le début du conclave, avant la procession, au son de la litanie des saints, qui les conduira jusqu'à la chapelle Sixtine.

L'ancien secrétaire d'État de Jean-Paul II y dessine le portrait du futur pape de l'Église de façon presque prémonitoire. Curieusement, il cite en exemple, comme priorité du pontificat qui s'annonce, l'encyclique de Paul VI, *Populorum Progressio*, datant de mars 1967, replaçant l'humain, la solidarité et les questions sociales au centre de l'Église. Les cardinaux, qui ont bien sûr lu cette encyclique, se souviennent de la gravité du pape de l'époque face au défi du développement et à l'urgence d'une action solidaire. Paul VI ne proclamait-il pas que « la question sociale est devenue mondiale » ? Implorant ensuite : « Les peuples de la faim interpellent aujourd'hui les peuples de l'opulence. L'Église tressaille devant ce cri d'angoisse et appelle chacun à répondre avec amour à l'appel de son frère. » On croirait presque ces lignes écrites pour Jorge Mario Bergoglio – même si, à ce moment-là, Sodano ne pense assurément pas à l'Argentin, mais plutôt à un candidat du même continent, le Brésilien Odilo Scherer, son candidat favori.

Dès le soir, les cardinaux procèdent à un premier tour de scrutin qui permet d'établir les forces en présence. Détail important : quarante-huit des cent quatorze électeurs ont participé au conclave précédent et ont vécu en *live* le duel Ratzinger-Bergoglio dans la chapelle Sixtine. Les votes sont censés être secrets, chacun des cardinaux jurant la discrétion la plus absolue, mais plus personne aujourd'hui ne remet en question la version quasi officielle du conclave qui a filtré, recueillie par plusieurs vaticanistes émérites – les princes de l'Église sont aussi, parfois, de grands bavards et de petits parjures.

Tous s'accordent sur le fait que ce premier tour vit arriver nettement en tête les favoris les plus cités par la presse, deux princes de l'Église bien établis depuis des années : le cardinal italien Angelo Scola, 71 ans, avec un bon score, suivi du cardinal québécois Marc Ouellet, 78 ans, autre figure incontournable de la Curie romaine, préfet de la Congrégation pour les évêques et président de la Commission pontificale pour l'Amérique latine.

En troisième position apparaît « l'outsider favori », le cardinal brésilien Odilo Scherer, 64 ans, archevêque de São Paulo, nettement distancé avec un score plutôt faible, ce qui paraît créer une véritable surprise et une certaine agitation dans le clan latino-américain. Assurément, l'évidente passivité de ce prélat d'origine allemande au sein de la commission de surveillance de la Banque du Vatican (IOR) l'a affaibli[1], de même que

---

1. Il sera d'ailleurs purement et simplement éjecté de cette commission par le pape François en janvier 2014. Aux médias brésiliens, il clamera alors avec force et vigueur qu'il « ne sait rien » sur d'éventuels soupçons de fraude et de détournement d'argent à l'IOR…

la déception suscitée par son alignement de dernière minute sur la Curie romaine. Sa candidature a été fomentée par le cardinal Giovanni Battista Re, préfet émérite de la Congrégation des évêques, et par l'ancien secrétaire d'État Angelo Sodano, deux cardinaux italiens qui n'ont plus le droit de vote en raison de leur âge avancé mais qui ont conservé leurs réseaux d'influence. En cas d'élection du Brésilien, ces derniers ont déjà prévu de placer le fier cardinal Mauro Piacenza, préfet de la Congrégation du clergé, au poste de numéro 2, à savoir secrétaire d'État du Vatican. Une véritable « opération Scherer », menée tambour battant en coulisses, qui militait donc, fait assez unique et original, pour placer un « ticket » sur le trône, avec un Brésilien, originaire du continent le plus catholique au monde, et un Italien, garant d'un conservatisme à la romaine. Mais l'opération échoue lamentablement !

« Quand nous sommes dans la Sixtine, vous savez, révèle un cardinal européen, c'est le silence absolu. Nous prions. On ne se parle pas. On ressent vraiment le poids de notre décision, la présence du Saint-Esprit. On peut avoir des noms en tête avant d'y entrer, d'autres apparaissent à l'instant où nous devons réellement choisir. Ce sont des moments absolument extraordinaires, d'une très grande force spirituelle[1]. » Le serment que prêtent les cardinaux interdit de faire des calculs tactiques, de lier le futur élu à des promesses éventuelles. Le règlement, c'est le règlement… mais rien n'interdit d'avoir ses pensées secrètes.

Au soir de ce premier tour, la crainte de voir un blocage des deux camps, celui de Scola et celui de Scherer, s'éloigne. Mais devant la stagnation des soutiens à la candidature de l'Italien et l'effritement de celle du Brésilien, un outsider inattendu, qui a obtenu un petit mais très significatif nombre

---

1. Entretien avec l'auteur, Rome, mai 2016.

de suffrages – on parle de 25 voix – lors de ce premier tour, pourrait venir jouer le trouble-fête : le discret et humble cardinal de Buenos Aires. Comme resté caché au fond des mémoires, il attendait son heure.

« Il y a eu un moment parmi nous où une intuition spirituelle a fait dire à l'assemblée : c'est peut-être lui que le Seigneur a choisi. C'est ainsi que nous avons eu assez rapidement une concentration des voix [sur le cardinal Bergoglio] », confiera le cardinal Jean-Pierre Ricard, archevêque de Bordeaux, au magazine *Famille chrétienne*.

Au soir du premier jour, à 19 h 41 très précisément, la fumée noire sortant de la cheminée de la chapelle Sixtine est un message clair pour deux journalistes, vaticanistes aguerris, qui devinent instantanément ce qui vient d'arriver : les favoris n'ont plus aucune chance, la Curie romaine perd de son pouvoir d'influence, elle est même visiblement en plein déclin. C'est le signe que, parmi le Collège électeur des cardinaux, on est fatigué des guerres intestines, des luttes de pouvoir.

Dans son bureau de Rome, la journaliste argentine Elisabetta Piqué, correspondante du quotidien *La Nación* de Buenos Aires, fait et refait les comptes dans tous les sens, vérifie, recoupe, confronte. Vingt-huit cardinaux italiens participent au conclave, mais ils sont divisés, entre ceux de la Curie romaine et ceux du reste de l'Italie, et dès lors marginalisés par la vague de mécontentement qu'ils ont suscitée au fil des années. Après avoir parlé *off the record*, en compagnie de son mari Gery, journaliste comme elle, avec des cardinaux de différents continents à l'occasion des congrégations générales (ces assemblées de cardinaux où l'on discute de l'avenir de l'Église et du profil du nouveau pape), elle est persuadée plus que jamais que son ami Bergoglio devient un candidat fort, « beaucoup plus fort que ce que l'on croit ». En gros caractères, elle va donc annoncer le lendemain, en une de son journal, de manière prophétique : « Bergoglio pourrait être la surprise du Conclave[1] ».

C'est ce même soir, à la Maison Sainte Marthe, que tout va se jouer. Jorge Mario Bergoglio dîne à côté du cardinal de Boston, un capucin à la belle barbe blanche et en sandales, Seán Patrick O'Malley, pour lequel il a très probablement voté. Les deux hommes ont le même style de vie et le même humour. Ils se connaissent et s'estiment depuis que l'Américain a séjourné à l'archevêché de Buenos Aires lors d'un déplacement en Argentine et au Paraguay pour visiter divers monastères capucins. « Si l'une des conditions pour être pape est de ne pas vouloir de ce poste, alors je suis celui qui réunit le plus de conditions », lancera-t-il à la presse du Massachusetts de retour à Boston après le conclave où il figurait lui aussi parmi les favoris.

Attablés et devisant, les deux hommes voient tout à coup venir vers eux le cardinal Ouellet. La scène n'échappe à personne et le message clair pour tous les cardinaux. Le Canadien, résigné, qui parle couramment l'espagnol pour avoir œuvré par le passé comme recteur d'un séminaire en Colombie, s'incline et donne clairement un signal fort aux autres convives : il souhaite voir l'émergence d'un pape issu de son continent. Non pas Scherer, grand perdant comme lui, mais le discret et invisible primat d'Argentine.

À l'issue de la soirée, il semble évident pour la majorité des électeurs que le rugueux cardinal Scola, connu pour son caractère difficile et victime du travail de démolition efficace de Bertone, a fait le plein des voix et qu'il peinera à trouver de nouveaux alliés. L'archevêque de Vienne, le dominicain Christoph Schönborn, l'un de ses principaux soutiens, lâche

---

1. Elisabetta Piqué, *Francisco, Vida y Revolución, op. cit.*, p. 26-27.

d'ailleurs du lest. Voyant les chances s'évanouir, jouant l'apaisement et le consensus, ils donneront plus tard, eux aussi, consigne de voter pour l'archevêque de Buenos Aires, tout comme le cardinal Re.

Le choix de Bergoglio s'impose dès lors presque comme une évidence, comme l'alternative la plus crédible. Elle rallie les soutiens de petits groupes emmenés par des « faiseurs de roi », Óscar Rodríguez Maradiaga, l'archevêque de Tegucigalpa, pour l'Amérique du Sud, et le cardinal sri-lankais Albert Ranjith, pour l'Asie. Après avoir vainement tenté de soutenir d'autres candidats, l'influent Tarcisio Bertone, trop content de voir Scola échouer au pied du trône, se rallie lui aussi à la candidature de Bergoglio, qu'il ne porte pourtant guère dans son cœur. Mais à tout prendre... Et puis, pense-t-il sans doute, un cardinal de 76 ans n'est pas la pire des alternatives pour lui, en espérant peut-être des lendemains meilleurs – mais, on le verra plus loin, il déchantera vite. Les cardinaux français, parmi lesquels le primat des Gaules et archevêque de Lyon, Philippe Barbarin, et l'archevêque de Paris, André Vingt-Trois, en chefs de file, de même que l'unique cardinal suisse participant au conclave, Kurt Koch, classé plutôt dans le camp des « ratzingeriens », deviennent très rapidement des « bergogliens » convaincus. « Il sortait clairement du lot », dira plus tard le cardinal Barbarin au micro de RCF, sa radio diocésaine.

L'élection de Jorge Mario Bergoglio est pliée dès le mercredi 13 mars. Au déjeuner, assis à table avec lui en compagnie du cardinal hondurien Maradiaga, le cardinal Sandri – qu'on a soupçonné pourtant un temps d'avoir pris part à « l'opération Scherer » de la Curie romaine – lui glisse malicieusement, en le regardant renâcler à avaler une soupe de légumes posée devant lui : « Prépare-toi, cher ami. »

L'après-midi, au quatrième tour, l'archevêque de Buenos Aires obtient les deux tiers des voix. Il lui faut 77 suffrages pour être élu, il en obtiendra plus de 90 au tour suivant. Mais une erreur de dépouillement qui le donnait déjà largement élu (116 bulletins comptabilisés au lieu de 115, un bulletin vierge de toute inscription étant venu semer la pagaille) provoque la mise en place d'un sixième tour, considéré officiellement comme un cinquième tour bis. Qui confirme définitivement le résultat – il aura encore augmenté son score, approchant les 100 voix. Six tours, comme pour l'élection de Paul VI ; il en avait fallu huit à Jean-Paul II, quatre pour élire Benoît XVI ou Jean-Paul Ier.

« Le climat qui régnait était une espèce de suspense joyeux parce qu'on connaissait déjà le résultat. Le pauvre homme a dû passer devant moi pour aller déposer son vote, se souvient son compatriote argentin, le cardinal Sandri. Je l'ai encouragé et lui ai dit : "Bergoglio, donne-nous la joie !" Il me regarda d'un air résigné[1]. »

Le résultat, le cardinal Sandri assure l'avoir su depuis le début au plus profond de lui-même. À sa sœur et à sa nièce, juste avant de se rendre au conclave, il avait lancé en les quittant devant l'ascenseur : « Quand Bergoglio aura été élu, je vous inviterai à la maison pour manger un *puchero*[2] . »

« Avant l'élection définitive, racontera plus tard le pape, j'ai éprouvé beaucoup de paix. "Si Dieu le veut", ai-je pensé. Et j'ai conservé une grande paix. Tandis que l'on dépouillait les scrutins, ce qui demandait une éternité, je récitais le chapelet, tranquille. J'étais à côté de mon ami le cardinal Claudio

---

1. *La Nación*, Buenos Aires, 24 mars 2013, « Leonardo Sandri : "Con Francisco empieza una primavera para la IIglesia." »
2. Plat typiquement argentin à base de viande de bœuf, de saucisses et de lard de cochon, auxquels on ajoute pommes de terre, carottes, oignons, courges, maïs, tomates, poivrons, choux et œufs.

Hummes qui, au cours d'un vote précédent, avant le vote définitif, m'avait dit : "Ne t'inquiète pas, hein, c'est ainsi qu'opère l'Esprit Saint[1]." »

Il confiera ensuite, quelques heures après son élection, face à des milliers de journalistes réunis dans l'auditorium Paul VI, que « quand les choses sont devenues dangereuses, il [le cardinal Hummes] m'a réconforté. Quand les votes [en ma faveur] ont atteint les deux tiers [c'est-à-dire 77 voix], il m'a serré dans ses bras et embrassé et m'a dit : "Et n'oublie pas les pauvres !" Immédiatement, en relation avec les pauvres, j'ai pensé à François d'Assise [...] l'homme de la pauvreté, l'homme de la paix. »

Particulièrement prolixe, à peine élu, le nouveau pape a révélé d'autres petits secrets de ces deux journées de conclave à son ami le rabbin argentin Abraham Skorka, venu le visiter à Rome.

« En entrant au conclave, raconte-t-il[2] dans son bureau du quartier de Belgrano, Bergoglio savait qu'à Londres, la cote des bookmakers était à 41[3] contre 1 pour lui et il a donc pénétré dans la Sixtine l'esprit tout à fait tranquille. Au début, le résultat du premier tour était partagé. Mais tout d'un coup, il a vu un cardinal s'approcher de lui et lui demander, l'air de rien : "Racontez-moi un peu, au sujet de vos poumons ?" "J'ai été opéré en 1958 ! Depuis, merci, ça

---

1. Entretien avec *La Voz del Pueblo*, Tres Arroyos (Argentine), 21 mai 2015.

2. Entretien avec l'auteur, Buenos Aires, août 2013.

3. Il était seulement en 17e position de la liste des favoris, à égalité avec le cardinal Philippe Barbarin, selon la société de paris en ligne Ladbrokes, le grand favori étant, en première position, le cardinal Scola, à 2 contre 1 (*Le Parisien*, 11 mars 2013).

va très bien[1]." Et Bergoglio de s'interroger : "Mais pourquoi me demande-t-il comment vont mes poumons ?" En fait, un petit groupe était en train de travailler autour de lui pour le métamorphoser en pape. Des cardinaux ont vu sa grandeur, et lui ne le savait pas. »

« Ensuite, détaille le rabbin, un cardinal africain s'est approché, je crois que c'était un cardinal du Congo et lui a demandé, là encore comme si de rien n'était : "Si on vous élisait pape, est-ce que vous accepteriez ?" Bergoglio a répondu avec détachement : "Aujourd'hui, dans la situation que traverse l'Église, aucun cardinal qui serait élu pape n'a le droit de refuser." Mais il continuait à ne rien comprendre de ce qui se tramait. »

La moue amusée, Abraham Skorka poursuit son récit : « Les cardinaux délibéraient dans la chapelle Sixtine, puis se retrouvaient ensuite à la Maison Sainte-Marthe. Le mardi soir, veille de l'élection, Bergoglio s'est rendu compte que les voix en sa faveur commençaient à augmenter. Le mercredi vers midi, le cardinal de La Havane, Mgr Jaime Ortega, lui demande s'il peut avoir une copie de son discours prononcé lors des réunions qui ont précédé le conclave. Comme il était impossible de faire des photocopies, Bergoglio s'est assis et a recopié à la main le résumé qu'il avait écrit à cette occasion. Dès qu'il eut terminé, Bergoglio lui demanda ce qu'il voulait faire de ce document. Le cardinal cubain prit la feuille et lui lança en le remerciant : "Je veux juste garder un souvenir personnel du discours du futur pape." Là, m'a confié Bergoglio, il a compris ce qui se tramait dans son dos. Et le soir même,

---

1. C'est en fait son ami le cardinal hondurien Maradiaga qui s'est approché pour lui poser la question, ainsi qu'il s'en expliquera à une radio de Tegucigalpa, ajoutant : « Puis je suis allé de table en table en disant : "Écoutez, ceux qui disent que Bergoglio n'a qu'un seul poumon ont tort !" » (*HRN La Voz de Honduras*, 8 février 2015.)

il était pape. Le dernier pas, vous savez, ce ne sont pas les cardinaux qui le lui ont donné dans la Sixtine. C'est Dieu », conclut-il.

20 heures à Rome, 16 heures à Buenos Aires...

En ce soir historique à Rome, il est quatre heures de moins au bout du monde dans le pays natal du pape fraîchement élu. C'est la fin de l'après-midi à Buenos Aires. La scène se déroule dans un petit café de quartier, à l'angle de Medrano et de Humahuaca. Un bistrot typique de la classe moyenne comme il y en a des centaines dans la capitale argentine, où l'on sert volontiers des *facturas* – petits gâteaux sucrés – ou des *carlitos* – sandwichs chauds au jambon et au fromage. Alicia Oliveira, la vieille amie du cardinal Bergoglio, écrase sa cigarette sur le trottoir, puis pousse la porte vitrée comme elle en a l'habitude, salue poliment, s'assied, commande un *cortado* – un café au lait – puis jette un coup d'œil distrait à la télévision qui lui fait face. En boucle, apparaît soudainement à l'écran : « Bergoglio pape ». Elle n'en croit pas ses yeux, se raidit avant de fondre en larmes. « Que t'arrive-t-il ? Pourquoi es-tu triste ? Ce Bergoglio, c'est une mauvaise personne ? », lui demande le patron, trop fier de se prénommer lui aussi Francisco, comme le pape fraîchement élu. « Non, je suis heureuse pour lui, répond-elle en fixant l'écran entre deux sanglots, mais je me dis que je ne vais plus jamais le voir[1]. »

À l'autre bout de la capitale, dans sa modeste maison d'Ituzaingó, dans la grande banlieue de Buenos Aires, une femme aux cheveux blancs pleure à chaudes larmes derrière son téléviseur. C'est María Elena Bergoglio. Elle n'oubliera jamais

---

1. Entretien avec Alicia Oliveira, Buenos Aires, mars 2013.

cette image forte, indélébile, qu'elle conserve ancrée au fond d'elle-même, celle de son frère apparaissant pour la première fois au balcon de la basilique Saint-Pierre.

« Son visage exprimait vraiment la plénitude, murmure-t-elle. C'était vraiment très fort. J'ai pleuré, bien sûr. Je ne m'attendais pas du tout à ça. Lui non plus d'ailleurs ; quand il est parti, il m'avait dit : "On se voit à mon retour." Et à partir de là, ce fut de la folie, ce fut comme un vertige. Le téléphone s'est mis à sonner sans discontinuer et il n'a pas arrêté de toute la soirée. Je n'imaginais pas une seule seconde que c'était mon frère ! En regardant la fumée blanche, on avait même fait des plaisanteries avec Jorge, l'un de mes fils, en pensant que c'était peut-être bien le Brésilien, mon candidat favori. Mon frère, lui, se fichait de qui allait sortir du conclave, mais il m'avait quand même confié qu'il souhaitait plutôt l'élection d'un franciscain. Et quand j'ai entendu le cardinal français annoncer *Dominum Giorgium Marium…*, là, je n'ai plus rien entendu du tout. Pas le nom de famille, ni le nom de Francisco, prononcés ensuite. Rien de rien[1]. »

En quelques secondes, seul dans la chambre des Larmes, attenante à la Sixtine, Jorge Mario Bergoglio, le discret et presque invisible cardinal argentin devenu le pape François, va devenir l'homme le plus connu et le plus visible au monde. Il mesure ce qui l'attend, non seulement le poids de sa charge mais aussi les dangers de la mission qu'il va affronter.

« Avant d'accepter, racontera-t-il, j'ai demandé la permission de me retirer quelques minutes [...]. Je ne savais plus quoi penser et j'étais envahi par l'angoisse. Pour la dissiper et me détendre, j'ai fermé les yeux et j'ai fait le vide dans ma tête, éloignant toute pensée, même celle d'un éventuel refus de la charge que la procédure permet. Au bout d'un

---

1. Entretien avec l'auteur, Ituzaingó, mars et juillet 2013.

moment, une grande lumière m'a envahi, pour un bref instant qui me parut infiniment long. Puis la lumière a disparu et je me suis levé d'un bond en direction de la pièce où m'attendaient les cardinaux et l'acte d'acceptation. Je l'ai signé, le cardinal camerlingue l'a contresigné, puis nous sommes sortis, et l'*Habemus papam* fut prononcé[1]... »

« Ce qui m'a beaucoup touché, c'est que, avant même de sortir sur la loggia, il a cherché à m'appeler, confiera pour sa part le pape émérite Benoît XVI[2]. Mais il n'est pas arrivé à me joindre parce que nous étions devant la télévision, justement. » Ce fameux téléphone sur lequel le pape régnant a tenté de parler au pape émérite (qui n'a rien entendu, rivé devant son téléviseur) quelques minutes avant d'affronter la foule réunie sur la place Saint-Pierre est toujours visible, sur la gauche, lorsqu'on pénètre dans la chambre des Larmes – on ne la visite d'ordinaire pas, mais en insistant un peu...

« Près d'une heure avant d'accompagner le nouveau pape sur le balcon de la basilique vaticane, se souvient avec émotion et fierté Mgr Guillermo Karcher, le seul Argentin en poste dans le palais pontifical avant l'avènement de François, j'étais parmi les assistants du conclave avec d'autres cérémoniaires. Et alors que tout le monde regardait avec joie et curiosité la fumée blanche à la chapelle Sixtine, la porte de l'*extra omnes* s'est ouverte et j'ai vu apparaître, vêtu de blanc, celui qui jusque-là avait été mon archevêque à Buenos Aires. Aujourd'hui encore, cette émotion et cette joie sont indescriptibles[3]. »

---

1. Entretiens d'Eugenio Scalfari avec le pape François, *Ainsi je changerai l'Église, op. cit.*, p. 70-71.

2. Benoît XVI, *Dernières Conversations, op. cit.*, p. 50.

3. Dépêche de l'agence I. Media signée Antoine-Marie Izoard, publiée par *La Croix*, 19 mars 2013.

Dès son avènement, le message du pape François est clair : « Je veux une Église pauvre pour les pauvres », martèle-t-il. Pour sa toute première apparition en simple soutane blanche au balcon de la basilique Saint-Pierre sous les caméras du monde entier, il refuse d'endosser le rochet de lin, la mozette rouge et l'étole – sauf au moment de bénir la foule : les vêtements sacrés, pour ce rigoriste, servent seulement aux actes liturgiques. Et il prévient déjà, croient savoir certains, que « le carnaval est terminé[1] ».

---

1. Il est amusant d'observer que Benoît XVI a démissionné le lundi 11 février, jour du Carnaval à Buenos Aires, ceci expliquant peut-être aussi cela. Les sources se contredisent sur l'authenticité ou non de cette phrase qui aurait été prononcée dans la chambre des Larmes lorsque le nouveau pape notifia son refus à Mgr Marini de porter les vêtements sacrés pour cette première apparition devant le peuple de Rome.

Chapitre 8

Que le spectacle commence

« Les détracteurs parlent mal de moi ? Je le
mérite, parce que je suis un pécheur. »

Pape François
(novembre 2016)

« Ce serait formidable que le pape souligne l'importance
de la biodiversité, la lutte contre les armes de destruction
massive et dénonce la folie de systèmes économiques préda-
teurs. Avec sa grande liberté, il peut faire découvrir cela à
son milliard de croyants et être le partenaire de la survie du
monde, non en prônant uniquement paix et charité, mais en
provoquant une évolution sociale et scientifique. Cela
démontrerait que le pape a un langage nouveau [...] Il pourrait freiner le déclin de notre civilisation [...] ; cela lui per-
mettrait de défendre des valeurs collectives. » Ces propos
sortent de la bouche du socialiste Michel Rocard, dans une
interview[1] réalisée deux mois à peine après l'élection de Jorge
Mario Bergoglio. L'ancien Premier ministre de François
Mitterrand est non seulement un protestant au nez creux,
mais aussi un brillant analyste. De manière totalement
surprenante, il a prédit une bonne partie de l'empreinte du

---

1. *Paris-Match,* 7 mai 2013.

pontificat de cet étonnant cardinal surgi du « bout du monde ».

Un « langage nouveau » c'est aussi exactement à quoi Jorge Mario Bergoglio va s'atteler à Rome. « Les Jésuites, au-delà de jurer fidélité au pape, observait encore Michel Rocard, ont une vaste culture, un esprit large avec une vision mondiale de l'univers ! Argentin, François ressent moins les pesanteurs européennes. Sa formation, son carnet d'adresses différents vont l'aider. »

Le diable au Vatican

« Quand tu seras pape, on fera plein de photos avec toi, tu n'auras plus le choix. » Gustavo Vera, le charismatique patron de La Alameda, à Buenos Aires, en rigole encore à pleines dents[1]. Il se souvient de cette injonction amusée qu'il assénait parfois à son ami Bergoglio, qui n'aimait guère être la cible des objectifs, goûtant peu à cet exercice. Et voilà que Bergoglio était devenu d'un seul coup, en quelques fractions de seconde, l'homme le plus photographié au monde, l'homme aussi qui rayonne et répète au téléphone à sa sœur María Elena, pour la rassurer : « Cela s'est passé comme ça, j'ai accepté, je suis bien, sois tranquille, je vais bien, tout se passe bien[2]. » Comme s'il était touché par la grâce. « La grâce ne fait pas partie de la conscience, expliquera plus tard le pape François, elle est la quantité de lumière que nous avons dans l'âme, elle n'est pas faite de sagesse, ni de raison[3]. »

---

1. Entretiens avec l'auteur, Buenos Aires, août 2013 et novembre 2014.
2. Entretien avec l'auteur, Ituzaingó, juillet 2013.
3. Entretiens d'Eugenio Scalfari avec le pape François, *Ainsi je changerai l'Église, op. cit.*, p. 73. (Entretien paru en italien dans *La Repubblica* le 1er octobre 2013.)

Dès le début de son pontificat, l'ex-cardinal Bergoglio donne le ton, paraissant presque oublier que le monde entier l'observe. « Il y a une chose que je me suis dite dès le premier moment : "Jorge, ne change pas, continue à être le même, parce que changer à ton âge est ridicule." C'est pourquoi j'ai toujours maintenu ce que je faisais à Buenos Aires[1] », racontera-t-il à Elisabetta Piqué de *La Nación*, son journal argentin.

Sa première homélie en tant que souverain pontife, le lendemain de son élection, tranche singulièrement avec celles de ses prédécesseurs. Se rend-il vraiment compte qu'il est à Rome et plus à 11 000 kilomètres de là ? Il s'exprime comme s'il se trouvait toujours dans la cathédrale de Buenos Aires ou dans une petite église de quartier. Des phrases simples, imagées, dépouillées. Un ton immédiat, compréhensible par tous. Un langage populaire qui fait mouche, instantanément. Devant les cardinaux, réunis une dernière fois dans la Sixtine, il s'exprime en italien et non en latin, comme le voudrait l'usage et comme l'avait fait Benoît XVI avant lui. Il est vêtu de vêtements liturgiques simples, avec une mitre couleur or pâle. Ses phrases éclairent son ambition, autant que les enjeux de son élection.

Et il n'y va pas par quatre chemins : « Si nous ne confessons pas Jésus-Christ, cela ne va pas. Nous deviendrons une ONG humanitaire[2], mais non l'Église, Épouse du Seigneur, déclare-t-il sans prendre de gants, avant d'ajouter : Quand nous cheminons sans la Croix, quand nous construisons sans la Croix, quand nous confessons avec le Christ mais sans la Croix, nous ne sommes pas les disciples du Seigneur. Nous sommes des mondains. Nous sommes des évêques, des prêtres, des cardinaux, des papes, tout, mais nous ne sommes

---

1. Entretien réalisé à Rome le 4 décembre 2014.
2. Voir note p. 302.

pas des disciples du Seigneur. [...] Quand on ne confesse pas Jésus-Christ, me vient la phrase de Léon Bloy : "Celui qui ne prie pas le Seigneur, prie le diable." Quand on ne confesse pas Jésus-Christ, on confesse la mondanité du diable, la mondanité du démon. »

Quoi, le démon, le diable, serait revenu gangrener l'Église en plein XXIe siècle ? Un incendie que rien ne parviendra évidemment à éteindre. « Le silence des cardinaux était édifiant », écrit *Le Figaro*[1], médusé et pris de court par tant de hardiesse. Le style Bergoglio est à la manœuvre, dès les premières heures du pontificat. Rien n'arrêtera plus François l'Argentin pour qui l'Église doit être en mouvement, s'ouvrir, ne jamais se replier sur elle-même ni s'enfermer : « Je vous le dis : je préfère mille fois une Église accidentée qu'une Église malade ! Une Église qui ait le courage de prendre des risques pour sortir[2] », martèle-t-il. Et pour lui, le diable existe bel et bien et on doit le combattre, ainsi qu'il le confirmera plus tard : « On a fait croire que le diable est un mythe, une image, une idée, l'idée du mal. Mais le diable existe et nous devons lutter contre lui. C'est ce que dit saint Paul, ce n'est pas moi qui le dis ! [...] Le diable est un menteur, c'est le père des menteurs, le père du mensonge[3]. »

La métamorphose de Bergoglio

Les premières images parvenues de Rome, via les chaînes de télévision, s'inscrivent aussitôt dans les esprits : le pape lui-même ne semble pas en revenir. Plutôt taciturne et renfermé, l'air le plus souvent grave, le voilà devenu en quelques heures

1. *Le Figaro*, 15 mars 2013.
2. *Discours aux catéchistes*, 27 septembre 2013.
3. Homélie à Sainte-Marthe, 30 octobre 2014.

un homme expansif, souriant, à l'image d'un Jean-Paul Ier, le souverain pontife aux trente-trois jours de règne en 1978.

Une métamorphose qui étonne tous ses amis restés en Argentine, comme si *padre* Jorge semblait touchée par la beauté de Dieu et l'euphorie de la haute altitude, comme s'il avait le sentiment de se retrouver au sommet de l'Everest. « Depuis qu'il est pape, il a changé de visage, commente Federico Wals, son ancien attaché de presse à l'archevêché de Buenos Aires. C'est un autre homme. Mais il paraît tellement radieux. Et je me risque à dire que cela, c'est la force du Saint-Esprit[1]. » Même sentiment chez Silvia Tuozzo, vice-directrice du Canal 21 en Argentine, la chaîne de télévision de Bergoglio : « Ce qui me frappe quand je le vois aujourd'hui, c'est que je n'avais pas gardé en tête l'image de quelqu'un qui souriait. Et maintenant, à Rome, on le voit sourire tout le temps… En janvier, deux mois avant qu'il parte à Rome, nous étions tous un peu inquiets. Nous le trouvions très fatigué. Et maintenant, on le voit content, joyeux, heureux et en pleine forme. C'est impressionnant, c'est un autre homme[2]. »

Dès son élection, François l'Argentin s'impose comme l'anti-Ratzinger – qu'il rencontre pour la première fois seulement le 23 mars 2013, comme un passage de témoin, dix jours après l'élection. Aux mocassins rouges en cuir de vachette de ses prédécesseurs, il préfère les vieux godillots en cuir usé qu'il avait aux pieds en quittant Buenos Aires. « Il ne veut jamais de chaussures neuves, il veut toujours que je lui répare les vieilles[3] », rigole alors, dans sa boutique de Buenos Aires, l'octogénaire Carlos Samaría, « chausseur officiel »

---

1. Entretien avec l'auteur, Buenos Aires, juin 2013.
2. Entretien avec l'auteur, Buenos Aires, juillet 2013.
3. Entretien avec l'auteur, Buenos Aires, août 2013.

du *padre* Bergoglio depuis plus de quarante ans. On y a vu un signe de l'humilité du nouveau pontife. En fait, ce que peu de gens savaient, c'est qu'il y avait surtout une vraie raison à cela : Jorge Mario Bergoglio porte des chaussures orthopédiques, taille 42-43, simples souliers en cuir noir aux semelles compensées, fabriqués sur-mesure par son vieil ami, fils d'émigrés italiens, comme lui, dont il ne se sépare jamais.

Adieu les croix ornées de lapis-lazuli, les boutons de manchette en améthyste chers à Benoît XVI, les mitres brodées de fils d'or : les tailleurs romains, serviteurs des papes depuis plusieurs générations, s'en arrachent les cheveux. François garde sa modeste croix d'évêque. Pour vivre heureux, vivons sobrement ! Le nouveau pape snobe aussi le palais apostolique, préférant la Maison Sainte-Marthe, une résidence hôtelière à l'intérieur du Vatican sans charme particulier, construite pour accueillir les cardinaux et les prélats en visite à Rome. « À Sainte-Marthe, je vis à la vue de tous et je mène une vie normale. [...] Cela me fait du bien et évite que je sois isolé », écrit-il sur une carte postale adressée à l'un de ses amis quelques jours après son élection[1]. « J'ai choisi de m'y installer, car quand j'ai pris possession de l'appartement pontifical, j'ai entendu distinctement un "non" à l'intérieur de moi, expliquera-t-il. Moi, sans les personnes, je ne peux pas vivre. J'ai besoin de vivre ma vie avec les autres[2]. » On spécule parfois, autour du Vatican : s'exposer ainsi, serait-ce une manière de se protéger ? Il refuse d'utiliser la limousine officielle immatriculée « SCV1 » pour ses premiers déplacements, utilisant une voiture de la gendarmerie du Vatican ou une modeste Ford Focus. Ces déplacements banalisés et souvent imprévus constituent-ils une prise de risque, ou juste le contraire ?

---

1. *Clarín*, Buenos Aires, 28 mai 2013.
2. Pape François, *L'Église que j'espère, op. cit.*, p. 34.

Le matin du 14 mars, lendemain de son élection, il prend son petit-déjeuner au rez-de-chaussée de la Maison Sainte-Marthe et distribue les croissants et petits pains au chocolat aux hôtesses de la réception. Un cardinal le salue respectueusement, le gratifiant de l'usuel : « *Buongiorno, Santo Padre* » (« Bonjour Saint-Père »), ce à quoi il répond du tac au tac : « *Buongiorno, Santo Figlio* », provoquant un éclat de rire général. Peu après, il va payer lui-même sa note d'hôtel à la Maison internationale, au numéro 70 de la via della Scrofa à Rome, où il logeait avant le conclave, et en profite pour reprendre sa petite valise laissée dans sa chambre, la 203. Il saisit l'occasion pour saluer tout le personnel de la Domus Internationalis Paulus VI, qu'il connaît depuis plus de dix ans. Seul signe extérieur de richesse, si l'on ose dire, l'anneau du pécheur qu'il portera au doigt lors de son intronisation, offert par le cardinal Sodano au nom du Collège des cardinaux. L'anneau est en argent – ce qui est finalement presque normal pour un Argentin, la patrie de ce métal – et non en or, comme ses prédécesseurs. Il va jusqu'à refuser de voyager avec un passeport émis par le Vatican, conservant son passeport argentin n° AAB633266, qu'il fera d'ailleurs renouveler en février 2014, valable pour dix ans, jusqu'en 2024 – ce qui pourrait laisser supposer qu'il a bien une idée derrière la tête, le moment venu… Une des rares choses qu'il se soit fait apporter de Buenos Aires et qu'il conserve sur son bureau, c'est une toute petite icône de la Vierge de la Tendresse que lui avait offerte son ami Sviatoslav Schevchuk en quittant l'Argentine, où il avait officié comme évêque auxiliaire avant d'occuper les hautes fonctions d'archevêque majeur de Kiev et de Galicie et de primat de l'Église grecque-catholique ukrainienne.

À Buenos Aires, se rappelle encore Gustavo Vera, fidèle d'entre les fidèles, « Bergoglio n'était pas un leader qui aimait apparaître publiquement, c'était un stratège qui créait le mouvement en silence, derrière les foules, en se cachant. Il n'avait pas un code d'omerta ou un code corporatif », mais, devenu pape, « il va aller combattre là où sont les problèmes, dans le monde comme au Vatican[1] ».

« C'est un géant, résume joliment l'Argentin Guillermo Karcher, cérémoniaire pontifical au Vatican, un homme qui ne veut rien imposer et n'a pas peur » mais aussi un sage « creusant les sillons de nouvelles directions pour demain[2] ».

« Pour moi, vivre avec le pape François est un stimulant, laisse tomber Mgr Georg Gänswein, secrétaire personnel de Benoît XVI et préfet de la maison pontificale, il cherche le contact direct, presque physique, il caresse et se laisse caresser, dépassant ainsi toute distance personnelle[3]. »

Peu de temps après son élection, rapportent certaines sources à l'intérieur de la Garde suisse pontificale, le pape François est sorti un soir de sa chambre pour demander au hallebardier qui veillait devant sa porte pourquoi il restait debout : « Ce sont les ordres, Saint-Père », lui répondit-il. Allant aussitôt lui chercher une chaise, François lui lance alors avec amusement, en le priant d'y prendre place : « Dis, c'est qui le chef, ici[4] ? »

Mais tous ne partagent pas la même euphorie : « Je n'en crois pas mes yeux. Je suis si angoissée et furieuse que les bras m'en tombent. Il est arrivé à ses fins. Je revois Orlando dans la salle à manger de la maison me dire : "Lui, il veut être pape." C'est la personne idéale pour cacher la pourriture, un expert de la dissimulation. »

1. Entretien avec l'auteur, Buenos Aires, novembre 2014.
2. Propos tenus à différents journaux argentins, ainsi qu'à l'auteur à Rome.
3. Au mensuel italien *Ben Essere*, 24 mars 2016.
4. Confidences à l'auteur, Rome, 2014.

Ces mots auraient été écrits par Graciela Yorio, la sœur du prêtre Orlando Yorio[1], dans un mail adressé au journaliste argentin Horacio Verbitsky – toujours lui – dont le quotidien titrait en une, au lendemain de l'élection : « Mon Dieu ! »

Vie quotidienne au Vatican

Comme sur les bords du río de La Plata sous Bergoglio, la vie quotidienne à Rome sous François ne change pas vraiment. Deux titres, deux fonctions, mais une même hygiène de vie. Un petit appartement près de l'archevêché à Buenos Aires, un hôtel pour prélats de passage au Vatican. François se lève tôt, vers 4 heures du matin, pour d'abord longuement prier, fait généralement une sieste d'une vingtaine de minutes après le repas de midi, se couche également tôt, regagnant traditionnellement sa chambre vers 21-22 heures.

« J'ai un sommeil très profond, je me mets au lit et je dors immédiatement, confie-t-il. Je dors six heures. Normalement, je suis au lit à 21 heures et je lis jusqu'à 22 heures. Lorsque mes yeux commencent à fatiguer, j'éteins la lumière et je dors jusqu'à 4 heures du matin. Je me réveille naturellement, c'est mon horloge biologique[2]. »

Au réfectoire, situé au rez-de-chaussée, il prend chaque jour ses repas avec les autres pensionnaires. Au quotidien, il est entouré de deux Argentins, Mgr Guillermo Karcher, de la Secrétairerie d'État, et Don Fabián Pedacchio Leaniz, fan d'opéra et de musique classique, qui avait travaillé dans les bureaux des tribunaux ecclésiastiques argentins. C'est là que

---

1. *Página 12*, Buenos Aires, 15 mars 2013.
2. Entretien avec *La Voz del Pueblo*, Tres Arroyos (Argentine), 21 mai 2015.

ce dernier avait connu le cardinal Bergoglio qu'il avait envoyé en 2007 à Rome pour intégrer la Congrégation des évêques.

Sa « cellule » très monacale à la résidence Sainte-Marthe, au deuxième étage, donne sur le flanc latéral gauche de la basilique Saint-Pierre, juste au-dessus de la porte principale. C'est la chambre numéro 201 – il occupait auparavant, la 207, plus petite, qu'il n'a pu conserver pour des questions de sécurité. Deux pièces d'une quarantaine de mètres carrés, au parquet étincelant, aux murs jaune pastel, d'une sobriété absolue, avec un petit palier de réception. La première pièce est un petit salon meublé de deux fauteuils, avec une table basse, un petit divan, un bureau, une bibliothèque et un crucifix. La seconde pièce est une chambre avec un lit en bois foncé, une armoire, une petite table de nuit, une lampe et un téléphone. Et, attenant, une salle de bains modeste.

« Il gère 1,2 milliard de catholiques depuis une chambre qui fait le double de mon bureau[1] », rigole Gustavo Vera. « Il y a quelque chose qui ne va pas ici, il y a une télévision ! », lui lance un jour son ami Julio Rimoldi, fondateur et directeur de Canal 21, la télévision de l'archevêché de Buenos Aires, en le visitant dans son nouveau lieu de vie. Et le pape de lui répondre qu'il ne la regarde jamais. « Alors pourquoi vous la gardez dans votre chambre ? » « Mais Julio, rigole-t-il, c'est pour me souvenir de toi. Chaque fois que je passe devant, je pense à toi[2] ! »

« Pour moi, entre *padre* Jorge et le pape François, il n'y a pas de différence, explique son ami Federico Wals[3]. François essaie de maintenir ses habitudes, à Rome comme à Bue-

---

1. Entretien avec l'auteur, Buenos Aires, novembre 2014.
2. Entretien avec l'auteur, Buenos Aires, août 2013.
3. Entretien avec l'auteur, Buenos Aires, juin 2013.

nos Aires, de répondre lui-même aux lettres qu'il reçoit. Il continue d'avoir les mêmes gestes qu'il avait avec les gens ici. Si tu lui écris, il te répond en deux ou trois semaines. Il continue à appeler les gens au téléphone, il n'oublie pas leur anniversaire, par exemple. Il veut savoir ce qui se passe ici. Il est toujours intéressé. Il continue d'être un *porteño*. Son cœur est ici. Il a ce côté argentin, toujours présent, ça ne le quitte pas. Vous vous souvenez de ces quelques mots, devant la porte Sainte-Anne, le lendemain de son élection, quand il prend un bain de foule improvisé. Un journaliste lui demande : "Saint-Père, quelques mots pour la TV argentine !" Et il répond : "Que San Lorenzo gagne !". Quand je vois ça, je me dis, c'est tout lui, ça... Mais j'ai toujours un peu de peine à croire qu'il est le pape. »

« Je n'ai jamais vu Bergoglio fâché, observait encore son assistant et attaché de presse argentin, il n'élevait jamais la voix à Buenos Aires. » Au Vatican, les méthodes éprouvées restent les mêmes. Mais une chose lui pèse. Lui qui a « la réputation d'être indiscipliné » par nature, peine à se faire aux rites et aux rituels du Saint-Siège. Il n'aime guère le protocole qu'il juge « très strict, même s'il y a des choses officielles que je respecte totalement[1] ».

Premières heures au Vatican

Dès le début de son règne, le pape austral va donner des signes forts. Ainsi, par exemple, le jour de son intronisation à Rome, il tient à ce qu'un représentant des chiffonniers de Buenos Aires soit présent pour l'occasion sur la place Saint-Pierre – ayant fait savoir au préalable par le nonce apostolique

---

1. Entretien du 21 mai 2015 avec la *Voz del Pueblo* (Argentine).

qu'il refusait que les Argentins se saignent financièrement pour un déplacement coûteux. Les délégués du MTE, le Mouvement des travailleurs exclus proche de La Alamada, désignent donc le seul parmi eux à posséder un passeport valable : Sergio Sánchez, un personnage rondouillard et jovial, trop heureux d'accomplir le voyage de sa vie. Quand le *cartonero* se présente à l'embarquement au nouveau terminal C de l'aéroport d'Ezeiza à Buenos Aires, il est habillé en salopette bleue sale et trouée, sa tenue habituelle de chiffonnier, et chaussé de vieux godillots. On le dévisage de la tête aux pieds et on hésite à le laisser passer. Dans sa tenue de clochard, il explique, amusé, qu'il se rend à Rome pour rencontrer le lendemain son ami, le pape François, et qu'il doit absolument partir. On lui rit au nez. Et on renâcle, bien sûr, à le laisser embarquer dans l'avion. Il faut que l'avocat du MTE aille jusqu'à menacer la compagnie de débarquer à l'aéroport en compagnie de centaines de manifestants, avec calicots, porte-voix et pancartes, pour qu'on autorise finalement l'ami du pape à monter à bord. Mais les tracas ne sont pas finis pour autant. Arrivé à Rome, Sergio Sánchez est intercepté par le service des douanes italiennes, qui lui fait subir une radiographie, le soupçonnant d'avoir ingurgité des boulettes de cocaïne ! Cet exclu, sans un sou en poche, sera quelques heures plus tard assis au tout premier rang, sur la place Saint-Pierre, à côté des chefs d'État du monde entier, à quelques mètres de la présidente de son pays. « Ce jour-là, tous les invités me regardaient en se demandant ce que je faisais là », racontera-t-il. Et c'est naturellement lui, Sergio le chiffonnier, qui viendra saluer le nouveau pape à peine intronisé, avant tous les grands de ce monde.

En ces premières heures de gloire et de fête, le pape François découvre aussi le Vatican. Il connaît à peine les lieux. « Imaginez que j'ai vu la chapelle Sixtine pour la première fois quand j'ai pris part au conclave qui a élu Benoît XVI, dira-t-il. Je n'ai même jamais été dans les musées. Le fait est que, quand j'étais cardinal, je ne venais pas souvent. Je connais Sainte-Marie-Majeure parce que j'y allais toujours. [...] Bien sûr je connais la piazza Navona parce que j'ai toujours habité via della Scrofa, tout près de là[1]. » Il se rendait aussi souvent dans l'église Saint-Louis-des-Français pour prier devant le tableau du Caravage, *La Vocation de saint Matthieu*, un de ses saints préférés : n'est-ce pas le jour de la Saint-Matthieu qu'il a eu la révélation de sa foi, à 17 ans, dans la basilique de Flores ?

Mais il va vite faire « le tour du propriétaire », visiter sa forteresse, du parc automobile à la caserne de la Garde suisse, où aucun pape n'était jamais allé. Il n'a en fait « aucun projet déterminé pour l'Église », avoue-t-il de manière un peu désarmante à Ferrucio de Bortoli, le directeur du *Corriere della Sera*. « Je ne m'attendais pas à ce transfert de diocèse, si je puis dire, plaisante-t-il encore. J'ai commencé à gouverner en cherchant à mettre en pratique ce qui était apparu dans les discussions entre cardinaux dans les diverses congrégations. Dans ma façon d'agir, le Seigneur me donne l'inspiration. » Il ne se sent pas seul pour autant dans ses prises de décision, même s'il y a « un moment, lorsqu'il s'agit de décider, où l'on est seul avec son sens des responsabilités[2] ». « Je ne suis pas un illuminé, s'amuse-t-il encore. Je n'ai pas de projet personnel que j'ai apporté sous le bras, tout simplement parce que je n'ai jamais pensé qu'on m'aurait gardé ici au Vatican. Tout le monde le sait. J'étais venu avec une petite valise pour rentrer immédiatement à Buenos Aires[3]. » Se

1. Entretien avec Franca Giansoldati d'*Il Messsagero*, 29 juin 2014.
2. Entretien du 5 mars 2014 au *Corriere della Serra*.
3. Entretien avec Henrique Cymerman, du quotidien espagnol *La Vanguardia*, 13 juin 2014.

sent-il prisonnier au Vatican ? « Au début oui, confie-t-il le 18 août 2014 dans l'avion le ramenant de Corée, mais plus maintenant, quelques murs sont tombés. »

« Quand je suis allé le voir la première fois à Sainte-Marthe en juin 2013, raconte encore son vieil ami syndicaliste Gustavo Vera[1], j'ai passé trois postes de sécurité, mais personne ne m'a fouillé. J'étais avec un curé italien qui n'avait jamais vu ça et qui n'en croyait pas ses yeux. Le pape avait sans doute donné des instructions pour nous laisser passer sans aucun contrôle. Lorsque nous sommes arrivés, c'est lui qui nous attendait sur le pas de la porte. Au cours de notre premier entretien, nous avons parlé de tout pendant une heure et demie : de football, de questions personnelles, de la situation mondiale, locale, de nos projets au sein de l'association. Il a insisté beaucoup sur la corruption. La veille, dans une homélie, il avait dit que l'on pouvait être pécheur mais pas corrompu. Au cours de notre entretien, il est donc revenu sur le sujet, il a fait quelques blagues puis, plus sérieusement, il a dit qu'il allait continuer avec les réformes en prenant des décisions drastiques pour en terminer avec toutes les questions de la mafia du Vatican. Il parle toujours des secteurs mafieux. Quand il aura estimé qu'il a fait ce qu'il avait à faire, alors là, il s'en ira car c'est un homme de service et pas un homme de pouvoir. Il sait que plus haut tu es, plus humble tu dois être. Et moi je sais aussi que Buenos Aires lui manque terriblement. Je suis sûr qu'il reviendra un jour. Mais il ira jusqu'au bout de sa mission... »

« Sa grandeur provient d'une simplicité unie à un immense savoir, analyse son ami pilote italien Aldo Cagnoli, qui le rencontra la première fois le 20 avril 2005 sur un vol d'Alitalia entre Rome et Buenos Aires. Il est d'une profonde gen-

---

1. Entretien avec l'auteur, Buenos Aires, août 2013.

tillesse conjuguée à un sens du sérieux, d'une ouverture d'esprit associée à la droiture, [possède une] capacité d'écoute à l'égard de tous, et de réception. Il a tant de choses à transmettre. Je crois qu'il fait, avec simplicité et en même temps de manière extraordinaire, ce que beaucoup, au sein comme en dehors de l'Église, devraient faire, mais, hélas, ne font pas[1]. »

À la tête d'une Église d'1,272 milliard de catholiques, de 5 237 évêques, 415 792 prêtres, 116 939 séminaristes et 682 729 religieuses[2], il veut aussi bousculer les pensées, aller aux périphéries, mais surtout changer les consciences. Comme saint Ignace, qui voulait « tirer profit et progresser », « aller de l'avant », « faire quelque chose en faveur des autres[3] ». « Je crois en l'homme », répète-t-il souvent.

Dès le 22 mars 2013, il lie la parole aux actes, invitant pour sa première messe publique du matin les jardiniers et les éboueurs du Vatican, ceux d'en bas, les exclus, les oubliés, qui n'apparaissent pas dans l'annuaire pontifical. Lors de sa première audience générale, le 27 mars, il exhorte à « sortir », appelant « à sortir de nous-mêmes pour aller à la rencontre des autres, pour aller vers les périphéries de l'existence, faire le premier pas vers nos frères et nos sœurs, en particulier ceux qui sont le plus éloignés, ceux qui sont oubliés, ceux qui ont le plus besoin de compréhension, de réconfort, d'aide [...] Souvenez-vous bien : sortir de nous-mêmes, comme Jésus, comme Dieu est sorti de lui-même en Jésus et Jésus est sorti de lui-même pour nous tous ». Il appelle à « *ouvrir les portes* de notre cœur, de notre vie, de nos paroisses – quelle

---

1. Francesca Ambrogetti et Sergio Rubín, *Je crois en l'homme, op. cit.*, p. 151.

2. Selon l'Annuaire pontifical 2016 (chiffres de 2014).

3. Discours à la 36ᵉ congrégation générale des Jésuites, Rome, 24 octobre 2016.

peine toutes ces paroisses fermées ! – des mouvements, des associations, et "sortir" à la rencontre des autres, nous faire proches pour apporter la lumière et la joie de notre foi. Sortir toujours ! »… En Argentine, il ne disait pas autre chose à ses prêtres, qu'il connaissait tous personnellement : « Faites tout ce que vous devez faire, vous connaissez vos devoirs ministériels : prenez vos responsabilités et puis laissez la porte ouverte[1] ! »

Pour lui, la réalité est toujours supérieure à l'idée. Et la vérité est toujours, à ses yeux, une affaire de tact. Son pontificat sera d'abord affectif : cet hypersensible milite pour une « révolution de la tendresse » où la miséricorde est l'un des points centraux. Sa volonté est le discernement, cette empreinte très jésuite qui signifie qu'il faut accomplir la volonté de Dieu et que chacun doit se réaliser humainement et spirituellement. Il suit, en cela, les enseignements de Michel de Certeau. On oublie souvent de faire remarquer à quel point François est d'abord un littéraire, un poète, avant d'être un grand théologien – il en connaît les gammes, en homme très intelligent issu de la culture jésuite, mais tout ce fatras, au fond, lui paraît encombrant – pour l'homme de la rue et peut-être aussi pour lui-même.

« C'est un volcan avec un flux d'idées », dit de lui le cardinal Maradiaga[2]. Un volcan en fusion. Qui ne va pas tarder à se dévoiler. Va-t-il changer le monde ? Il pourrait paraphraser la célèbre maxime de saint François d'Assise : « Commence d'abord par faire le nécessaire, puis fais ce qu'il est possible de faire, et tu réaliseras l'impossible sans t'en apercevoir. »

---

1. Entretien à Rome avec Stefania Falasca, entretien avec le mensuel *30 Giorni*, n° 11, 2007.
2. *HRN La Voz de Honduras*, Tegucigalpa, 8 février 2015.

Quatre mois à peine après son élection, lors des 28ᵉ Journées mondiales de la jeunesse à Rio de Janeiro, François l'Argentin imprime clairement sa marque, son style et sa pensée en s'adressant aux jeunes : « Je vous demande d'être révolutionnaires, je vous demande d'aller à contre-courant ; oui, en cela, je vous demande de vous révolter contre cette culture du provisoire qui, au fond, croit que vous n'êtes pas en mesure d'assumer vos responsabilités, elle croit que vous n'êtes pas capable d'aimer vraiment. [...] Ayez le courage d'aller à contre-courant. Et ayez aussi le courage d'être heureux. »

Devant la foule réunie sur la mythique plage de Copacabana, il se lâche : « Est-ce qu'ici, à Rio, il va y avoir de la pagaille ? Oui ! Mais je veux de la pagaille dans les diocèses ! Je veux que vous alliez à l'extérieur ! Je veux que l'Église sorte dans les rues ! Je veux que nous nous gardions de tout ce qui est mondanité, installation, confort, cléricalisme, fermeture sur nous-mêmes. Les paroisses, les écoles, les institutions, sont appelées à sortir ! Si elles ne sortent pas, elles deviennent une ONG et l'Église ne peut pas être une ONG. »

Vatican Entreprise SA

À peine assis sur le trône de saint Pierre, au début de cet été 2013, le pape François prend connaissance de la réalité des chiffres de sa petite entreprise. Le Vatican et l'argent ? Un feuilleton interminable, une joyeuse pagaille et de solides désordres depuis le bon vieux temps de Paul VI et de Jean-Paul II, deux pontifes qui ne se souciaient guère des cordons de la bourse, les négligeant même, plus préoccupés par des problèmes d'ordre théologique, politique, ou par leurs voyages à travers le monde.

Lunettes sur le nez, il plonge dans les bilans et les comptes de l'État du Vatican et du Saint-Siège, deux comptabilités distinctes et passablement difficiles à établir et à comprendre. Le bilan final vient de repasser dans le vert avec un excédent budgétaire de 2,2 millions d'euros l'année précédente (contre 14,9 millions d'euros de déficit en 2011). Mais les dons ont diminué de 4 millions, s'élevant à 65,9 millions de dollars en 2012 contre 69,7 en 2011. Les contributions des diocèses à travers le monde ont baissé de 32,1 à 28,3 millions de dollars.

Toutes ces pertes semblent attester d'abord d'un vrai problème d'image, aux racines anciennes. Les manigances à répétition collent aux basques du Vatican depuis au moins trois décennies, discréditant l'image de l'Église catholique. L'IOR, l'Institut pour les œuvres de religion, la fameuse Banque du Vatican, a été fondée en 1942 par le pape Pie XII pour gérer les avoirs des œuvres religieuses en les mettant à l'abri des appétits de Mussolini et d'autres. Elle héberge alors 18 900 comptes, principalement ceux de religieux et religieuses à travers le monde, mais aussi ceux d'employés du Vatican ou de diplomates auprès du Saint-Siège, pour un montant de quelque 7 milliards d'euros. Dans le monde de la finance internationale, une paille : à peine plus que ce que la Société générale prétendait (sans apporter de preuve) avoir perdu par la faute du *trader* Jérôme Kerviel. Mais pour l'Église catholique, ces milliards pèsent aussi lourd qu'une poutre.

Jusqu'au début des années 1980, les affaires financières du Vatican se déroulaient à l'ombre des murs du Saint-Siège dans une opacité totale. Mais un énorme scandale éclaboussa l'État pontifical, encore aujourd'hui dans toutes les mémoires : l'affaire du « banquier de Dieu » Roberto Calvi[1], le grand argentier du Vatican et du Banco Ambrosiano,

1. Rupert Cornwell, *Le Banquier du Vatican*, Plon, 1984.

retrouvé pendu en 1982 sous le célèbre Blackfriars Bridge (le pont des frères noirs) à Londres. Une mort mystérieuse qui précipita l'effondrement du groupe bancaire privé le plus important d'Italie, ébranlant les milieux financiers internationaux. L'affaire se révéla être l'un des plus grands scandales de l'Italie d'après-guerre, un désastre tentaculaire dans lequel étaient impliqués, tout à la fois, le gouvernement et les partis politiques, la mafia, la police et la franc-maçonnerie : Calvi recyclait l'argent de la mafia avec la complicité du banquier Michele Sindona, l'un des conseillers financiers du Saint-Siège, ami du sulfureux Mgr Marcinkus. Et avec la bénédiction et la protection de la loge maçonnique P2 (*Propaganda Due*), loge à laquelle appartenaient Calvi et Sindona, tout comme une partie de l'élite italienne, parmi laquelle un certain Silvio Berlusconi. Le boss de la P2, Licio Gelli, rêvait même de contrôler toute l'Italie grâce à ses manigances[1].

Le pape François ne se voile pas la face. La suspicion concernant les finances du Vatican continue d'alimenter régulièrement les fantasmes, réels ou imaginaires. Il sait qu'il y a là un des points clés de son pontificat. Dès lors, il va donner des directions précises. Pour l'IOR, objet de toute son attention, il n'a qu'un seul mot d'ordre : « Tolérance zéro ». Dans les premières semaines du pontificat, on suppute que le nouveau pontife pourrait aller jusqu'à dissoudre cet institut bancaire – on imagine aisément les inquiétudes des milieux concernés. Mais François le volontariste n'est pas un utopiste rêveur. À travers un décret papal, il va augmenter d'un cran la surveillance des opérations et des

---

1. Arrêté et emprisonné à Genève, Licio Gelli s'évada de la prison de Champ-Dollon en 1983 avec l'aide d'un gardien félon, avant de mourir tranquillement dans son lit en décembre 2015 à l'âge vénérable de 96 ans. Quant à Michele Sindona, on le retrouva inanimé dans sa prison italienne en 1986 après avoir ingurgité un café arrosé de... cyanure.

services financiers du Vatican. Plusieurs mesures sont adoptées : les lois qui s'appliquaient à l'État du Vatican sont étendues à tous les ministères, organismes et institutions dépendant du Saint-Siège, et aux organisations à but non lucratif comme Caritas. Autant de baronnies parfois opaques, soudain obligées de s'aligner, avec toute la nervosité que cela peut susciter.

Une vaste opération de nettoyage et de mise au net se met en marche. Les conditions pour détenir un compte auprès de l'IOR se resserrent drastiquement. Les comptes de plus de 5 000 clients sont fermés. Mais surtout il va créer une commission chargée de le conseiller sur les changements à entreprendre dans le monde feutré et parfois approximatif des finances du Vatican.

Le collège qu'il institue regroupe des personnalités éclectiques, comme la belle et explosive Francesca Chaouqui, une laïque extérieure aux rouages de la cité papale dont la plastique affole les médias italiens. Formée à la finance et au droit des affaires à l'université de La Sapienza, à Rome, puis chargée des questions financières au sein de nombreux cabinets d'avocats, née en Calabre, cette Italo-Marocaine membre de l'Opus Dei a travaillé chez le consultant Ernst & Young et se présente en ces termes sur sa page Twitter, où elle s'était illustrée en colportant des rumeurs sur la santé du pape Benoît XVI ou en critiquant certains cardinaux : « Je vis comme si j'avais plus de temps, j'aime, je souris toujours, parfois je me mets en colère, j'écris la nuit. Heureuse. » Elle rassure d'entrée les médias italiens qui s'amusent de ce nouveau duo, Francesco et Francesca (François et Françoise) : « Je vais me mettre entièrement au service du Saint-Père. Mon seul objectif est d'être utile. » L'avenir montrera que ce choix fut assez calamiteux.

La nouvelle de la création de ce nouveau groupe est rendue publique à un moment particulièrement bien choisi : au lendemain de l'arrestation par la police italienne de Mgr Nunzio Scarano, ancien chef comptable de l'agence patrimoniale du Saint-Siège (APSA), accusé, aux côtés d'un ex-agent des services secrets et d'un intermédiaire financier, d'avoir tenté de faire passer clandestinement de Suisse en Italie au moins 20 millions d'euros à bord d'un jet privé pour le compte d'armateurs italiens ! Mais aussi d'avoir servi d'« écran » pour des virements suspects en provenance de Monaco effectués à travers l'IOR. Des histoires qui se termineront d'ailleurs « à l'italienne » par… l'acquittement pur et simple du prélat en janvier 2016.

Ce comité, composé de sept experts laïques et d'un seul religieux, « ne se substituera pas » aux dicastères qui garderont leurs compétences, prévient au début du mois de juillet le père Federico Lombardi, porte-parole du Vatican. Mais toutes les administrations sont invitées à « collaborer » avec lui. Le but de cette commission sera « d'économiser les ressources économiques, de favoriser la transparence des acquisitions de biens et services, d'améliorer la gestion du patrimoine mobilier et immobilier, d'agir avec une prudence accrue en matière financière, d'appliquer une comptabilité saine et de garantir l'assistance médicale et sociale à tout le personnel », selon le communiqué officiel.

Ce dernier point est critique : le blocage voire la réduction du personnel au sein du Vatican crée un mécontentement, et, avec moins de cotisants, on s'inquiète du financement des pensions pour les retraités. Avec ses mesures de rationalisation et de moralisation, François ne dérange pas que les « grands » de la Curie…

Un autre personnage va occuper une place centrale dans ce dossier, dialoguant en permanence avec le pape François qui en fera son principal homme de confiance. C'est un avocat suisse de 41 ans à la dégaine de James Bond, René

Brülhart, mis en place en novembre 2012 par Benoît XVI à la tête de l'Autorité d'information financière du Vatican (AIF) chargée de lutter contre le blanchiment d'argent – organisme créé en 2010 – pour se conformer aux critères internationaux en matière de lutte contre le blanchiment d'argent et le financement du terrorisme.

Un look d'acteur de cinéma américain, mais une tête bien pleine, formée aux meilleures écoles. Une discrète bête de travail avec une moralité réputée inoxydable. Après avoir reconstruit la réputation de la place financière du Liechtenstein, à la tête de la Financial Intelligence Unit (FIU) durant huit ans, il a donc désormais pour mission de nettoyer des décennies d'abus et de scandales longtemps protégés par un épais secret. Depuis la crise financière de 2012-2013 au Saint-Siège, « tout a changé », estime-t-il. Il a déjà fait procéder à la fermeture d'environ 5 000 comptes suspects à l'IOR. Parmi eux, des comptes d'ambassades étrangères ouverts après de bien suspects versements en liquide effectués sur plusieurs comptes, notamment des missions iranienne, irakienne et indonésienne – le tout pour des sommes pouvant aller jusqu'à 500 000 euros en une seule opération.

Le fringant René Brülhart n'est pas du genre à se laisser impressionner, à commencer par le petit groupe de huit personnes nommées par le pape. Comme s'il avait très vite assimilé le langage jésuite, il estime en effet « que le nouveau comité de huit personnes n'interférera pas avec l'AIF, qu'il a une teneur consultative et stratégique pour comprendre comment le Vatican gagne et gère ses entrées d'argent ». Il semble le considérer d'un œil pour le moins méfiant. L'avenir, on le verra, va très vite lui donner raison…

Chapitre 9

Zizanies vaticanes !

« Le cardinal défunt Albani alla à l'une de ces fêtes romaines si pittoresques, où les nobles et le peuple se réunissent. Un des invités, un jeune garçon, commença à parler aux épaules des cardinaux présents, répétant continuellement : "Cana ! Cana !", ce qui voulait à peu près dire : "Canaille ! Canaille !" Le cardinal, en l'entendant, se retourna vers ses confrères et leur dit : "Celui-là, il nous connaît bien !" »

Goethe, *Voyage en Italie*

« Mon Dieu, gardez-moi de mes amis. Mes ennemis, je m'en charge. » À la lettre, le pape François fait d'emblée corps avec cette célèbre maxime lorsqu'il déambule dans les couloirs du Vatican à la propreté toujours impeccable mais depuis longtemps minés par les intrigues, les manœuvres, les bassesses, les complicités et les connivences en tous genres, avec leurs complots dignes des Borgia, entre clans et bandes bien organisés.

Le cœur de l'institution dont il a pris la tête est gangrené. Et lui mesure rapidement l'étendue des dégâts. Le conclave l'a d'ailleurs élu en le chargeant de cette mission, sans ignorer non plus que la réforme de la Curie dont on parle tant depuis des lustres, ni Jean-Paul II ni Benoît XVI n'ont su la mener à bien, tant il s'agit en fait d'un chantier presque impossible. Les rouages tournent à vide ou s'enrayent, ça dysfonctionne dans une joyeuse pagaille : Secrétairerie d'État, Gouvernorat et administration du patrimoine du Siège apostolique ont pris du poids et prennent leurs aises, les dicastères et les congrégations se marchent sur les pieds, le personnel n'est pas toujours qualifié et souvent peu motivé. Népotisme, petites *combinazioni* à l'italienne... Rien ne va plus.

François cerne non seulement les contours, mais en identifie aussi la cause. En fait, elle tient en une sentence, en un seul mot dont il martèlera ses discours : la mondanité. Un des mots-clés de son pontificat qui se décline et se conjugue de plusieurs façons. « Elle prend de nombreuses formes, suivant le type de personne et la circonstance dans laquelle elle s'insinue », écrit-il dans *Evangelii gaudium*, publié au Vatican quelques mois à peine après son élection ; elle « se cache derrière des apparences de religiosité et même d'amour de l'Église » et « consiste à rechercher, au lieu de la gloire du Seigneur, la gloire humaine et le bien-être personnel ». « Non à la guerre entre nous », assène encore le pape, des lignes qu'on dirait écrites directement à destination de la Curie : « La mondanité spirituelle porte certains chrétiens à être en guerre contre d'autres chrétiens qui font obstacle à leur recherche de pouvoir, de prestige, de plaisir ou de sécurité économique. De plus, certains cessent de vivre une appartenance cordiale à l'Église, pour nourrir un esprit de controverse. » Au XVIe siècle, Erasme de Rotterdam ne raillait-il pas déjà : « Plût au ciel que fussent fausses les accusations de Luther contre la curie romaine, tyrannie, avarice, mœurs dissolues[1] ! »... ?

---

1. Lettre à Pierre Barbier, citée par Léon E. Halkin in *Erasme parmi nous*, Fayard, 1987, p. 113.

« Pour vous, quelle est la pire chose qui puisse arriver à l'Église », lui demandait-on six ans avant qu'il ne devienne pape, en novembre 2007. « C'est ce que le théologien français Henri de Lubac appelle "la mondanité spirituelle", répondait-il sans hésiter. C'est le plus grand danger pour l'Église. "C'est pire, disait Henri de Lubac, plus désastreux que cette lèpre infâme qui avait défiguré l'Épouse bien-aimée au temps des papes libertins." La mondanité spirituelle consiste à nous mettre nous-mêmes au centre. C'est ce que Jésus voit à l'œuvre chez les pharisiens : "Vous qui vous glorifiez. Qui vous glorifiez vous-mêmes et les uns les autres[1]". »

Cette mondanité spirituelle, le pape François va s'attacher à l'éradiquer, sans ménagement. D'abord en montrant lui-même l'exemple dans ses habitudes et son comportement quotidiens. On l'a vu, il n'aime pas l'apparat, le clinquant, le luxe. Mais, même pauvre parmi les pauvres, changer le mode de fonctionnement d'une Curie presque antédiluvienne n'est pas une mince affaire. « Dans une communauté d'intérêt, il y a un danger dès qu'un membre devient trop puissant », disait Mazarin. Il faut faire table rase des plis et automatismes du passé. « Adieu veau, vache, cochon, couvée », écrivait M. de La Fontaine. Le « tonton flingueur du Vatican », comme l'a surnommé un hebdomadaire français[2], veut d'abord « changer les mentalités avant de changer les structures ».

« La vision vaticano-centriste de la Curie néglige le monde qui l'entoure, confie-t-il au journaliste italien Eugenio Scalfari. Je ne partage pas cette vision, je ferai tout pour la changer. » Et de poursuivre : « Les chefs de l'Église ont souvent été narcissiques, aimant les flatteries et excités de façon

---

1. Entretien à Rome avec Stefania Falasca, pour le mensuel *30 Giorni*, novembre 2007.
2. *VSD*, n° 1885, 10 octobre 2013.

négative par leurs courtisans. » Sa conclusion : « La cour est la lèpre de la papauté[1]. » À son ami Antonio Spadaro, il détaille davantage : « Les dicastères romains doivent être des médiateurs, et non des intermédiaires ou des gestionnaires[2]. »

Tel Pierre avec ses apôtres, François veut partager la responsabilité de gouverner l'Église. De manière autoritaire, il remet la collégialité, voulue par Vatican II mais jamais vraiment appliquée, au cœur du pouvoir.

François va, dès lors, s'entourer de sa propre équipe, comme un chef d'État, mais aussi et surtout replacer le Vatican au centre de l'échiquier international et porter une voix qui compte à nouveau, comme un véritable leader de la paix. Fini aussi les passe-droits, les privilèges, les copinages : le sport national qui consistait en Italie à placer un de ses proches au Vatican semble maintenant en péril.

Un mois jour pour jour après son élection, il passe à l'action et annonce la création du « C8 », un groupe de huit cardinaux qui l'aidera dans son travail et œuvrera avec lui à réformer la Constitution *Pastor Bonus* relative au fonctionnement de la Curie. Dans un fédéralisme presque helvétique, le groupe comprend toutes les tendances et origines : des conservateurs, des centristes et des progressistes, avec un panachage des origines géographiques. Tous possèdent une grande fibre sociale mais quatre figures se détachent très nettement du lot.

D'abord le coordinateur du groupe, considéré désormais un peu comme un « premier ministre bis » du pape : un salésien d'une très profonde envergure spirituelle, un homme maîtrisant six langues à la perfection, président de Caritas

---

1. *La Repubblica*, 1er octobre 2013.
2. *Civiltà Cattolica*, 19 août 2013.

International : Óscar Rodríguez Maradiaga, l'archevêque de Tegucigalpa, au Honduras, ancien pilote d'hélicoptère et saxophoniste émérite.

Autre fidèle compagnon du pape argentin, hier quasiment son voisin sur le continent latino-américain, le cardinal chilien Francisco Javier Errázuriz Ossa, qui présida notamment la Conférence d'Aparecida, un religieux formé à Fribourg, en Suisse.

Mais aussi le fameux cardinal capucin aux sandales de Boston, Seán O'Malley, qui a réglé dans son pays l'épineux dossier des prêtres pédophiles.

Seul Italien du groupe, le très fin diplomate représentant de la Curie, l'inflexible Giuseppe Bertello, de retour à Rome depuis 2011 comme président du Gouvernorat et de la Commission pontificale de l'État de la Cité du Vatican, les organes exécutif et législatif du Saint-Siège, connaît le sujet. C'est un ancien observateur du Saint-Siège aux Nations unies à Genève, puis auprès de l'Organisation mondiale du commerce (OMC), mais aussi un ex-nonce au Rwanda puis au Mexique, où il avait eu à gérer et à mettre fin – contre l'avis de la Curie et de l'entourage de Jean-Paul II, hormis un certain cardinal Ratzinger – à la vie dissolue du père Maciel, le sulfureux fondateur des Légionnaires du Christ. Cette organisation ultraconservatrice, à côté de laquelle l'Opus Dei semble un modèle de transparence et de flexibilité, se voulait le fer de lance de la réévangélisation mais s'est avérée corrompue à son sommet, jetant dans le désarroi les plus convaincus en son sein et faisant scandale à l'extérieur[1]. Une sorte de concentré, en modèle réduit et en pire, de ce que l'on risquait de trouver au sein de la Curie.

---

1. À consulter notamment : Xavier Léger, *Moi, ancien légionnaire du Christ*, Flammarion, 2013.

Avec l'arrivée du secrétaire d'État Pietro Parolin, ancien nonce au Venezuela, numéro 2 de l'appareil d'État après le pape, le « C8 » devenu « C9 » se trouve au complet un an plus tard. En choisissant Mgr Parolin pour succéder au médiocre et sulfureux cardinal Bertone à la Secrétairerie d'État, François réalise là encore un joli coup : il met en place un Italien polyglotte de 58 ans formé à l'école sud-américaine qui sent mieux que quiconque le langage de la Curie, introduisant un expert qui sait naviguer, intègre et pieux, foncièrement bon avec ceux qu'il croise au Vatican, notamment les humbles, les faibles. Ce prélat, qui a su se faire respecter dans le Venezuela de Chávez, saura faire évoluer la Curie à l'intérieur ; il est aussi un médiateur hors pair, qui a fait du mot réconciliation un cheval de bataille, capable de résoudre des conflits ou des sorties de crise un peu partout à l'extérieur, notamment avec des pays « difficiles » comme la Chine, l'Iran, ou le Vietnam – avec lequel il a négocié un accord rétablissant des relations diplomatiques avec le Saint-Siège.

Le petit groupe des 8 ou 9 se réunit tous les trois mois, dans une salle de la Maison Sainte-Marthe, autour d'une table en U, pendant plusieurs heures. Le pape procède chaque fois à un tour de table, donnant à chacun le temps nécessaire pour faire valoir ses arguments sans avoir les yeux rivés sur sa montre[1]. « Ensuite, confie volontiers le cardinal Maradiaga, il décide seul. »

« Dans la Curie, continue le prince de l'Église hondurien, il y a beaucoup de personnes qui nous disent que les choses

---

1. À noter, pour la petite histoire, qu'après avoir porté durant de très longues années une très modeste Casio MQ24 qu'il avait achetée le long de la calle Florida à Buenos Aires, le pape porte au poignet depuis le printemps 2015 une montre suisse, une Swatch noire, modèle Once Again, d'une valeur d'une cinquantaine d'euros à peine (*Le Matin*, Lausanne, 26 mai 2015).

ne peuvent pas continuer comme auparavant. La Curie n'est pas un bloc monolithique. De toutes nos réflexions va émerger un nouvel ordre de la Curie qui remplacera l'actuelle Constitution apostolique *Pastor Bonus* de Jean-Paul II. Ce ne sera pas seulement une modification, mais quelque chose de résolument nouveau[1]. »

La « révolution » imaginée par François l'Argentin tourne en fait autour de deux axes bien distincts : des réformes morales visibles et profondes, son fameux style connu de tous, et des mesures de réorganisation de nature essentiellement technique, menées à l'intérieur même du Vatican, de manière autoritaire et très personnelle, en recourant à un petit nombre d'experts ou d'hommes de confiance.

Son pontificat, il veut certes le marquer par la réforme institutionnelle de la Curie, mais aussi par un retour du Saint-Siège sur la scène politique internationale et par le redressement moral du clergé après trop de scandales sexuels et financiers.

Pour le pape François, la force de l'Église réside dans la communion, sa faiblesse dans l'opposition et la division. Les coups de balai sont nécessaires et il va les donner fermement, sans hésiter. C'est le pape autoritaire, cassant, parfois blessant, aux méthodes expéditives, sa facette la moins connue du grand public. « Il est comme l'entraîneur d'une équipe de foot, analyse un de ses proches en Argentine. Chaque personne doit être à sa place, celle-ci en attaquant, celle-là en défense, une autre au centre, etc., et ne jamais s'arroger un autre rôle, sinon, il exécute froidement[2]. »

---

1. *HRN La Voz de Honduras*, Tegucigalpa, 8 février 2015.
2. Entretien avec l'auteur, Buenos Aires, août 2016.

Ce constat prend réellement forme le 31 août 2013, cinq mois après l'élection du pape, avec l'annonce de la « démission » du cardinal Bertone – un Piémontais, comme Bergoglio par ses origines familiales – qui s'était finalement rallié, un peu par dépit, à voter pour lui au conclave. L'homme est un incontournable de l'appareil d'État, ancien collaborateur de Ratzinger à la Congrégation pour la doctrine de la foi. À lui seul, le nom du puissant secrétaire d'État, prononcé dans les couloirs du Vatican, provoque une moisson de commentaires contrastés. C'est l'ennemi juré, l'intrigant, le machiavélique.

Le grand silencieux aussi, l'*eminenza* qui n'en finit plus, désormais, de cuver son amertume et d'agir en coulisses. Archevêque de Gênes en 2002, créé cardinal l'année suivante par Jean-Paul II, nommé finalement, en 2006, secrétaire d'État par Benoît XVI, c'est-à-dire Premier ministre, ce salésien s'était rêvé pontife l'espace de quelques semaines, à la démission de Benoît XVI, occupant comme camerlingue la fonction non officielle de « pape par intérim ». Mais autoritaire et brillant, Mgr Tarcisio Bertone a accumulé les ennemis au cœur du Vatican et son nom est associé au scandale qui ternit la fin de règne de Benoît XVI, le fameux Vatileaks qui avait révélé en mai 2012, grâce à la trahison du majordome Paolo Gabriele, des documents confidentiels mettant en lumière un large réseau de corruption, de népotisme et de favoritisme à l'intérieur même de l'appareil d'État.

Un complot qui devait mouiller le secrétaire d'État, avant le pape lui-même. Mais la manœuvre ourdie contre Bertone par un cardinal, génois lui aussi, Mauro Piacenza, échoue lamentablement. Un mois plus tard, ce dernier, ancien protégé de Benoît XVI, passe lui aussi à la trappe. Le cardinal Piacenza, c'est Iznogoud qui veut être calife à la place du calife, ou Louis de Funès dans *La Folie des grandeurs* : il avait cru le pouvoir à portée de main, quand il recevait dans le plus grand secret, dans son appartement de la place Léonine, des mains du majordome Paolo Gabriele, les documents dérobés dans l'appartement du pape Benoît XVI. Il pensait ainsi déboulonner le secrétaire d'État Bertone et prendre sa place, manifestant sa fidélité au pape, puis accéder un jour, qui sait ?, au pontificat suprême. Démasqué, on le débarque. Ce n'est pas les Barbaresques, comme dans le film de Gérard Oury, mais guère mieux : il est muté comme « pénitencier majeur », autant dire un poste honorifique sans réel pouvoir. Une vraie pénitence. « L'ambition peut laisser littéralement en dehors tout sens commun ; les fumets nauséabonds des cardinaux de la Renaissance semblent sortir de terre en volutes cauchemardesques », observa alors finement le vaticaniste Nicolas Diat[1].

Les opposants au placard !

Évidemment, ces réformes un peu à la hussarde, avec évictions sèches, créent des inimitiés et des rancœurs. Depuis son renvoi expéditif, le cardinal Bertone ne cesse de mener une incessante guérilla à l'intérieur du Vatican, où il compte encore de nombreux fidèles alliés et quelques bons appuis.

Comme le dogmatique Gerhard Ludwig Müller, proche de Benoît XVI dont il supervise la publication des œuvres complètes, créé cardinal par François sans doute pour faire plaisir au pape émérite, d'une rigueur très germanique. « Le véritable Panzerkardinal, c'est lui, et non Mgr Ratzinger ! » dit-on volontiers au Vatican. De fait, il a eu une manière très personnelle de clore, sans l'avoir ouvert, le débat sur les divorcés remariés que voulait initier le pape François : « Le

---

1. *Benoît XVI, l'homme qui ne voulait pas être pape*, Albin Michel, 2014, p. 268.

divorce n'existe pas et un remariage constitue donc une infidélité chronique envers le premier partenaire. »

Il y a aussi Stanislaw Gadecki, le Polonais, que l'on dit amer, agacé par une espèce de purgatoire qui n'en finit pas... Très proche de son compatriote Jean-Paul II, qui l'avait nommé archevêque de Poznan en 2002, il est devenu président de la Conférence épiscopale polonaise, mais il attend toujours la consécration suprême : la barrette de cardinal. Ancré dans une foi immuable et un refus virulent de la modernité, il a trouvé « inacceptable » le projet du nouveau pape qui – c'est peut-être le plus grave à ses yeux – « s'éloigne de l'enseignement de Jean-Paul II ».

Autre ennemi de l'ombre : Carlo Caffara, un poids lourd de l'Église, même s'il n'est pas très médiatique. Naguère dans les bons papiers de Jean-Paul II, il a été nommé archevêque de Bologne en 2003 puis créé cardinal, en 2006, par Benoît XVI. Conservateur bon teint, il fait partie des cinq signataires du livre *Rester dans la vérité du Christ*, perçu comme un pamphlet contre le pape, qui lui signifia aussi son congé – ou, dit plus diplomatiquement, accepta sans hésitation sa démission comme archevêque de Bologne. Son credo ? « Il est impossible de considérer quelqu'un comme catholique s'il accepte le mariage homosexuel. »

Et puis, il y a l'incontournable George Pell, cardinal australien. Un physique de rugbyman, un style direct et brut de décoffrage qui détonne un peu (et amuse aussi) dans l'univers feutré des princes de l'Église. Ancien archevêque de Sydney, nommé cardinal par Benoît XVI en 2003, il a été appelé par François pour s'occuper des finances du Saint-Siège. Sans être, on le sait, un inconditionnel du pontife argentin. Hanté par ce qu'il considère comme « la bataille entre ce qui reste de la chrétienté en Europe et un néopaganisme agressif », il se manifestera quelques mois après sa promotion comme l'un des opposants à l'idée bergoglienne d'ouverture de l'Église aux formes de vie familiale non classiques : « Ce serait une capitulation ! »

Au milieu de ce champ de mines, le cardinal Wilfrid Napier, originaire d'Afrique du Sud, est la caution tiers-mondiste des conservateurs, celui qui permet de bloquer toute libéralisation en invoquant l'universalité de l'Église et la diversité culturelle. Ancien archevêque de Kokstad, créé cardinal par Jean-Paul II en 2001, Napier fait partie, au Vatican, du Conseil pour l'économie. Très virulent, il affirme que le projet du pape François aurait heurté les valeurs africaines, où la famille traditionnelle reste sacrée... et où les homosexuels sont discriminés et souvent persécutés.

Le 16 décembre 2014, c'est au tour de l'Américain Raymond L. Burke, l'opposant numéro un qui avait pris la tête de la guérilla laissée vacante par le départ de Bertone, d'être écarté. Nommé par Benoît XVI, en 2008, au poste prestigieux de préfet du Tribunal suprême de la Signature apostolique – c'est-à-dire la tête du pouvoir judiciaire –, ce conservateur pur et dur s'était déjà signalé à Saint Louis aux États-Unis, en 2009, en voulant interdire la communion aux hommes politiques qui acceptaient l'avortement. Il a participé lui aussi, en septembre 2014, juste avant le Synode sur la famille donc, au livre collectif *Rester dans la vérité du Christ*, dénonçant le pontificat comme une « trahison ».

François s'en débarrasse habilement en le nommant patron de l'Ordre souverain de Malte, c'est-à-dire en fait chapelain suprême d'une organisation humanitaire très traditionnelle dirigée par un prince et grand maître, qui a son siège sur l'Aventin et des bureaux dans la luxueuse via Condotti.

Tous les coups sont permis

« Peu d'institutions sur terre ont tant de facettes, de saints, de pensées libres et puissantes[1] », s'enthousiasme le correspondant de l'AFP au Vatican, Jean-Louis de La Vaissière, le jour où il quitte Rome à la fin de son mandat.

De manière moins lyrique, on peut surtout constater que tous les coups, ou presque, sont permis. Et qu'ils ne vont pas manquer entre le pape François et ses adversaires. Larvés, liftés, mais réels. En des siècles d'opacité dans les couloirs du Vatican, on n'a guère appris les coups droits ni les aces assénés comme au tennis dans les jambes des concurrents, aucun autre État au monde ne concentre autant d'universitaires, tous théologiens et juristes (droit canon), intellectuels célibataires souvent d'autant plus talentueux dans les astuces qu'ils attachent sincèrement une importance primordiale aux jeux de pouvoir – la fameuse « mondanité spirituelle » dénoncée par François.

Le pape sait aussi que le pouvoir le plus dangereux est celui de nuisance. Et il se cache partout à Rome. Certes, des rapaces s'éloignent, finissent par vieillir, mais ils conservent en eux le goût du sang. D'autres ont peu à peu pris leurs places, au prix de durs efforts, qu'ils ne veulent pas voir détruits par l'arrivée d'un souverain pontife du bout du monde, qui visiblement, pour eux, ne sait pas ce qu'il fait. Toutes ses mesures ne plaisent guère, dérangent les habitudes, bousculent les certitudes.

Menacé, le pape François l'est désormais parmi les siens. Les placardisés ressassent leurs envies de vengeance. Ce n'est peut-être pas très chrétien, mais les prélats sont aussi des pécheurs... Pour le journaliste italien Marco Politi, fin observateur de la vie vaticane, 20 % de la Curie est pro-Bergoglio,

---

1. Tweet du 3 juillet 2016.

10 % totalement contre lui, et les 70 % restants, légitimistes qui n'en pensent pas beaucoup de bien, « attendent le prochain pape[1] ». Comme l'a expliqué un cardinal, « cynique et hautement informé », qui a fait jurer le silence à son interlocuteur[2] : « Il est plus difficile d'empoisonner sept personnes qu'une seule... Ainsi, si le souverain pontife ne déjeune jamais seul, vous pouvez en tirer quelques conclusions... »

Les méchantes langues railleront qu'au lieu de réformer la Curie, François a plutôt instauré une petite Curie parallèle. Sur le papier, ce n'est pas faux, mais il faut plutôt y discerner objectivement des collaborateurs précieux qui savent faire le pont entre le pape et la Curie officielle : Pietro Parolin comme secrétaire d'État, le camerlingue Jean-Louis Tauran, président du Conseil pontifical pour le dialogue interreligieux, Marc Ouellet, préfet de la Congrégation pour les évêques, Francesco Coccopalmerio, président du Conseil pontifical pour les textes législatifs, sans doute l'un des seuls vrais bergogliens de la Curie. Dans cette Curie bis, on trouve aussi une poignée d'adeptes sûrs, comme le prélat argentin Fabián Pedacchio, l'homme de confiance, « un type sympa, mélomane, qui aime l'opéra[3] », ou Antonio Spadaro, un personnage discret, peut-être le seul jésuite qui puisse se targuer d'être vraiment l'ami proche du pape.

« Le Vatican, combien de divisions[4] ? », raillait Staline. En paraphrasant le « petit père des peuples », on peut effectivement

---

1. Interview à Radio-Canada, 13 octobre 2016.
2. Rapporté par Caroline Pigozzi, *Ainsi fait-il,* Plon, 2013, p. 73.
3. Selon les souvenirs de Mariano Castex. À l'auteur, Buenos Aires, août 2016.
4. Comme s'en amuse avec gourmandise Bernard Lecomte dans son *Dictionnaire amoureux des papes* (Plon, 2016), les historiens se divisent sur les circonstances exactes dans lesquelles Staline a prononcé cette fameuse phrase à Moscou, soit devant Pierre Laval en 1935, pour les Français, soit face à Churchill en 1944, selon les Russes.

constater que la troupe de fidèles d'entre les fidèles auprès de François ne brille pas par son nombre. Quelques personnes loyales seulement, offensives, dévouées.

Un discours d'une violence inédite va frapper durablement les esprits. Celui du 22 décembre 2014, lors des traditionnels vœux de fin d'année à la Curie.

Sans s'encombrer d'aucune précaution oratoire, le pape sonne la fin de la récréation et remet en effet tout le monde à l'ordre. Il dresse, tel un médecin face à son patient, la liste des quinze maladies qui gangrènent l'Église et spécialement son gouvernement : la Curie. Un discours musclé et sans retenue, mais aussi un appel à la résistance, un encouragement à la conversion, une incitation au changement. En bon jésuite, il invite au discernement et pense qu'il peut bousculer les mentalités et les consciences, changer les âmes intérieurement.

Le visage grave, les prélats l'écoutent sans broncher, suffoqués.

Il égrène les quinze maladies dont souffre l'Église, stigmatisant « une Curie qui ne fait pas son autocritique, qui ne se met pas à jour, qui ne cherche pas à s'améliorer », « une mauvaise coordination, lorsque les membres perdent la communion entre eux et que le corps perd sa fonctionnalité harmonieuse ».

Un discours inimaginable sous n'importe quel autre pontificat, d'une sévérité jamais vue jusqu'ici. Les mots sont forts, sans appel, cruels : c'est une condamnation en règle de la mondanité, de l'hyperactivité, des rivalités, des bavardages, des calomnies, de la zizanie. Comme tout « corps humain », la Curie souffre « d'infidélités » à l'Évangile et de « maladies » qu'il faut apprendre à guérir. On l'a vu, il use de formules assassines comme « l'Alzheimer spirituel », « le terrorisme des bavardages » ou « l'exhibitionnisme mondain ».

« La guérison est le fruit de la prise de conscience de la maladie », conclut le pape[1], invitant les évêques et cardinaux à se remettre en question. Et lui de le faire de manière directe et avec un discours diffusé publiquement : on est loin de la pratique habituelle des « exercices de Carême » où c'est un prédicateur invité, souvent un simple prêtre, qui, en son nom et à huis clos, invite à la conversion les hommes de la Curie.

Deux ans plus tard, comme si ce coup de semonce n'avait pas suffi et que les conseils n'avaient pas porté leurs fruits, il en rajoute : « Le monde est fatigué des charmeurs menteurs. Et je me permets de dire, des "prêtres à la mode" ou des "évêques à la mode". »

En ordonnant quelque cent cinquante nouveaux évêques du monde entier le 16 septembre 2016, il les invite à « toujours privilégier la qualité des vocations avant leur quantité », et à se méfier des « séminaristes et prêtres rigides ». Une posture qui, à ses yeux, « cache toujours quelque chose de mauvais ».

Il encourage cette nouvelle génération à être « capable d'enchanter et attirer ». Mais, attention, prévient-il, « les gens "flairent" et s'éloignent quand ils reconnaissent les narcissiques, les manipulateurs, les défenseurs de leurs propres causes, les commissaires-priseurs de vaines croisades »…

« Le combat spirituel est aussi brutal que la bataille d'hommes ; mais la vision de la justice est le plaisir de Dieu seul », écrivait Arthur Rimbaud dans *Une saison en enfer*. Réformer la Curie et l'Église passe aussi, pour le pape, par l'exploration et l'expérimentation de systèmes nouveaux. François veut une « Église synodale », qui doit procéder à

---

1. Voir, publié en annexe à la fin du présent ouvrage, le discours intégral du pape François, pp. 304-315.

une « décentralisation salutaire » pour la rendre plus collégiale. Il empile les nouveaux organes, fusionne, en crée de nouveaux : un secrétariat pour l'Économie, un secrétariat pour la Communication, une commission pour la protection des mineurs, un dicastère[1] pour les laïcs, la famille et la vie, un autre pour le développement humain intégral divisé en sections dont l'une, consacrée aux migrants, sera directement et personnellement dirigée par lui ! De quoi bousculer tout le monde et agir malgré les ralentissements !

Le nouveau dicastère pour les laïcs, la famille et la vie assume les fonctions de deux entités qui sont fusionnées : les actuels Conseils pontificaux pour les laïcs, respectivement pour la famille. Le but du pape est de « promouvoir le sacrement du mariage et la protection de la vie », tout en proposant un accompagnement pour les couples en difficulté ou les femmes ayant avorté. Le préfet nommé à la tête de ce dicastère est Mgr Kevin Farrell, évêque de Dallas depuis 2007, après avoir été évêque auxiliaire à Washington.

Conséquence de ces mesures de réorganisation, sont mis sur le carreau les deux présidents des Conseils pontificaux « fusionnés ». D'abord l'archevêque Vicenzo Paglia, qui obtient en compensation des responsabilités académiques dans le même domaine et est nommé grand chancelier de l'Institut Jean-Paul II pour les études sur le mariage et la famille. Ensuite, le cardinal polonais Stanislaw Rylko, l'un des derniers proches du pape Jean-Paul II encore en fonction au Vatican, fut un temps pressenti pour succéder à Stanislaw Dziwisz comme archevêque de Cracovie.

Mais la fusion n'est pas uniquement technique : les statuts montrent que ce « ministère » ne sera pas que le gardien d'un

---

1. Que l'on peut définir comme un ministère.

idéal et d'une doctrine, mais aussi un lieu d'écoute et d'accueil pour les familles fragiles.

Les grands gagnants

Il existe un grand gagnant de ces réformes : le cardinal ghanéen Peter Turkson, redoutable figure de la Curie, nommé en quelque sorte ministre du Développement. À la tête du Conseil pontifical « Justice et paix », qui visait à promouvoir la paix et la justice selon l'Évangile et la doctrine sociale de l'Église, conseil de nature essentiellement politique supprimé le 1er janvier 2017, il voit les compétences de cet organisme reprises, élargies et surtout dotées d'une force de frappe financière dans un nouveau dicastère nommé « pour le service du développement humain intégral », qui englobe désormais le Conseil pontifical « *Cor unum* » (un seul cœur) pour la promotion humaine et chrétienne, de quoi exprimer concrètement, par l'octroi d'une aide humanitaire, la sollicitude de l'Église envers les nécessiteux, et la fraternité humaine dans la charité du Christ. Le nouveau superministère, dont le Ghanéen prend la tête, s'occupe « des malades et des exclus, des personnes marginalisées et des victimes des conflits armés et des catastrophes naturelles, des détenus, des chômeurs et des victimes de toute forme d'esclavage et de torture », selon le décret papal.

Le choix de Mgr Turkson est audacieux : cet anglophone est certes à l'aise pour parler de questions globales au Forum économique de Davos, mais ce n'est pas un tendre. Il a eu des déclarations pour le moins malheureuses sur l'homosexualité, l'assimilant à la pédophilie, et surtout, hanté par le déficit de la démographie et par la montée de l'islamisation en Europe, le cardinal a fait sensation en diffusant au Vatican, en 2012, sous le pontificat de Benoît XVI, lors d'un synode sur la nouvelle évangélisation, une vidéo particulièrement alarmiste. Elle présentait, entre autres, la France comme une future république islamique. Un document de sept minutes, visionné plus de 13 millions de fois sur Youtube, intitulé « Muslim Demographics », qui entend démontrer la supériorité numérique des musulmans en Europe et dans le monde avec pour effet le déclin de la civilisation européenne. Et d'égrener que le taux de fécondité des femmes musulmanes en France sera de 8,1 enfants, contre 1,8 pour les femmes non musulmanes, ce qui aurait pour conséquences « qu'en 2027, un Français sur cinq sera musulman ». Une vraie maladresse, dénoncée par de nombreux prélats, mais sans la moindre sanction à l'encontre de Turkson !

Au contraire même... Remarqué par Jean-Paul II en 2003, qui l'avait fait cardinal, il est devenu l'un des hommes de confiance de Benoît XVI qui le fit venir sur les bords du Tibre. Et, sous François, il a participé notamment à l'écriture de l'encyclique *Laudato si'* sur l'écologie qui fit sensation.

Mais le pape va aller encore plus loin. Le 24 février 2014, il signe un nouveau *motu proprio*, décret approuvant les statuts et définissant les compétences d'un Conseil pour l'économie et du Secrétariat pour l'économie, en clair un superministère de l'Économie, des Finances et du Budget. Celui-ci va exercer une véritable surveillance sur toutes les congrégations du Vatican. L'œil de Moscou version Saint-Siège !

À sa tête, l'un des membres du C9, un opposant déclaré à ce nouveau pontificat qui le désarçonne, l'Australien George Pell, un dur à cuire, qui n'a de comptes à rendre qu'au pape, sans passer par la Secrétairerie d'État. C'est donc un véritable tsunami qui balaie le Vatican ! Et une astuce de François l'Argentin : placer un ennemi auprès de lui afin de mieux le contrôler.

Le pape jésuite sait à l'occasion être plus machiavélique que les caciques de la Curie. On croit entendre le cardinal Bergoglio dans une homélie en Argentine d'août 2008 : « Je vous pose la question : l'Église est-elle un lieu ouvert seulement aux bons ? Non. Y a-t-il une place pour les méchants aussi ? Oui ! Ici, est-ce qu'on chasse quelqu'un parce qu'il est méchant ? Non, au contraire, on l'accueille avec un plus grand amour[1]. »

Autre petite révolution, passée plutôt inaperçue, mais qui n'est pas dépourvue de sens : une *holding* regroupant tous les médias du Vatican, baptisée le Secrétariat pour la communication, est chapeautée par un Italien, Mgr Dario Edoardo Viganò, ancien directeur du Centre de télévision du Vatican (CTV), assisté de Lucio Adrian Ruiz, nommé également par le pape, qui assure le lien entre les cinq différentes directions.

Dans ce groupe, la salle de presse du Saint-Siège est bien évidemment la plus visible et la plus connue : elle a pour mission de « publier et transmettre les communications officielles concernant le pape et le Saint-Siège », d'accueillir et d'organiser les conférences de presse et les briefings, et de répondre de façon officielle aux questions des journalistes.

Depuis août 2016, le père Federico Lombardi, onctueux jésuite, a été remplacé par son numéro deux, Greg Burke, en tant que nouveau porte-parole du Saint-Siège. Ce dernier a lui-même pour successeur et adjointe une journaliste laïque espagnole, Paloma García Ovejero, longtemps correspondante à Rome et au Vatican pour la radio Cadena COPE, deuxième station généraliste de la péninsule Ibérique, financée par la conférence épiscopale espagnole.

---

1. Cité par Andrea Tornielli, *François le pape des pauvres*, Bayard, 2013, p. 126.

Ancien journaliste à *Time* et à Fox News, Greg Burke, lui, est membre « numéraire » de l'Opus Dei – avec vœu de célibat –, comme avant lui l'Espagnol Joaquín Navarro-Valls, le légendaire et inamovible porte-parole de Jean-Paul II durant vingt-deux ans.

Greg Burke a inauguré son nouvel habit d'ombre incontournable du pape François lors du voyage pontifical en Géorgie et en Azerbaïdjan, à la fin septembre 2016. Sa carrière au Vatican avait commencé un an avant la renonciation de Benoît XVI. Il avait refusé par deux fois de rejoindre la communication de la Secrétairerie d'État, dans le palais apostolique, avant de changer d'avis. On lui doit notamment ce bon mot sur François, dès son élection en mars 2013 : « Comme sur les paquets de cigarettes, une inscription pourrait accompagner l'image du pape François : attention, cet homme peut changer votre vie. » À commencer par la sienne, bien sûr !

Ces deux nouvelles recrues font incontestablement souffler un vent nouveau, tout en confirmant, malheureusement, le recul de la langue française au Vatican au profit de l'anglais et de l'espagnol. Mais leur double nomination est aussi un coup tactique qui permet de placer à des postes visibles deux laïcs qui ne sont pas du sérail : un ancien journaliste formé à l'américaine, *a priori* plutôt conservateur, et une femme espagnole censée y apporter, pense-t-on sans doute, de la sensibilité. Dans la tourmente, le pape François sait avoir plus que jamais besoin de professionnels aguerris, élevés au biberon des grands médias d'information. Plutôt qu'un jésuite, il choisit un ex-vaticaniste, qui a connu l'autre côté du micro. La machine se doit d'être efficace et d'exercer, en amont, un véritable travail de déminage sur tous les points sensibles et les critiques pouvant nuire à l'image de l'Église.

Qu'elle semble déjà loin l'époque insouciante du brave et bon père Lombardi, toujours disponible, d'une élégance et d'une courtoisie infinies, tapant sur l'épaule des journalistes et parlant volontiers avec chacun de la pluie et du beau temps !

Sur le plan de l'image et de la communication, la nomination d'une femme, Barbara Jatta, à la tête des musées du Vatican, en janvier 2017, comme la récente muséification de la résidence d'été des papes à Castel Gandolfo, en octobre 2016, est un véritable coup de maître. Trop de secrets derrière ses murs ? François les fait tomber en ouvrant au public les portes d'un bastion qui était inaccessible au commun des mortels. Benoît XVI considérait cet endroit silencieux, sur les collines du lac d'Albano, comme sa « seconde maison ». Une manière aussi pour le pape de se démarquer de son prédécesseur d'une manière symbolique, car ce n'est un secret pour personne au Vatican, en tout cas pour son entourage direct, parmi lesquels Mgr Guillermo Karcher qui le reconnaît bien volontiers : « Les comparaisons avec le pape émérite Benoît XVI et saint Jean-Paul II ne lui ont jamais plu[1]. » Le grand modèle de François est Paul VI, qu'il a béatifié alors même que personne ou presque ne semblait vouloir le porter sur les autels : ne fut-il pas le pape qui a vendu sa tiare pour en donner l'argent aux pauvres, qui a supprimé l'apparat de la cour pontificale, qui a écrit l'encyclique *Populorum progressio* – consacrant une forme de « tiers-mondisme » catholique ?

La fin sans gloire du commandant

Une autre fin sans gloire survient, annoncée au matin du 3 décembre 2014, sur deux lignes à la « une » de *L'Osservatore Romano*. Mais elles claquent et résonnent telles un coup de fouet : « Le Saint-Père a disposé que le colonel Daniel Rudolf

---

1. Entretien avec Guillermo Karcher. Dépêche de l'agence I. Media, signée Antoine-Marie Izoard, publiée par *La Croix*, 19 mars 2013.

Anrig, commandant du corps de la Garde suisse pontificale, terminera son service le 31 janvier 2015, au terme de la prolongation accordée après la fin de son mandat. » Ces mots bien choisis, froids et terriblement cruels, qui ne font état d'aucun remerciement pour services rendus, mettent fin à dix-huit mois de compagnonnage difficiles et souvent heurtés avec le pape.

C'était un secret de polichinelle : le courant passait mal entre François l'Argentin et Daniel Anrig, nommé commandant en 2008 sous Benoît XVI par le secrétaire d'État Tarcisio Bertone – congédié lui aussi, on vient de le voir, en août 2013. Entre le pape latin, ouvert, volubile, enjoué, qui a fait de la simplicité sa marque de fabrique, et l'ancien chef de la police du canton de Glaris – un minuscule territoire rural de 38 000 habitants niché au cœur des Alpes – au visage cadenassé, distant, rugueux, renfermé, en un mot militaire, il y avait un monde, pour ne pas dire un fossé, mais aussi un choc culturel.

N'importe quel pèlerin assistant le mercredi aux audiences générales du pape François pouvait l'observer à loisir : toujours à ses côtés pour assurer sa protection rapprochée, Daniel Anrig, héritier d'une autre époque, n'avait aucune interaction avec le souverain pontife. Il ne souriait jamais, ne manifestait aucun signe d'empathie, trahissant même parfois des signes d'irritation ou d'impatience. Le pape lui demandait, par exemple, de saisir un bébé dans la foule pour pouvoir l'embrasser et lui y allait en traînant les pieds, comme une corvée. « Il a déplu, c'est certain, note un fin connaisseur du Vatican. Il descend de ses montagnes de Sargans, à la frontière du Liechtenstein, et il n'a pas compris ce qui lui arrivait à Rome. C'était un bon soldat, mais souvent maladroit, sans une once de psychologie humaine. » Rien à voir avec son alter ego Domenico Giani, le chef de la Gendarmerie vaticane, ancien membre des services secrets italiens, « un courtisan bardé de décorations à la manière d'un général nord-coréen », murmurent certains prélats, mais toujours disponible et souriant.

Depuis cinq siècles, les papes confient leur sécurité à des Suisses incorruptibles et étrangers à la mentalité romaine quitte à être rustauds – mais point trop n'en faut !

Ainsi, par exemple, lors d'un discours devant la Garde suisse, le 6 mai 2013, le commandant ne semble pas prendre la mesure de ce qui est dit et manque en quelque sorte à l'obéissance. Ce jour-là, le message du pape exhorte les soldats « à témoigner de [leur] foi avec joie et à travers la gentillesse de [leur] comportement. Ce qui est important pour les nombreuses personnes qui passent chaque jour par la Cité du Vatican ! Mais cela est important également pour ceux qui travaillent ici pour le Saint-Siège, et l'est aussi pour moi. »

Quelques semaines plus tard, le pape donne son accord pour un voyage que Daniel Anrig veut faire à Buenos Aires, à l'été 2013, afin d'inaugurer une exposition consacrée à la Garde suisse au palais San Martín. Mais, sur place, le Suisse manifeste peu d'intérêt pour la réalité argentine et l'âme de ses habitants, ne saisissant pas l'opportunité qui lui est donnée de chercher à comprendre *en vivo* qui est son nouveau chef. Une scène dont nous fûmes témoins : dans le vieux palais, il serre machinalement des mains, sans chaleur, à peine son visage s'éclaire-t-il lorsqu'on lui présente, par exemple, un proche argentin du souverain pontife. Flairant un certain risque, il revient cependant sur ses pas pour tendre sa carte de visite sur laquelle il inscrit son numéro de portable. « Appelez-moi si vous passez par Rome », glisse-t-il dans un sourire esquissé et qui paraît – hélas – artificiel. Un peu d'attention certes – il faut bien soigner l'entourage – mais rien de plus. Dans un pays latino où tout le monde se touche, s'embrasse, se donne l'accolade et se tape sur l'épaule, cette apparente indifférence – qui n'est peut-être qu'une rigueur militaire – fait mauvaise impression. Autant dire qu'à cause de lui et pour lui, l'opération Buenos Aires est un échec en termes de communication pour la Garde suisse, mais aussi pour les autorités fédérales helvétiques, qui soutiennent cet événement important.

Mais le commandant Anrig commet une bévue. Persuadé d'avoir été appelé par Dieu à la tête de la Garde suisse, il se prend un jour les pieds dans le tapis : alors que le pape martèle à ses ouailles qu'il faut refuser les privilèges et les signes extérieurs de richesse, il se fait aménager un confortable appartement au dernier étage d'un des bâtiments de la Garde. Un logement trois fois plus grand que celui de son prédécesseur : 380 mètres carrés, huit chambres, quatre salles de bains et un grand salon... Lorsque le pape vient rendre visite à la Garde, durant l'été 2013, voulant tout voir, du réfectoire aux dortoirs, on le tient à l'écart de ce nouveau lieu de vie. François est donc reçu pour une discussion informelle dans l'appartement du capitaine Bachmann, beaucoup plus petit et spartiate. Mais tout cela ne lui échappe pas, lui qui, parfois, parle de manière informelle avec les gardes en faction à Sainte-Marthe, où il réside, et est à l'écoute des visiteurs de passage – c'est pour cela, du reste, qu'il a voulu éviter l'isolement dans l'appartement pontifical au dernier étage du palais apostolique. Impossible donc qu'il n'ait pas eu vent de la gestion carrée, un peu cassante du commandant, à l'opposé selon certains de la « conduite humaine » que lui-même prêche sans relâche.

Cela dit, Anrig peut étonner, avec des décisions faisant preuve d'une étonnante modernité : ainsi, dans son bureau, à la suite de la série des portraits officiels de ses trente-trois prédécesseurs – où l'on ne vit passer que trois francophones issus des cantons de Suisse romande – il a tenu à accrocher une photo où il pose avec sa femme, une première depuis cinq cents ans[1] !

Hélas pour lui, l'agacement du souverain pontife, il ne le voit pas venir. À un évêque suisse, le commandant confiera après son départ avoir été le premier surpris par l'annonce de son remplacement inattendu. De fait, devant les remous et les commentaires suscités par sa mise à pied brutale, le pape François sort en personne de son silence pour accorder une interview à Elisabetta Piqué, de *La Nación*, parue à Buenos Aires au lendemain de l'éviction, certifiant avoir averti Anrig au mois de juillet précédent – à vrai dire un mois après sa visite à la Garde – qu'il s'en irait « à la fin de l'année ». Le pape en a profité par ailleurs pour préciser que le commandant n'avait commis « aucune faute » ni « aucun péché », mais qu'un « renouvellement était plus sain », précisant que « nul n'est éternel » dans ses fonctions. « C'est une excellente personne, un très bon catholique, un homme qui a une belle famille », ajoute-t-il en chef d'entreprise respectueux du droit et des intérêts de ses employés, sans jamais dire toutefois qu'il fut un bon commandant. A-t-il souhaité le départ du commandant parce qu'il s'était fait construire un trop grand appartement ? Le pape répond de manière jésuitique, en évoquant plutôt la « restauration » d'un appartement qui devait être « certainement spacieux car il a quatre enfants »…

« Je suis un soldat, j'obéis aux ordres[2] », glissera laconiquement le commandant Anrig au lendemain de son licenciement, sans vouloir s'exprimer davantage, lors d'une réception organisée à l'Institut pontifical de Santa Maria

---

1. Mais au moment de son départ, la photo a disparu, cédant la place au traditionnel tableau qui le représente, seul, peint dans un style réaliste quasi soviétique, à la suite des portraits des autres commandants de la Garde suisse.

2. Entretien avec l'auteur, Rome, 3 décembre 2014.

dell'Anima par l'ambassadeur de Suisse auprès du Saint-Siège, alors que tous les évêques de Suisse, en visite *ad limina*, se trouvaient à Rome.

Derrière le soldat il y a désormais, c'est certain, un homme – reconverti en chef de la sécurité de l'aéroport de Zurich-Kloten – définitivement blessé. Et aussi un croyant qui n'a pas compris le pape.

Dernier reliquat de l'ère Benoît XVI dans sa sécurité personnelle, l'alter ego de Daniel Anrig à la tête de la Gendarmerie pontificale, Domenico Giani, a eu plus de chance que lui. Possédant plus de rondeur, plus d'entregent, en un mot, plus latin, cette armoire à glace totalement dévouée, grand serviteur de l'État, crâne chauve et visage de fer, se trouve en permanence auprès du Saint-Père durant ses apparitions publiques pour un salaire de 3 800 euros mensuels. Impossible de le manquer, il figure quasiment sur toutes les photos. Il sait tout, voit tout, entend tout, ce grand intuitif doté d'une intelligence fort prudente. Le soutien appuyé que manifestait naguère le cardinal Bertone à ce très probable franc-maçon aurait pu lui jouer des tours, mais il a échappé au massacre, son bilan ne présentant, hormis cet encombrant compagnonnage, que des actifs. En vérité, l'homme a su se rendre utile et même indispensable. Il sait des choses. Sa femme enseigne aux Légionnaires du Christ, lui-même a été formé aux méthodes de l'antiterrorisme par le FBI. En poste depuis 2006, cet ancien officier de la Garde des finances italiennes et des services de renseignement italiens a fait entrer son corps de plain-pied dans le XXIe siècle, en faisant par exemple adhérer le Vatican à Interpol – et, au passage, en augmentant les attributions, la visibilité et les moyens d'une institution qui, à l'origine, s'apparentait davantage à une police municipale. Lors de la visite du pape François aux États-Unis, certains rapportent que le chef du *secret service* de la Maison-Blanche – un des amis personnels de son fils qui vit à Washington – a tenté, sans succès, de le débaucher. Plus tôt, il avait pourtant rêvé d'être chef de la sécurité du secrétaire général des Nations unies[1].

D'aucuns suspectent qu'il aurait transformé l'un des deux corps de protection rapprochée du pape en véritable service politique parallèle, surveillant et mettant sur écoutes à peu près tout ce que le Vatican compte de cardinaux, de prélats et de braves employés. Des médisances, vraisemblablement. Son seul véritable échec : n'avoir pu démasquer le complot qui a tenté de déstabiliser Benoît XVI et pas vu les manigances du majordome Paolo Gabriele.

Avec une protection partagée entre un Anrig et un Giani, le pape François était-il vraiment en sécurité ? On ne peut s'empêcher de penser que cet argument a dû peser dans son choix de se séparer de l'embarrassant commandant de la Garde suisse.

Finalement, l'infortuné Anrig a été remplacé par son adjoint direct, Christoph Graf. Et un nouveau vice-commandant, qui occupe la fonction de chef d'état-major, a été mis en place : le très discret Philippe Morard, formé à l'antiterrorisme à la police fédérale suisse (FedPol), plus particulièrement en charge de la lutte contre la mafia. Assurément, un homme au cursus idéal et au profil idoine arrivé au bon moment, à la bonne place.

Vatileaks, saison II

À la fin de l'année 2015, le chef de la Gendarmerie vaticane ne va d'ailleurs pas chômer. Et pour cause : ça frémit à l'intérieur du Vatican, où l'on craint de revivre la tourmente

------

1. Selon Nicolas Diat, *L'Homme qui ne voulait pas être pape, op. cit.*, p. 302.

de l'affaire Vatileaks qui avait déstabilisé le pape Benoît XVI trois années plus tôt.

À grand fracas, on annonce dans les médias italiens la publication de révélations explosives liées aux lancements de deux livres présentés comme embarrassants pour le Vatican et le pape François.

Mais si l'opinion publique avait aimé la première partie avec la publication d'un livre par l'enquêteur italien Gianluigi Nuzzi[1], sous Benoît XVI, elle peine cette fois à se régaler de la saison 2. Car le scénario manque de souffle, le casting n'est plus à la hauteur de celui qui avait eu un retentissement planétaire, cinq ans plus tôt, sous l'ère Benoît XVI en publiant des documents confidentiels dérobés au pape par son propre majordome, Paolo Gabriele, qui avait fini par croupir plusieurs mois dans une cellule de la petite prison vaticane après avoir avoué son forfait. Avant, bien sûr, d'être pardonné par le Saint-Père et de retrouver un obscur emploi dans un monastère. Son incroyable inconscience – ou son geste plein de panache – avait permis de mettre en lumière un pape isolé et perdu dans les méandres boueux d'une Curie machiavélique...

Le fond du remake de 2015 reste le même : sur un confetti de 44 hectares – l'équivalent de la superficie du cimetière Lachaise à Paris ! – se jouent toutes les scènes du répertoire humain et, souvent, de la *commedia dell'arte*.

À l'exception du journaliste italien, qui remet l'ouvrage sur le métier avec un nouveau livre à scandale, *Chemin de croix*[2], dénonçant un État du Vatican en situation de faillite miné par une mauvaise gestion, aucun des personnages principaux de la série n'a rempilé. Il faut dire que, traditionnellement, les protagonistes de l'enquêteur italien finissent plutôt mal...

---

1. *Sa Sainteté*, Éditions Privé, 2012.
2. Flammarion, 2015.

Cette fois, dans l'œil du cyclone, la séduisante Italo-Marocaine Francesca Chaouqui, jeune femme qui devait faire de l'ordre dans les finances du Vatican, recrutée par le pape comme membre de la COSEA, la fameuse Commission de réorganisation des structures économico-administratives mise en place, on l'a vu, en juillet 2013 pour suggérer divers projets de réformes financières de l'administration vaticane. Le coup, en interne, est rude : rapidement les médias découvrent qu'elle a fait office de taupe et d'informatrice numéro un de Gianluigi Nuzzi, l'enquêteur déjà à l'origine du premier scandale Vatileaks de 2012. Avant même la parution du nouveau livre, elle est embastillée par la Gendarmerie vaticane, le 31 octobre, en même temps qu'un prêtre espagnol de 45 ans, membre de l'Opus Dei, Mgr Lucio Ángel Vallejo Balda, numéro deux de la préfecture pour les affaires économiques. On l'a libérée peu après son interpellation, en raison de sa totale « collaboration » avec les responsables de l'enquête au sujet du vol d'informations financières confidentielles. L'infortunée accuse le prélat, incarcéré dans l'une des deux cellules de la prison du Vatican, d'être l'unique responsable des fuites. Il aurait, dit-elle, agi par vengeance, amer de n'avoir pas été nommé à un poste à responsabilités dans l'appareil financier de l'État. Elle affirme par ailleurs avoir entretenu une relation sexuelle avec lui, ce que nie l'intéressé. Entre le vaudeville et l'irréel, elle déclare même qu'un astrologue contrôlait l'esprit du prélat à travers les cartes et avait une totale emprise sur lui[1]. Un coffre, en outre, a été fracturé dans la nuit du 29 au 30 mars 2014, au sein de la COSEA, aujourd'hui dissoute. Dont des documents disparaissent, remplacés par de vieilles lettres à des membres de la Curie signées par une figure du crime en Italie, Michele Sindona, ex-banquier proche du Vatican pris naguère dans la tourmente de l'affaire Roberto Calvi et retrouvé mort dans sa cellule,

---

1. Interview à Radio-Canada, 13 octobre 2016.

empoisonné après avoir bu un café au cyanure… Pour le journaliste Gianluigi Nuzzi, il s'agit d'« un message clair d'intimidation ». Que du nauséabond, en somme !

Parallèlement à cette rocambolesque affaire, un second livre sort de presse, intitulé sobrement *Avarice*. Son auteur, Emiliano Fittipaldi, dresse le même constat que Gianluigi Nuzzi. En s'attardant surtout sur un montant de 200 000 euros destinés à une fondation dépendant de l'hôpital catholique Bambino Gesù, somme qui aurait été détournée pour financer la rénovation de l'appartement de 700 mètres carrés de l'ancien secrétaire d'État Tarcisio Bertone, déjà limogé par le pape François au début de son pontificat. Soit presque le double du logement du commandant Anrig !

Les deux auteurs usent du même argument pour légitimer leurs révélations sur les turpitudes à l'œuvre au Vatican : ils ont voulu « aider » le pape dans son grand nettoyage en diffusant ces documents « secrets ». Et de s'entendre rétorquer que ce « n'est absolument pas une façon d'aider la mission du pape », par un porte-parole du Vatican, lequel parle de « grave trahison de sa confiance ».

Dans le fond, Gianluigi Nuzzi, comme Emiliano Fittipaldi, confirment ce qu'on savait déjà. Le Vatican est une véritable animalerie : un nid de vipères, de rapaces et de corbeaux dans lequel le pape François tente de remettre de l'ordre en rencontrant d'innombrables poches de résistance.

Nuzzi apporte des détails, qui peuvent être interprétés de différentes manières, comme cet état de « pertes dues à des différences d'inventaire » avec des « trous » de 700 000 euros au supermarché du Vatican et de 300 000 euros à la pharmacie vaticane. Chiffres issus de documents destinés précisément à être remis au pape dans son entreprise de réforme de la machine vaticane. Toujours selon Nuzzi, le pape aurait présidé une réunion à huis clos en 2013 déplorant que « les frais soient hors de contrôle » et relevant une augmentation de 30 % du nombre des employés en cinq ans. Certaines allégations un peu tirées par les cheveux de Nuzzi le desservent par ailleurs, notamment quand il affirme que le « denier de Saint-Pierre », perçu dans les diocèses du monde entier, serait d'abord destiné aux pauvres et détourné : en réalité, il est versé au budget général qui finance *aussi* l'administration et le réseau diplomatique du Vatican – les fonds exclusivement destinés aux sans-abri de Rome ou à l'aide aux pauvres du monde entier sont récoltés par d'autres institutions, l'Aumônerie apostolique et Caritas.

Une nouvelle fois, le coup est dur, mais le pape François plie et ne rompt pas. « Allons de l'avant avec sérénité et détermination », réagit-il devant le cardinal Angelo Becciu, numéro deux de la Secrétairerie d'État, qui rapporte ses propos. Avant de s'exprimer publiquement, un dimanche, face aux fidèles qu'il prend habilement à témoin et informe en premier. « Je sais que nombre d'entre vous sont perturbés par les informations de ces derniers jours sur les documents secrets du Saint-Siège qui ont été pris et publiés, leur dit-il. Faire publier ces documents a été une erreur. C'est un acte déplorable qui n'aide pas. » « C'est moi-même qui ai demandé cette étude et ces documents, moi et mes collaborateurs, nous les connaissions déjà », ajoute-t-il.

Au final, tout cela ressemble à un coup d'épée dans l'eau. La polémique ne dure que quelques jours, principalement dans la presse italienne, sans pour autant faire les gros titres.

Dans les couloirs du Saint-Siège, on parle d'une volonté évidente de déstabilisation du pontife régnant. Un peu comme cela avait été le cas à l'encontre de Benoît XVI. Les deux auteurs avaient sans doute tout prévu, sauf un détail important concernant leur cible : ils font face à un pape au firmament et, surtout, à un jésuite au cuir argentin bien tanné, fin tacticien, qui sait communiquer et n'est jamais aussi bon qu'en tenant le gouvernail par vents forts et grosses tempêtes.

Au bout du compte, tout ce pataquès ne peut que lui être profitable. Et son immense popularité auprès des fidèles l'a protégé d'une affaire qui aurait pu virer au scandale et au feuilleton sans fin à la une des médias. Le dossier, d'ailleurs, se termine presque en catimini, sans réelle passion de l'opinion publique : le 7 juillet 2016, à 17 h 20, après cinq heures de délibérations, le tribunal du Vatican prononce son jugement : accusés de « délit d'association criminelle » dans le but de divulguer « des documents concernant les intérêts fondamentaux de l'État », Mgr Lucio Ángel Vallejo Balda est condamné à dix mois de prison ferme – et finalement libéré le 20 décembre 2016 par une « mesure de clémence » du pape François – et Francesca Chaouqui à dix mois aussi, peine toutefois suspendue pour cinq ans : elle vient en effet d'accoucher d'un petit garçon et a fait devant ses juges un extraordinaire numéro de *commedia dell'arte*. Quant aux journalistes Gianluigi Nuzzi et Emilio Fittipaldi, accusés d'avoir divulgué des documents réservés du Saint-Siège, ils sont acquittés, le tribunal du Vatican se déclarant « incompétent », alors que le procureur avait requis un acquittement « pour insuffisance de preuves ». Une manière habile pour le Vatican de ne pas avoir à affronter des critiques sur la liberté de la presse : l'énoncé du verdict fait d'ailleurs l'éloge de « la liberté de manifester sa pensée ».

Une fois encore, tout est bien qui finit bien au royaume de Dieu.

Un synode dans la tourmente

Le pape François va connaître son premier vrai revers près de deux ans après son entrée en fonction. À l'issue du synode sur la famille, en octobre 2014, il est confronté à de grandes résistances face à son indéniable désir d'offrir la communion à certains divorcés remariés et d'ouvrir l'Église aux homosexuels.

Le moins que l'on puisse dire, c'est que, d'emblée, la confusion règne. Le processus d'ouverture, voulu par le 266e successeur de saint Pierre, se heurte de plein fouet aux conservateurs purs et durs, tenants d'une stricte observance de la doctrine, reliquat d'une Curie romaine en déliquescence mais toujours bien présente, qui veulent tuer dans l'œuf une révolution en marche. Davantage que l'opposition de la Curie, c'est sans doute celle des prélats africains, rigoristes, et d'autres régions pauvres, qui a fait reculer le pape François dans ses velléités de réformes.

Il a donné des signaux clairs d'une volonté d'ouverture, par exemple en décidant d'emblée de réformer la procédure de reconnaissance de nullité du mariage, sans attendre la 2e session du synode, mais aussi en remettant dans le document final les paragraphes non approuvés sur les homosexuels. Il a souhaité un débat ouvert, contradictoire, mais les mauvaises langues relèvent que c'était sans doute pour mieux compter et identifier ses partisans et ses adversaires au cours de deux grands rassemblements d'évêques du monde entier. Il a en effet pris le temps d'écouter et implicitement encouragé chacun à dire ce qu'il avait sur le cœur, laissant même les membres de la Curie s'opposer entre eux, publiquement – en famille, au vu et au su de tous, sous le regard médusé des médias du monde entier. Pour, au final, habilement aboutir à une synthèse ménageant la chèvre et le chou mais ne braquant pas les conservateurs. Si le dépit était palpable chez les *aficionados* du pape face à ce que beaucoup considèrent comme son premier échec – le synode extraordinaire sur la famille a peut-être accouché d'une souris et a manqué un extraordinaire rendez-vous avec l'Histoire –, sans doute le souverain pontife a-t-il perçu qu'il était un peu tôt pour le grand chambardement...

Dans la Ville Éternelle, on avait cru pourtant sentir un petit air de liberté souffler dans les couloirs et travées du synode, suscitant l'espoir des millions de chrétiens qui ne se sentent plus à l'aise dans leur Église. Un document « préparatoire », publié le 13 octobre 2014, avait mis le feu aux poudres et agité les commentateurs : audacieux, il faisait la part belle aux homosexuels et aux divorcés remariés. Pour la première fois, l'Église invitait donc à « comprendre » les unions hors mariage et entendait permettre la communion des divorcés remariés, après « un chemin de pénitence ». Elle reconnaissait aussi aux homosexuels « des dons et des qualités » – une expression qui figurait déjà dans le *Catéchisme de l'Église catholique* promulgué sous Jean-Paul II par un certain Joseph Ratzinger.

Mais le vent des réformes a vite été balayé lors du vote final. Au terme du dernier jour du synode, les cent quatre-vingt-trois pères synodaux appelés à ratifier les 62 paragraphes des propositions formulées durant quinze jours n'ont pas réussi à se mettre d'accord sur les sujets sensibles. Ils ont achoppé, comme c'était prévisible, sur la communion des divorcés remariés (104 oui contre 74 non) et sur l'accueil des homosexuels (118 oui contre 62 non). Afin d'être approuvés, ces sujets auraient dû obtenir une majorité des deux tiers – comme au conclave, pour l'élection du pape. Des divisions géographiques, entre prélats européens et africains notamment, et idéologiques, entre garants d'un dogme figé et inamovible et réformateurs ouverts aux « périphéries », eurent raison du changement programmé.

« Sur ces points, on ne peut pas considérer qu'il y a un consensus, mais cela ne veut pas dire qu'ils sont complètement rejetés », s'est empressé de déclarer après le vote le père Lombardi, porte-parole du Vatican, devant les médias, soulignant que les paragraphes litigieux n'avaient pas été retirés du texte original rédigé à l'issue des réunions. Un texte qui reste un « document de travail » donnant une orientation précise de points de réflexion à méditer et à creuser pendant un an, dans tous les diocèses du monde, avant un nouveau synode sur la famille.

Rien n'est donc perdu sur ces sujets pour le pape François, salué par une standing-ovation de plus de cinq minutes lancée par les évêques en guise de conclusion du synode. Malicieusement, en quittant la salle, l'Argentin remercia les médias de manière appuyée pour leur travail, n'hésitant pas à répondre aux cardinaux les plus conservateurs qui avaient reproché aux journalistes, quelques jours plus tôt, leur couverture orientée de cette assemblée synodale unique de mémoire de vaticaniste.

Reste que le malaise est là. Dans le fond, « il y a eu de nombreuses divergences », avouera le cardinal de Vienne, Christoph Schönborn, l'un des rares à reconnaître sans langue de bois les points de blocage au sein des cent quatre-vingt-trois prélats convoqués.

Derrière les sourires affables, il y a eu ceux, forcés, des princes de l'Église, dont les plus durs à cuire supportent en fait de moins en moins ce pape venu « du bout du monde » aux idées trop « bousculantes ». La superstar nobélisable, l'homme adulé par les foules semble alors en difficulté face aux réformes qu'il veut instaurer. Pas encore battu et toujours résolument déterminé, le pape a ce mot très bergoglien à l'issue du synode : « Nous avons encore un an pour mûrir. » Un *credo* dont il a fait l'enjeu de tout son pontificat, répétant inlassablement qu'il veut replacer l'humain au cœur de l'Église, sans sous-estimer pour autant l'ampleur de la tâche. « Celui qui aujourd'hui ne cherche que des solutions disciplinaires, qui tend de manière exagérée à la "sûreté" doctrinale, qui cherche obstinément à récupérer le passé perdu, celui-là a une vision statique et non évolutive. De cette manière, la foi devient une idéologie parmi d'autres », plaidait-il dans son fameux entretien aux revues jésuites, en 2013.

Une paix difficile à trouver avec certains de ses ex-collègues cardinaux. Durant son intervention devant les prélats synodaux, le pape a martelé ses mises en garde contre « la tentation de la solidification de l'ennemi ». Un ennemi qui, à ses yeux, ne veut pas être « surpris par Dieu, le Dieu des surprises. [...] C'est la tentation du zèle, scrupuleux. » Il a évoqué aussi la « tentation de descendre de la croix pour faire plaisir aux gens et de ne pas y rester pour accomplir la volonté du Père », « de se prosterner devant l'esprit du monde au lieu de nettoyer et de se prosterner devant l'esprit de Dieu » – François n'est pas un mondain ni un « laxiste ». Autre tentation, celle « d'ignorer la réalité et d'utiliser un langage de constriction[1] ».

Un énième rappel à l'ordre va être nécessaire pour tenter de désamorcer les tensions. Le lundi 23 février 2015, dans la basilique Saint-Pierre, il ose fustiger la « colère » et la « rancune » entre cardinaux. Lors d'un consistoire où il vient de créer vingt nouveaux princes de l'Église, il demande à tous, sous forme d'allégories très décodables, d'être « dociles », stigmatisant « la rancune » qui « n'est pas acceptable chez l'homme d'Église ». Et prévient d'entrée : « Le cardinalat est certainement une dignité, mais elle n'est pas honorifique. Le mot "cardinal", qui évoque la "charnière", le dit bien ; ce n'est donc pas quelque chose d'accessoire, de décoratif, qui fait penser à une décoration, mais un pivot, un point d'appui et de mouvement essentiel à la vie de la communauté. Vous êtes des "pivots" et vous êtes incardinés[2] dans l'Église de Rome. »

---

1. Constriction : synonyme d'obstruction plus ou moins forte, ou d'étranglement.

2. « Incardiné » vient du latin *cardo*, qui signifie « charnière ». Comme une porte autour de ses gonds, un clerc incardiné agit autour d'un point d'attache. C'est même une condition de son ordination selon l'article 265 du Code de droit canonique : « Tout clerc doit être incardiné dans une Église particulière ou à une prélature personnelle, à un institut de vie consacrée ou une société qui possède cette faculté, de sorte qu'il n'y ait absolument pas de clercs acéphales ou sans rattachement. » (*La Croix*, 25 mai 2010.)

La révolution que le pape François veut instiller au sein de l'Église catholique ne concerne finalement pas les structures – c'est secondaire – mais les mentalités et les âmes, avec un esprit de pauvreté et de mission jusqu'aux périphéries de la société et du monde – clefs essentielles, par exemple, pour comprendre le choix des nouveaux cardinaux, qui n'a rien de traditionnel, ni même de symbolique, mais qui se veut chaque fois exemplaire et éminemment personnel. François a canonisé ou béatifié trois de ses prédécesseurs, accomplissant l'exploit de paraître plus révolutionnaire que les Jean XXIII et Paul VI et de rivaliser avec la popularité de Jean-Paul II. Sa grande force ? Il a fait oublier que, sur le plan du dogme et de la morale, il n'a pas infléchi la ligne de Benoît XVI : François tient des propos et signe des documents qui auraient auparavant déclenché des levées de boucliers. Est-ce uniquement le fait de la naïveté des médias qui semblent l'avoir une fois pour toutes étiqueté différemment ? Assurément pas : cette quasi-absence de critiques publiques contre lui ne se limite pas à la presse – Barack Obama et François Hollande n'osent, par exemple, pas s'opposer frontalement au pape argentin – et n'est pas le fruit d'un simple malentendu ou d'une habileté. À la condamnation de l'avortement comme atteinte à la vie, François ajoute des gestes bouleversants face à des enfants handicapés et des demandes très concrètes de politique sociale pour les femmes obligées d'élever seules leur(s) enfant(s). Est-il réellement entendu ? On peine à mesurer et à percevoir son influence réelle sur la législation interne des États. Crédible et cohérent, le discours de François n'est pas attaqué, mais il est en partie censuré : conservateurs et progressistes n'en écoutent en général qu'une partie, la même, qu'ils critiquent ou encensent.

Mais il y a aussi chez lui une réelle virtuosité jésuitique, par exemple sur le problème du « *gender* » qui a soulevé les passions en septembre 2016, en France : au lieu de le démonter comme une incongruité philosophique – ainsi que l'aurait fait un Ratzinger –, il préfère dénoncer les lobbies qui portent ces concepts et, surtout, leurs méthodes taxées de néocolonialisme, car elles lient souvent l'octroi d'une aide financière à la diffusion de ces concepts : absence de distinction entre les sexes qui serait une construction purement culturelle, libre détermination par chacun du sexe auquel il désire s'identifier.

Un antipape ?

Mais le pouvoir d'un pape ne se limite pas à l'influence sur l'opinion publique et sur les gouvernements ou législateurs étrangers. Il peut aussi directement exercer son pouvoir en changeant les règles internes de l'Église catholique. François s'y résout par petites touches, y compris dans la liturgie : la règle pudibonde interdisant au prêtre de laver les pieds des femmes durant les célébrations du jeudi saint a, par exemple, été abolie. L'indissolubilité du mariage n'est pas mise en cause, l'idée de divorce religieux n'est pas à l'ordre du jour mais les procédures de reconnaissance de la nullité d'un mariage religieux ont été rendues plus accessibles, plus rapides et moins onéreuses : ceux qui se sont mariés « à la légère » ou de manière contrainte peuvent espérer se libérer d'un lien qui n'est pas véritablement un mariage catholique, et donc se « re »marier un jour à l'Église.

Mais François va parfois plus loin, sans rien demander à personne, agissant en « despote éclairé », convaincu de sa mission.

Le 8 avril 2016, après, on l'a vu, deux synodes mouvementés, il publie enfin son « exhortation apostolique » sur

« l'amour dans la famille », intitulée : *Amoris Laetitia* (La joie de l'amour), envoyée à cinq mille deux cents évêques à travers le monde. Un manuel de vie, hymne à la famille tradition-nelle écrit dans un langage simple, concret, parfois poétique, citant même Martin Luther King ou un de ses films culte, *Le Festin de Babette,* de Gabriel Axel, pour illustrer la gratuité. Délicatement subversif, comme le qualifiera la conférence des baptisés francophones, le texte prend notamment en compte « la dimension érotique de l'amour » qui est un « don de Dieu ». Une manière de parler à toutes les personnes se sen-tant exclues de l'Église.

Le pape répond un peu à sa manière aux attentes des divor-cés remariés civilement, appelant à leur intégration dans l'Église. Sans remettre en cause la doctrine, toute en nuances et en subtilités, il n'exclut pas un accès au cas par cas à la communion et à l'absolution des péchés et reconnaît une valeur à certaines unions libres, mais uniquement celles entre un homme et une femme fondées sur la stabilité. Tout au long des neuf chapitres de cette exhortation, François sou-ligne le fait que les personnes en situation « irrégulière » « ne sont pas excommuniées » ni « exclues de la grâce divine ».

Statu quo en revanche pour les homosexuels, presque invi-sibles dans le document, si ce n'est dans ce seul passage : « En ce qui concerne le projet d'assimiler au mariage les unions entre personnes homosexuelles, il n'y a aucun fonde-ment pour assimiler ou établir des analogies, même loin-taines, entre les unions homosexuelles et le dessein de Dieu sur le mariage et la famille. »

L'esprit de « miséricorde » prôné sans relâche par François l'Argentin est résumé en une phrase clé : « Je comprends ceux qui préfèrent une pastorale plus rigide qui ne prête à aucune confusion », mais, ajoute-t-il, l'Église « doit être une mère [...] qui ne renonce pas au bien possible, même si elle court le risque de se salir avec la boue de la route ». « On retrouve dans ce texte l'expérience personnelle du pape François, qui a souvent cheminé avec tant de familles en difficulté », commentera le cardinal autrichien Christoph Schönborn, affrontant une nouvelle fois la meute des journalistes au Vatican. Comme cardinal et comme fils de divorcés aussi, il saluera « la force d'autocritique » d'un pape qui a rejeté « un modèle abstrait, loin des situations concrètes », se félicitant de cette exhortation parlant positivement « de l'émotion, des passions, de l'éros, de la sexualité ».

« L'effet François » semble bel et bien être une lame de fond qui balaie beaucoup sur son passage. Veut-il vraiment tout réformer, tout changer ? En tout cas, des voix s'élèvent désormais pour contester ses visions de l'Église jusqu'à la validité de son élection, telle celle du journaliste Antonio Socci[1], qui publie en 2016 un livre-brûlot en Italie, *Non è Francesco* (Ce n'est pas François), remettant notamment en question les différents tours de scrutin dans la Sixtine avec une série de procédures qui auraient transgressé les dispositions de la Constitution apostolique, rendant dès lors « nulle et non avenue l'élection elle-même ».

D'où tient-il cela ? A-t-il installé des micros dans la chapelle Sixtine ? Difficile de le suivre sur un terrain où tout ce qui s'est passé est officiellement secret et n'a été établi depuis – même avec beaucoup de sûreté – que sur la base d'indiscrétions et de confidences de cardinaux, dont les supposées preuves matérielles sont évidemment parties en fumée... blanche.

---

1. Le pape lui répondra d'ailleurs habilement par une petite lettre autographe datée du 20 février 2016, en lui écrivant que « les critiques aussi nous aident à cheminer sur la ligne droite du Seigneur » en se disant « sûr » qu'elles « lui feront beaucoup de bien ». (Lettre reproduite sur le site internet du journaliste : www.antoniosocci.com).

Dans son livre, dédié à « Joseph Ratzinger, un géant d'espérance », l'auteur dénonce les actions de François qu'il voit en dangereux progressiste faisant vaciller l'Église, en ennemi du catholicisme et de la foi ! Pour lui, ce pape qui plaît aux non-catholiques, aux personnes restées aux périphéries, est terriblement suspect… « Il n'est pas exagéré de [le] dénommer l'antipape, même s'il ne peut être réduit à ce raccourci », va jusqu'à écrire de son côté le vaticaniste français Jean-Marie Guénois, qui poursuit : « Il s'est imposé à l'intérieur de la machine comme un patron au caractère trempé et aux méthodes autoritaires dans une culture vaticane plus proche du magasin de porcelaine que des bidonvilles de Buenos Aires. Mais la potion de cet antipape sera-t-elle trop forte, ne va-t-elle pas tuer le malade ? » Le journaliste du *Figaro* ne donne, en fait, guère cher de sa peau : « Il est donc possible que son "œuvre" tangible ne soit pas si extraordinaire ou qu'elle ne puisse s'épanouir en raison du poids des oppositions[1]. »

« Parler d'un antipape est tout simplement stupide, et aussi irresponsable », répond Mgr Georg Gänswein, secrétaire personnel de Benoît XVI et préfet de la maison pontificale, visant nommément les « représentants de la profession théologique et certains journalistes » qui propagent cette idée. « Cela va dans le sens d'un incendie criminel théologique[2]. » Ajoutant très clairement : « Je ne connais aucune déclaration doctrinale de François qui soit contraire aux déclarations de son prédécesseur. »

Mais la tempête est loin de se calmer. Les princes de l'Église fomentent dans le plus grand secret une nouvelle

---

1. Jean-Marie Guénois, *Jusqu'où ira François ?* Lattès, 2014, p. 78, 90 et 207.
2. Interview à *Christ & Welt*, supplément du journal allemand *Die Zeit*, 23 janvier 2015.

fronde contre le pape. Elle éclate le 14 novembre 2016 et résonne comme un coup de tonnerre au Vatican. Une « bande des quatre », composée de quatre cardinaux irascibles, Walter Brandmüller, Joachim Meisner et les incontournables Raymond Burke et Carlo Caffara. Ils montent au créneau en rendant public, fait rarissime, une lettre confidentielle adressée deux mois plus tôt au chef de l'Église catholique, pointant du doigt cinq « *dubia* » (doutes) à propos de l'exhortation apostolique post-synodale *Amoris Laetitia*. Ils reprochent au Saint-Père de ne pas avoir répondu par oui ou par non à des points précis concernant la communion des divorcés-remariés et l'indissolubilité du mariage. Burke menace même d'un « acte formel de correction » contre ce qu'il estime de « graves erreurs » émaillant le texte du pape. Selon certains témoins, dans les couloirs de Sainte-Marthe, François est « bouillant de rage ». Sa réponse, il va la donner via une interview au journal italien *Avvenire*, sans jamais évoquer les quatre rebelles, encore moins leurs noms : « Certains, je pense à certaines réponses à *Amoris Laetitia*, persistent à ne voir que le blanc ou le noir, alors qu'il faut plutôt discerner dans le flux de la vie [...]. Certains types de rigorisme découlent du désir de cacher son propre mécontentement sous l'armure. » Il déplore enfin « un certain légalisme » qui ne peut que « susciter des divisions[1] ».

Quelques jours plus tard, lors d'une conférence de presse, Mgr Pio Pinto, le doyen du tribunal de la Rote romaine, la plus haute autorité de l'Église en matière de nullité des mariages, en remet une couche et tire à boulets rouges : « Ce qu'ils ont fait est un scandale très grave qui pourrait conduire le Saint-Père à leur retirer le chapeau cardinalice, comme cela est déjà arrivé à certains moments dans l'Église. » Avant de se raviser quelque peu, nuançant ses propos, précisant qu'il

---

1. Interview de Stefania Falasca, *Avvenire*, 17 novembre 2016.

parlait du passé et affirmant que « le pape François ne le fera pas ». Reste que, sans le dire, il l'avait bien dit…

Lors de ses vœux à la Curie romaine, le 22 décembre 2016, le pape François réaffirme encore vigoureusement son autorité, dénonçant les « résistances cachées » et les « résistances malveillantes ». Des opposants qui « veulent que tout reste comme avant », raille-t-il, stigmatisant ces « mentalités déformées », poussées par « le démon qui inspire des mauvaises intentions, souvent sous des habits d'agneaux », se réfugiant « dans les traditions, dans les apparences du formalisme ». Il précise que la réforme de la Curie « n'est pas du maquillage », ni un « lifting » pour cacher les rides, mais bien un renouvellement profond, un changement d'état d'esprit, et une conversion spirituelle.

Comme le disait naguère le secrétaire d'État et cardinal Ercole Consalvi à Napoléon, qui se vantait de pouvoir détruire l'Église : « Non, vous ne le pourrez pas. Nous-mêmes nous n'y avons pas réussi. »

Chapitre 10

Les ennemis de l'ombre

> *« Il a eu des paroles très fortes contre la mafia.*
> *C'est un grand risque de faire ça, parce que*
> *presque tout le monde connaît la puissance de*
> *la mafia. Le dire, dans une simplicité comme*
> *ça, presque sous forme de prière, un véritable*
> *mafieux qui a encore quelque chose d'humain*
> *ne va jamais attaquer un homme pareil. »*
>
> Cardinal Godfried Danneels[1]

Ce jour-là, l'indicible porte un nom : Coco. C'est un gamin de 3 ans, souriant devant son dernier arbre de Noël dans son sweat-shirt rouge et bleu, dont la photo s'affiche à la une de tous les journaux de la péninsule Italienne. Il vient d'être retrouvé calciné et une balle dans la tête, le dimanche 19 janvier 2014, attaché sur le siège arrière de la Fiat Punto de son grand-père, lui aussi assassiné et brûlé avec sa compagne, dans une zone isolée de la petite bourgade de Cassano all'Ionio. Comme d'habitude, dans ce coin perdu du sud de l'Italie, les enquêteurs n'ont aucun doute sur les auteurs de ce triple meurtre particulièrement barbare : il porte la signature de la 'Ndrangheta, la mafia calabraise, la plus dangereuse et la plus puissante des quatre mafias italiennes. Une

---

1. « Le jour du Seigneur », France 2, 5 avril 2015.

organisation qui a distancé ses rivales sicilienne et napolitaine, nouveau leader dans l'acheminement de la cocaïne en Europe depuis l'Amérique du Sud, les rives de la Calabre étant l'un des principaux points d'entrée de la drogue. Chiffre d'affaires estimé : 53 milliards d'euros – en comparaison, la branche automobile du puissant groupe Fiat-Chrysler ne réalise en moyenne « que » 36 milliards d'euros de chiffre d'affaires annuel… et, on l'a vu, l'IOR n'aligne que 7 milliards de dépôts.

« Comment peut-on tuer un être humain aussi petit ? Cela va au-delà de toutes les limites, s'exclame, sous le choc, le procureur Franco Giacomantonio devant les caméras de télévision. C'est sans précédent, horrible. Je pense que c'est le meurtre le plus abominable que j'aie vu au cours de mes longues années de travail. » Même affliction remplie de tristesse chez l'évêque local, Mgr Nunzio Galantino : « Je suis effaré par le niveau d'atrocité de celui qui a commis ce crime. On ne peut pas parler de comportement bestial, car on offense ainsi les animaux. C'est un échec pour moi, pour nous tous. »

Toute cette famille décimée ne vivait que pour et par la cocaïne acheminée sur les rives de Calabre depuis l'Amérique latine. L'homme assassiné était un chef mafieux qui tentait d'agrandir son territoire à Cosenza. Il s'appelait Giuseppe Iannicelli, 52 ans. Et était le grand-père du petit Nicola Campolongo, surnommé « Coco ». Depuis que son épouse légitime se trouvait derrière les barreaux, il vivait avec une jeune Marocaine, Ibtissam, également tuée dans le carnage. La mère du petit Coco, Antonia, âgée de 24 ans, croupissait, elle, en prison pour trafic de drogue au moment du drame ; elle avait passé un an avec son bébé en détention avant que ce dernier soit confié à son grand-père. Quant à la deuxième fille de Giuseppe Iannicelli, elle était également aux arrêts domiciliaires pour trafic de drogue. Se sachant menacé, le papy trafiquant se déplaçait donc systématiquement avec le petit Coco pour mieux se protéger, l'utilisant comme bouclier humain. Condamné pour trafic de drogue, il était assigné à résidence à son domicile quand sa disparition avait été signalée trois jours plus tôt aux carabiniers.

Au Vatican, le pape François suit ce feuilleton tragique à travers les journaux qu'il parcourt le matin à la Maison Sainte-Marthe. Il songe à une réaction à l'égal de la révulsion de tous les Italiens et d'une même force que l'onde de choc qui traverse le pays. Mais il sait être dorénavant dans la ligne de mire de la Camorra et songe forcément à Jean-Paul II qui, en 1993, peu après la mort du juge antimafia Giovanni Falcone, avait condamné la Cosa nostra, mais avait dû essuyer ensuite des attentats à la bombe contre deux églises de Rome, dont sa célèbre cathédrale Saint-Jean-de-Latran.

La lutte énergique de François, depuis son avènement, contre la corruption tous azimuts n'est guère du goût de la pègre. Pour les mafieux, les dénonciations pontificales sont un coup rude et, pour le Saint-Père, la menace est désormais bien présente. Qu'il s'agisse de Cosa nostra, de la 'Ndrangheta, de la Camorra ou encore de la Sacra Corona Unita, la religion a toujours été très présente dans la vie des organisations criminelles. Et que le nouveau souverain pontife mette le nez dans les comptes de son Église a augmenté la tension d'un cran. « Il est en train de démanteler des centres de pouvoir économique dans le Saint-Siège, a prévenu le juge Nicola Gratteri, procureur adjoint de Reggio de Calabre. Les mafieux sont certes extrêmement pieux, mais ils sont en mesure aussi de faire un croche-pied au pape[1]. » Le magistrat italien parle de mafieux « nerveux et agités » par les multiples

---

1. « Papa Francesco, il pm Gratteri : "La sua pulizia preoccupa la mafia" », *Il Fatto Quotidiano*, Rome, 13 novembre 2013.

réformes au Vatican, eux qui ont été nourris pendant des années de connivence avec le clergé. « Je ne sais pas si le crime organisé est en mesure de faire quelque chose, mais il y réfléchit. Cela peut devenir dangereux. » En tout cas, la mafia est en train de perdre ses repères spirituels, mais aussi culturels. « Les boss de la mafia ont une véritable vocation, poursuit le juge Gratteri. Nous avons fait une enquête dans les prisons : 88 % des mafieux déclarent être religieux. Et avant de tuer, un "Ndrangheta" fait toujours appel à la protection de la Vierge Marie... »

Le pape s'interroge sur la meilleure réponse à apporter à l'odieuse mort du petit Coco, âgé de 3 ans, tué et carbonisé dans une voiture en Calabre. Il veut agir à sa manière, une fois de plus, sans se laisser dicter une réaction sous le coup de l'émotion, laissant s'écouler plusieurs semaines.

Il va finalement riposter en deux temps.

D'abord, le 21 mars 2014, premier jour du printemps, en présidant une cérémonie en mémoire des victimes de la criminalité organisée par l'association catholique antimafia Libera, durant laquelle il fustige « le pouvoir et l'argent ensanglanté, sale de tant de crimes mafieux » à travers le monde : « Il est encore temps de ne pas finir en Enfer », lance-t-il sous forme de défi aux « hommes et aux femmes de la mafia », « c'est ce qui vous attend si vous continuez dans cette voie ». Il les exhorte à « changer de vie », à « arrêter de faire le mal ». Avant d'écouter, l'air grave, lors de cette veillée de prière, s'égrener la longue liste de huit cent quarante-deux « victimes innocentes » de la mafia, parmi lesquels quelque quatre-vingts enfants.

Puis le premier jour de l'été, le 21 juin, le voilà en Calabre. Il fait d'abord étape devant l'église d'un prêtre assassiné. Son service d'ordre est aux abois, scrutant les alentours, redoutant le pire. François investit ensuite la place principale de Sibari, près du village de Cassano all'Ionio, théâtre du drame encore dans toutes les mémoires, au cœur de la 'Ndrangheta. Cent mille personnes sont rassemblées dans ce lieu hautement symbolique, parmi lesquelles les deux grands-mères du petit Nicola Campolongo, alias « Coco ». Mgr Nunzio Galantino accueille le successeur de saint Pierre et observe d'abord que la 'Ndrangheta « ne se nourrit pas seulement d'argent sale, mais de consciences endormies, et donc complices ». Puis le pape s'approche du micro, le visage fermé et assène : « Plus un seul enfant ne doit endurer de telles souffrances. Jamais plus d'enfants victimes de telles atrocités, jamais plus de victimes de la 'Ndrangheta ! [...] La 'Ndrangheta est adoration du mal et du mépris du bien commun. Ce mal doit être combattu, chassé. Il faut lui dire non. L'Église [...] doit s'engager toujours plus [...]. Quand l'adoration de l'argent se substitue à l'adoration du Seigneur s'ouvre alors la route du péché, de l'intérêt personnel et de l'abus. » L'homme devient alors « adorateur du mal », « comme ceux qui vivent du crime et de la violence ». Le pape les invite à « renoncer à Satan et toutes ses séductions », de « renoncer aux idoles de l'argent, de la vanité, de l'orgueil et du pouvoir ». « Ne vous laissez pas voler l'espérance », lance-t-il en s'adressant aux plus jeunes – touchés par un taux de chômage record de près de 57 % pour les moins de 25 ans, situation précaire dont profite la mafia pour les recruter pour ses activités illégales.

Et le pape François de prononcer la phrase que de nombreuses personnes attendaient, et que beaucoup d'autres redoutaient : « Ceux qui, dans leur vie, ont choisi cette voie du mal, comme les mafieux, ne sont pas en communion avec Dieu, ils sont excommuniés ! »

Voilà, c'est dit. Les mafieux ne font plus partie de la communauté des fidèles, ils sont devenus parias aux yeux de l'Église. Certes, ils ne semblent pas craindre l'Enfer, mais tout de même… Sonnés, comme groggy et liquéfiés, leur réaction va être pour le moins feutrée, comme s'ils n'osaient pas trop montrer les dents et faire la démonstration de leur force.

Un groupe de deux cents mafieux, détenus dans les prisons, entame une grève de la faim durant une semaine, avant de se raviser et de se rendre compte que le pape ne reviendra pas sur ses paroles. Puis, quelques semaines plus tard, lors d'une procession dans un village calabrais, des paroissiens inclinent la statue de la Madone, en signe de déférence, devant la maison d'un « parrain[1] ». Le message est clair, mais sa portée faible.

Comme si tout cela n'avait pas suffi, le pape entreprend aussi, en mars 2015, un déplacement à Naples, toujours sous haute protection – plus de trois mille policiers ont été réquisitionnés pour l'occasion, parmi lesquels des tireurs d'élite.

Dans le quartier de Scampia, tenu par la Camorra, il arrive en papamobile découverte sur la place Jean-Paul II, au beau milieu des HLM. Sans avoir peur, il parcourt vingt-cinq kilomètres à découvert, au vu de tous, y compris d'éventuels snipers embusqués, avant de plonger dans la foule, de saluer, d'embrasser et, enfin, de parler. À nouveau des propos sans appel : « Comme un animal mort, la corruption pue, la société corrompue pue et un chrétien qui fait entrer en lui la corruption pue. Tous, nous avons la possibilité d'être corrompus et de glisser vers la délinquance. » Et de fustiger « ceux qui, en prenant la voie du mal, volent un morceau d'espérance à eux-mêmes, à la société, à la bonne réputation de la ville, à son économie ». Il ne prononcera jamais le mot « mafia », mais chacun comprend évidemment à qui il s'adresse. « Que la corruption et la délinquance ne défigurent

1. Bénédicte Lutaud, « Le pape peut-il vraiment défier la mafia ? », *Le Monde des religions*, 30 mars 2015.

pas cette belle ville ! », dit-il encore, appelant, en ce jour, la ville à s'ouvrir à « un nouveau printemps ».

Certes, tempère-t-il à peine, « la vie à Naples n'a jamais été facile. Mais elle n'est jamais triste. Sa grande ressource est la joie ». Il n'oublie pas que la mafia est née d'une espèce de big-bang qui se voulait un rempart contre la population étranglée par l'État et qu'elle a renforcé son pouvoir en se montrant dévote. Chaque village, chaque région a la vénération de son propre saint, et la mafia sait se montrer fort généreuse, renforçant ses liens avec la population. Les collusions entre des membres du clergé et les mafias subsistent, même si les associations catholiques multiplient les initiatives contre le crime organisé.

Un peu plus tard, à la prison de Poggioreale, le pape rencontre et déjeune avec une centaine de détenus, dont une dizaine de transsexuels. « Même les barreaux d'une prison, leur assure-t-il, ne peuvent séparer de l'amour de Dieu. » « Aux criminels et à leurs complices, avec humilité, comme un frère, je répète : convertissez-vous à l'amour et à la justice. Il est toujours possible de retourner à une vie honnête. Ce sont des mères en larmes qui le demandent », dira-t-il le même jour. L'Histoire est un éternel recommencement : Jean-Paul II à Agrigente, en Sicile, en 1993, avait également exhorté les mafieux à « se convertir ».

François en est convaincu, et c'est là l'un de ses fondamentaux : on peut guérir « le mal par le bien ». Dans tous ses combats, ceux de toute sa vie, de prêtre, de vicaire, d'évêque, de cardinal ou de pape, il se sent bateau naviguant sur l'océan porté par l'Esprit-Saint qui « lui souffle du vent dans les voiles pour aller de l'avant » et lui donne « les impulsions[1] », ainsi

_____

1. Entretien à Rome avec Stefania Falasca pour le mensuel *30 Giorni*, novembre 2007.

que l'affirmaient les théologiens d'autrefois. Sa grande force est certes de condamner toujours vigoureusement, mais aussi de remonter aux causes, puis souvent de les dénoncer, comme les mécanismes économiques injustes qui permettent aux pouvoirs mafieux de prospérer.

Le monde des requins de la finance, des affairistes et des traders sans cœur, voilà un autre des combats qui va lui valoir son lot d'inimitiés et d'ennemis.

L'économie qui tue

« Très Saint-Père, je suis l'homme le plus endetté que l'humanité n'ait jamais porté, car il pèse sur mes seules épaules une condamnation judiciaire inique de 4 915 619 154 euros (quatre milliards neuf cent quinze millions six cent dix-neuf mille cent cinquante-quatre euros). Mon nom ne vous est peut-être pas inconnu : il est à lui seul devenu l'évocation de ce que la finance a pu engendrer de pire. »

Ces lignes sont signées Jérôme Kerviel. Le 27 janvier 2014, il adresse cette longue lettre au pape qui est un cri du cœur mais aussi une véritable confession : « J'ai commencé de travailler à la Société générale à 23 ans, puis j'ai été nommé "trader junior" à 28 ans, j'en ai aujourd'hui 37. J'ai signé mon arrêt de mort pour avoir cru, comme un enfant, que faire partie de ce milieu symbolisait la réussite. [...] Oui, je me suis trompé dans ce qui me semblait et m'était présenté comme un accomplissement absolu. Croyant en ma hiérarchie, qui m'a lâché contre de l'argent et m'a mis au pilori, j'ai fait ce que la banque m'a appris à faire et je n'ai volé personne. [...] C'est à vous que je m'adresse, ayant compris que vous luttez sans relâche et sans merci contre le pouvoir de l'argent et la corruption. Seul, je ne peux plus me projeter en fondant une famille, je suis le monstre créé et recraché par la finance. Au Vatican, toutes choses égales par ailleurs, vous combattez cela courageusement. [...] Je suis épuisé et littéralement à bout de force à l'issue de ces épreuves judiciaires qui détruisent chaque jour un peu plus ma vie et celle de mes proches. [...] Les errements judiciaires qui entachent chaque pan de mon dossier m'ont depuis bien longtemps fait perdre toute confiance dans la justice des hommes. [...] Je viens donc vers vous sans autre espoir que d'interroger la justice de Dieu et de solliciter son représentant sur terre à se pencher sur mon sort, afin que s'exprime avec force, je l'espère, une autre définition de la Justice et de la "défense de la dignité humaine". Sans autre alternative je m'en remets donc totalement à vous. »

Des lettres comme celle-ci, le pape François en reçoit des centaines par semaine, postées des quatre coins du monde, sans qu'il puisse évidemment toutes les lire. Mais cette missive-là atteint personnellement son illustre destinataire à la Maison Sainte-Marthe. L'odyssée du célèbre trader français, l'histoire de son inexorable dérive, ce qu'elle enseigne et révèle de la finance sans foi ni loi, ne le laissent pas insensible.

Pour preuve, le 19 février 2014, à l'issue d'une audience générale, sur le parvis de la basilique Saint-Pierre, l'ex-surdoué de la finance peut réaliser son rêve : approcher le pape au plus près, mettre ses mains dans les siennes, lui parler quelques instants, en compagnie de son avocat, David Koubbi – on insinuera ensuite çà et là, avec une parfaite mauvaise foi, que les deux visiteurs avaient réussi à se faufiler insidieusement jusqu'au Saint-Père, alors qu'ils étaient bel et bien, en réalité, au premier rang, en *prima fila*, dûment autorisés et invités dans l'espace réservé exclusivement aux amis argentins du pape et à quelques visiteurs de marque[1].

Un instant d'éternité inoubliable, dont nous fûmes témoins à ses côtés. « Ce pape dégage quelque chose d'incroyable, une véritable empathie. Alors que mon esprit était emprisonné depuis des années dans une sorte de béton, un effet libérateur s'est produit dans ma tête. J'ai ressenti des frissons, un tressaillement qui m'émeut encore », raconte Jérôme Kerviel dans son livre-confession, *J'aurais pu passer à côté de ma vie,* paru en novembre 2016[2].

Après ce face-à-face, bouleversé mais requinqué – « le pape m'a remis debout avant de me mettre en marche », dira-t-il joliment –, Jérôme Kerviel ne reprend pas un vol vers Paris depuis l'aéroport de Fiumicino. Il va repartir de Rome à pied, par monts et par vaux, déclenchant l'admiration ou parfois les sarcasmes de la presse hexagonale. Mais peu lui chaut : avalant goulûment les kilomètres de cette grande vadrouille à travers l'Italie, en suant et en en bavant parfois, il va réapprendre qui il est. Il garde dans son sac le chapelet que lui a remis le pape et qu'il veut offrir à sa maman en Bretagne au terme de sa marche ; mais la justice ne lui laissera pas le temps de l'achever : il est arrêté lors de son entrée en France le 19 mai 2014, contraint de purger immédiatement sa condamnation.

Pour François, « le plus grand ennemi de Dieu est l'argent : le diable entre toujours par les poches, c'est sa porte d'entrée[3] ».

1. Arnaud Bédat, « Kerviel et le pape : les dessous d'une rencontre », *Paris-Match*, sur son site web, 3 mars 2015.
2. Écrit en collaboration avec Richard Amalvy, édité aux Presses de la Renaissance, 2016.
3. Entretien avec la chaîne italienne TV2000, 20 novembre 2016.

« Le pape aime tout le monde, les riches comme les pauvres. Mais le pape a le devoir, au nom du Christ, de rappeler au riche qu'il doit aimer le pauvre, le respecter, le promouvoir[1] », répète le souverain pontife depuis son avènement. Sur le fond, la position de François l'Argentin est on ne peut plus limpide et claire : « Je n'aime pas l'argent, mais j'en ai besoin pour aider les pauvres et j'ai besoin d'argent pour la propagation de la foi[2]. » Déjà, comme cardinal de Buenos Aires, Jorge Mario Bergoglio tenait des propos tranchants et durs, à l'instar de ceux qu'il prononce par exemple en janvier 2002 : « L'impérialisme actuel de l'argent montre son visage idolâtre, sans équivoque. C'est étrange comme l'idolâtrie va toujours de pair avec l'or. En faisant preuve d'idolâtrie, on nie Dieu et la dignité de l'homme. [...] L'économie de spéculation n'a même plus besoin de travail, elle ne sait plus quoi en faire. Il s'ensuit que l'argent qu'on idolâtre se fabrique de lui-même. C'est pourquoi on n'éprouve aucun remords à transformer en chômeurs des millions de travailleurs[3]. »

Les riches, François va s'en occuper à leur tour et porter l'offensive, en appelant à leur sens des responsabilités morales. En novembre 2013, il surprend une fois de plus, une habitude qui ne devrait presque plus étonner, en consacrant une grande partie de son exhortation apostolique *Evangelii Gaudium* à l'économie et aux dérives du système globalisé – l'influence du théologien Romano Guardini est décisive dans

---

1. Discours aux nouveaux ambassadeurs accrédités près le Saint-Siège, 16 mai 2013.

2. Propos rapportés par Jean-Baptiste de Franssu, directeur de la banque du Vatican, lors d'une interview avec Jean-Pierre Elkabbach sur Europe 1, 10 juillet 2014.

3. « Contre l'impérialisme international de l'argent », interview de janvier 2002 en Argentine, in *Des bidonvilles de Buenos Aires au Vatican*, Bayard, 2013, p. 49.

ce document, un grand nombre de critères sociaux de sa pensée ayant été repris, et même un chapitre entier de sa thèse inachevée de 1986. C'est un réquisitoire au vitriol : « Aujourd'hui, nous devons dire "non" à une économie de l'exclusion et de la disparité sociale. Cette économie qui tue... » Il stigmatise la « culture de l'asservissement », l' « exagération de la consommation », « l'autonomie absolue des marchés » et la « spéculation financière ». Il pourfend l'argent « érigé en idole ». Il milite pour une économie réelle, enracinée « au service de l'homme », qui respecte « la dignité de chaque personne », « une économie et un marché qui n'excluent pas et soient équitables ». En résumé, « l'économie ne devrait pas être un mécanisme d'accumulation, mais l'administration adéquate de la maison commune ». La démonstration par l'exemple : « Il n'est pas possible qu'une personne âgée réduite à vivre dans la rue et qui meurt de froid ne soit pas une nouvelle, tandis que la baisse de 2 points en Bourse en soit une. Voilà l'exclusion. On ne peut plus tolérer le fait que la nourriture se jette, quand il y a des personnes qui souffrent de la faim. C'est la disparité sociale. Aujourd'hui, tout entre dans le jeu de la compétitivité et de la loi du plus fort, où le puissant mange le plus faible. Comme conséquence de cette situation, de grandes masses de population se voient exclues et marginalisées : sans travail, sans perspectives, sans voies de sortie. On considère l'être humain en lui-même comme un bien de consommation, qu'on peut utiliser et ensuite jeter. Nous avons mis en route la culture du "déchet" qui est même promue. Il ne s'agit plus simplement du phénomène de l'exploitation et de l'oppression, mais de quelque chose de nouveau : avec l'exclusion reste touchée, dans sa racine même, l'appartenance à la société dans laquelle on vit, du moment qu'en elle on ne se situe plus dans les bas-fonds, dans la périphérie, ou sans pou-

voir, mais on est dehors. Les exclus ne sont pas des "exploités", mais des déchets, "des restes" »...

Depuis très longtemps les papes dénoncent les excès du
système capitaliste, sans être réellement entendus, mais cette
fois, voilà François qui, avec quelques expressions choc,
comme « la dictature de la finance », « les exclus déchets »
ou « l'économie qui tue », fait mouche et emballe littéralement son public.

Ces déclarations tonitruantes, en début de pontificat, vont
encore accroître sa popularité et faire de lui une vraie coque-
luche des médias, du magazine *Rolling Stone* le mettant triom-
phalement en couverture au *Guardian* célébrant son
« nouveau héros de la gauche », de *Time* en faisant son
« Homme de l'année » au magazine *Esquire* le sacrant
même... « Homme le mieux habillé de l'année ».

Mais ces propos vont irriter aussi les grands décideurs, les
banquiers vautours, les spéculateurs de tout poil. Et bien sûr,
au pays où le dollar est roi, l'agacement et l'irritation sont
plus que perceptibles. Les conservateurs américains tirent à
boulets rouges sur lui. Rush Limbaugh, un animateur de
radio très populaire avec ses 20 millions d'auditeurs, qualifie
Evangelii Gaudium de « pur marxisme sortant de la bouche
du pape », ajoutant que « s'il n'y avait pas le capitalisme, je
ne sais pas où l'Église catholique en serait[1] ». Tandis que son
collègue Stuart Varney, sur Fox News, s'étouffe en n'y voyant
que du « néosocialisme » et reproche au pape le mélange des
genres entre religion et politique[2]. Le monde de la banque
d'affaires s'agite à son tour. « Quiconque est préoccupé par

---

1. Voir l'intégralité de ses propos sur son site : www.rushlim-
baugh.com
2. À visionner sur Youtube en recherchant : « Fox Host Stuart Varney Lectures Pope on Capitalism and Marxism ».

la pauvreté mondiale doit avoir une attitude plus empreinte de gratitude, écrit James Glassman, économiste à la JPMorgan Chase, au lieu de se plaindre aujourd'hui [...] La pauvreté n'est pas un phénomène moderne. [...] Les systèmes économiques qui se fondent sur les marchés font bien davantage pour remédier à la pauvreté que n'importe quelle initiative du passé[1]. »

Dernière diatribe, celle de la voix des maîtres de la finance, *The Economist*[2]. L'hebdomadaire anglais n'a guère goûté les flèches du pape argentin et cherche à l'enfermer dans une grille de lecture préformatée : « Consciemment ou non, écrit-il, le pape reprend la position proposée par Lénine dans son analyse du capitalisme », concluant que « l'Histoire regorge d'exemples de formes de pouvoir qui ont engendré la violence de manière plus évidente encore que ne l'a fait le capitalisme, du féodalisme aux régimes totalitaires »...

Prêchant inlassablement la justice, le partage, l'importance du travail pour la dignité de l'homme, le pape François précisera davantage sa pensée : « Je crois que nous nous trouvons dans un système économique mondial qui n'est pas bon. Au centre de tout système économique, il doit y avoir l'homme, l'homme et la femme, et tout le reste doit être au service de cet homme. Nous avons placé l'argent au centre, le dieu argent. Nous avons succombé au péché d'idolâtrie de l'argent. L'économie est mue par le désir d'avoir davantage et, paradoxalement, elle crée une culture du rebut. [...] Nous écartons une génération entière pour maintenir un système économique qui ne fonctionne plus, un système

---

1. « JP Morgan Economist Responds to Pope's Criticism of Capitalism », *Business Insider*, 2 décembre 2013.
2. *The Economist*, 19 juin 2014.

qui, à l'instar des grands empires, doit faire la guerre pour survivre[1] »…

Mais c'est avec son encyclique *Laudato si'*, en 2015, que le pape va désigner les coupables et cerner les responsabilités : « La politique ne doit pas se soumettre à l'économie et celle-ci ne doit pas se soumettre aux diktats ni au paradigme d'efficacité de la technocratie. Aujourd'hui, en pensant au bien commun, nous avons impérieusement besoin que la politique et l'économie, en dialogue, se mettent résolument au service de la vie, spécialement de la vie humaine. Sauver les banques à tout prix, en en faisant payer le prix à la population, sans la ferme décision de revoir et de réformer le système dans son ensemble, réaffirme une emprise absolue des finances qui n'a pas d'avenir et qui pourra seulement générer de nouvelles crises après une longue, coûteuse et apparente guérison. La crise financière de 2007-2008 était une occasion pour le développement d'une nouvelle économie plus attentive aux principes éthiques, et pour une nouvelle régulation de l'activité financière spéculative et de la richesse fictive. Mais il n'y a pas eu de réaction qui aurait conduit à repenser les critères obsolètes qui continuent à régir le monde. »

Une fois encore, à ses yeux, l'argent est au cœur du problème. Il gangrène tout, y compris l'avenir de la planète, thème de cette encyclique très remarquée sur l'écologie, abordant la pollution et le changement climatique, la question de l'eau, la perte de la biodiversité, la détérioration de la qualité de la vie humaine, l'inégalité planétaire et les mystères de l'univers.

« L'avenir de l'humanité n'est pas uniquement dans les mains des grands dirigeants, des grandes puissances et des élites. Il est fondamentalement entre les mains des peuples ;

---

1. Entretien avec *La Vanguardia*, Espagne, 12 juin 2014.

dans leur capacité à s'organiser et aussi dans vos mains qui arrosent avec humilité et conviction ce processus de changement », dit-il aussi aux Boliviens à Santa Cruz de la Sierra, le 9 juillet 2015, qui lui réservent une véritable ovation.

François veut changer le monde et les âmes, appliquant à la lettre les préceptes de saint Ignace de Loyola contenus dans ses fameux *Exercices spirituels* qui préconisent de séparer le bien du mal à travers toutes les options imaginables et vécues dans le quotidien. Le but du discernement est de choisir entre un bien et un mieux, et non d'abord entre un bien et un mal. Fort de ces principes, le pape veut capter la nouvelle génération qui émerge, et ses messages s'adressent souvent à elle. Mais pour lui, d'abord, avant toute chose, au centre de tout, « il doit y avoir l'homme et la femme, comme Dieu le veut, et non pas l'argent[1] ! »

Ce que l'on possède, c'est d'abord pour les autres, résume le pape François : « Une chose est vraie, quand le Seigneur bénit une personne avec les richesses, il le fait administrateur de ces richesses pour le bien commun, non pour son propre bien. Il n'est pas facile de devenir un administrateur honnête, car il y a toujours la tentation de la cupidité, de devenir important. Le monde nous enseigne cela et nous mène sur cette route. Penser aux autres, penser que ce que j'ai est au service des autres et que je ne pourrai emmener aucune chose que je possède. Mais si j'utilise ce que le Seigneur m'a donné pour le bien commun, comme administrateur, cela me sanctifie, cela me fera saint[2]. »

Parallèlement, François, qui se méfie un peu des effets du progrès technologique, ouvre aussi sa porte, au besoin, aux

1. Rencontre avec le monde du travail, Cagliari, 22 septembre 2013.
2. Homélie à Sainte-Marthe, 19 juin 2015.

nouveaux leaders de l'économie du net venus de Californie – souvent avec un chèque rondelet pour les pauvres et des promesses appuyées d'aider ceux qui en ont le plus besoin. Mark Zuckerberg, le fondateur de Facebook, s'est rendu au Vatican le 29 août 2016, et a discuté avec le pape des moyens d'« utiliser la technologie des communications pour soulager la pauvreté, encourager la culture de la rencontre, faire parvenir un message d'espoir, plus particulièrement aux personnes les plus défavorisées », se dépêchera d'informer la salle de presse du Vatican, parant le feu à toute critique.

Sensible aux réalités du monde d'aujourd'hui, il met l'accent sur le chômage des jeunes, « cette plaie sociale », comme lors de ses visites en Sardaigne, ou dans le Piémont : « Il faut que tous unissent leurs efforts, dit-il, population, institutions, entreprises privées, société civile, pour offrir aux jeunes des activités honnêtes, même des "petits boulots", car "il ne peut avoir dignité sans travail." » « Osez, allez de l'avant, soyez créatifs, soyez artisans tous les jours, artisans du futur ! » Il n'hésite pas non plus à tancer les patrons italiens en parlant de manière très directe des problèmes péninsulaires comme le recrutement qui ne s'opère pratiquement jamais sur la base des compétences, mais grâce à des pistons et des recommandations – presque une institution transalpine, qui sévit même dans la Cité du Vatican.

Le 21 juin 2015, à Turin, sur la grande place Vittorio, face au grand patron de Fiat-Chrysler qui ne bronche pas, il encourage à « investir dans la formation », à « soutenir l'apprentissage et le lien entre les entreprises, l'école professionnelle et l'université » pour la « création du travail ». Hasard ou pas, quelques jours plus tôt, le 7 mai, François avait reçu le président suisse Johann Schneider-Ammann et s'était montré particulièrement attentif et intéressé par les propos que lui tenait ce protestant du canton de Berne chantant les louanges de l'apprentissage, spécialité très helvétique, l'un des meilleurs moyens pour la Confédération d'éviter le chômage des jeunes, de créer un bon climat de travail et de leur permettre de devenir autonomes économiquement et, bien sûr, le moment venu, de fonder une famille.

Toujours durant le fameux discours de Turin, le pape estimera que « si l'on ne fait confiance qu'aux hommes uniquement, on a perdu ». « Cela me fait penser à ces gestionnaires et à ces hommes d'affaires qui se prétendent chrétiens et qui participent à la fabrication d'armes. Cela inspire un peu de méfiance, non ? » Pointant du doigt les marchands d'armes et de malheur, il déplore que « la duplicité soit devenue aujourd'hui monnaie courante ». « Ces gens disent une chose et en font une autre. »

Le 8 septembre 2013, lors de l'Angélus, le pape s'interrogeait à voix haute sur une intervention armée en Syrie : « Il reste toujours le doute que cette guerre soit vraiment menée pour résoudre des problèmes ; n'est-elle pas une guerre commerciale pour vendre des armes via le commerce illégal ? »

Au fil de son pontificat, les mots se font de plus en plus durs. Devant les cinq mille participants de la troisième rencontre des mouvements populaires réunis au Vatican, le 5 novembre 2016, le pape se livre à une attaque au vitriol du système économique mondial dans un discours de plus de sept pages, prononcé, chose plutôt rare, en espagnol, sa langue natale.

Comme sur l'île de Lesbos quelques mois plus tôt, il dénonce « une banqueroute de l'humanité » face à un parterre un peu hétéroclite qui lui fait face : des chiffonniers, des pauvres, des exclus de la société, des syndicats, des mouvements de paysans... Comme galvanisé par cette marée humaine de déshérités, il évoque « le terrorisme de base émanant du contrôle global de l'argent sur terre » qui « menace l'humanité tout entière », « ce fil invisible » qui « relie toutes les exclusions dont vous souffrez, qui peut se durcir en fouet », un « fouet existentiel » qui « asservit, vole la liberté ». Il dénonce les dictatures, ces murs « qui entourent les uns et bannissent les autres » et qui « en plus d'être une bonne affaire pour les marchands d'armes et de mort, nous affaiblissent, nous déséquilibrent, détruisent nos défenses psychologiques et spirituelles, nous anesthésient face à la souffrance de l'autre et nous rendent cruels ». À quelques heures de l'échéance de la campagne présidentielle américaine, qui verra l'élection de Donald Trump, il cite Martin Luther King : « Le fort est celui qui rompt la chaîne du mal, la chaîne de la haine. »

« Tant de familles expulsées de leur patrie pour des raisons économiques ou des violences de toutes sortes, des foules bannies – je l'ai dit face aux autorités du monde entier – en raison d'un système socio-économique et de guerres injustes qu'elles n'ont pas cherchées ni créées, qui souffrent du déracinement douloureux de leur terre natale mais encore plus de ceux qui refusent de les recevoir », dit-il. Et il a encore ces propos terribles et criant de vérité : « Lors de la banqueroute d'une banque, des sommes scandaleuses apparaissent immédiatement pour la sauver, mais quand se produit cette banqueroute de l'humanité, il n'y a pas le millième pour sauver ces frères. Et ainsi, la Méditerranée s'est transformée en cimetière, et pas seulement la Méditerranée... Il y a tant de cimetières le long des murs, des murs maculés de sang. »

« La misère a un visage, analysait-il quelques semaines auparavant. Elle a le visage d'enfants, elle a le visage de jeunes gens et de personnes âgées. Elle a le visage dans le manque d'opportunités et de travail chez de nombreuses personnes, elle a le visage des migrations forcées, de maisons vides ou détruites[1]. »

---

1. Discours devant le Programme alimentaire mondial (PAM) à Rome, 13 juin 2016.

Le pontife venu du bout du monde n'est pas dupe, il est convaincu que « la crise économique favorise les fermetures et les refus d'accueillir ». Pour lui, « l'unique voie est pourtant celle de la solidarité[1]… ». Et c'est là un nouveau défi qu'il va lancer au capitalisme mondial : « J'ai vu la souffrance de tant de personnes qui cherchent, en risquant leur vie, dignité, pain, santé, le monde des réfugiés[2]. »

Le drame des réfugiés

Le matin du 26 octobre 2016, jour de la traditionnelle audience générale, la place Saint-Pierre est comme chaque semaine noire de monde. Le pape François, comme il l'affectionne souvent dans ses homélies, va commencer par raconter une petite anecdote à la foule pour illustrer ses propos.

« Il y a quelques jours, a eu lieu une petite histoire, métropolitaine, débute-t-il. Il y avait un réfugié qui cherchait une rue et une dame s'est approchée et lui a dit : "Mais vous cherchez quelque chose ?" Ce réfugié n'avait pas de chaussures. Il lui a dit : "Je voudrais aller à Saint-Pierre pour passer la porte sainte." Et cette dame a pensé : "Mais il n'a pas de chaussures, comment fera-t-il pour marcher ?" Et elle appelle un taxi. Mais ce migrant, ce réfugié, sentait mauvais et le chauffeur de taxi n'avait pas envie qu'il monte, mais à la fin il l'a laissé monter dans son taxi. Et la dame, à côté de lui, lui a demandé de raconter un peu son histoire de réfugié et de migrant, pendant la durée du trajet : dix minutes pour arriver jusqu'ici. Cet homme raconta son histoire de douleur, de guerre, de faim et pourquoi il avait fui son pays pour immigrer ici. Quand ils sont arrivés, la dame a pris son sac

1. Audience générale, Rome, 26 octobre 2016.
2. Discours à Cagliari, 22 septembre 2015.

pour payer le taxi et le chauffeur, qui au début ne voulait pas que ce migrant monte parce qu'il sentait mauvais, a dit à la dame : "Non, madame, c'est moi qui devrais vous payer parce que vous m'avez fait entendre une histoire qui a changé mon cœur." Cette dame savait ce qu'était la douleur d'un migrant, parce qu'elle avait du sang arménien et qu'elle connaissait la souffrance de son peuple. Quand nous faisons une chose de ce genre, au début nous refusons, parce que cela nous crée quelques désagréments, "il sent mauvais...". Mais à la fin, l'histoire parfume notre âme et nous transforme. Pensez à cette histoire et pensons à ce que nous pouvons faire pour les réfugiés. »

Il parle encore, de longues minutes, avant de conclure : « Chers frères et sœurs, ne tombons pas dans le piège de nous refermer sur nous-mêmes, indifférents aux nécessités de nos frères et uniquement préoccupés de nos intérêts. C'est précisément dans la mesure où nous nous ouvrons aux autres que la vie devient féconde, que les sociétés retrouvent la paix et les personnes leur pleine dignité. Et n'oubliez pas cette dame, n'oubliez pas ce migrant qui sentait mauvais et n'oubliez pas le chauffeur dont le migrant a transformé l'âme. »

Pour le pape François, « l'engagement des chrétiens dans ce domaine est urgent. Tous, nous sommes appelés à accueillir les frères et les sœurs qui fuient la guerre, la faim, la violence et des conditions de vie inhumaines. »

Et lui-même montre l'exemple. Le pape François, c'est aussi la tête et les jambes. Son premier voyage en Italie, il l'effectue à Lampedusa, le 8 juillet 2013, aux « portes de l'Europe », où tant de migrants échoués sont morts en mer, les plus chanceux seulement atteignant la terre promise. Il est presque au bord des larmes. Les guerres charriant leur cortège de tragédies, le drame des réfugiés le bouleverse. « J'ai senti que je devais venir ici aujourd'hui pour prier, pour poser un geste de proximité, mais aussi pour réveiller nos consciences afin que ce qui est arrivé ne se répète pas », murmure-t-il à la foule. Mais c'est aussi un homme en colère : « La culture du bien-être, qui nous amène à penser à nous-même, nous rend insensibles aux cris des autres, nous fait vivre dans des bulles de savon, qui sont belles, mais ne sont rien ; elles sont l'illusion du futile, du provisoire, illusion qui porte à l'indifférence envers les autres, et même à la mondialisation de l'indifférence. Dans ce monde de la mondialisation, nous sommes tombés dans la mondialisation de l'indifférence. Nous sommes habitués à la souffrance de l'autre, cela ne nous regarde pas, ne nous intéresse pas, ce n'est pas notre affaire ! »

Rien ne l'arrête : en visite à Lesbos, en Grèce, le 16 avril 2016, il ramène avec lui, dans son avion pontifical, trois familles de réfugiés, douze adultes et six enfants, tous musulmans, qui n'en reviennent pas et sont depuis hébergés par le Vatican aux frais de Sant'Egidio. La générosité puis le partage : en août 2016, il déjeune à Sainte-Marthe avec vingt et un réfugiés syriens. Uniquement des musulmans, aucun chrétien : cette fois, trop c'est trop, les milieux traditionalistes sont en rage, fulminent. Pour eux, le pape est infaillible quand il parle de doctrine et de morale, mais pour le reste, disent-ils, en matière de jugement, il est un homme comme les autres. La subtilité des Jésuites ne s'apprend pas seulement en lisant la Bible : ils ne comprennent pas que c'eût été sans doute donner raison à l'islamisme que d'exercer un choix préférentiel. « La provocation de François n'est pas une concession à l'air du temps, elle est, comme toutes les postures prophétiques, un rappel de l'origine par-delà l'écume des événements », observe alors avec justesse l'écrivain, historien et théologien Jean-François Colosimo[1], grand spécialiste du christianisme orthodoxe.

---

1. *Le Figaro*, 19 avril 2016.

Inlassablement, François martèle son message : les immigrés « sont des citoyens » à part entière, « pas des citoyens de seconde classe ! [...] Nous sommes tous des migrants, les enfants de Dieu qui nous a tous mis en chemin. On ne peut pas dire : "Mais les migrants sont ainsi... Nous, nous sommes..." Non ! Nous sommes tous des migrants, nous sommes tous en chemin. Et cette parole selon laquelle nous sommes tous des migrants n'est pas écrite dans un livre, elle est écrite dans notre chair, dans notre chemin de vie. [...] Pensons à cela : nous sommes tous des migrants sur le chemin de la vie, aucun d'entre nous n'a de domicile fixe sur cette Terre, nous devons tous nous en aller. Et nous devons tous aller retrouver Dieu : l'un le fera avant, l'autre après, ou comme le disait cette personne âgée, ce vieillard malin : "Oui, oui, tous ! Allez-y, vous, j'irai en dernier !" Nous devons tous y aller[1] »...

Devant une « troisième guerre mondiale en morceaux », pour reprendre son expression qui a fait florès, son message est universel face aux inégalités qui se creusent davantage. Un élan naturel le porte à chaque fois vers les « périphéries », autre mot-clé de son pontificat, vers ceux qui en ont le plus besoin, les laissés-pour-compte, les oubliés, les exclus.

Mais tout cela commence à faire grincer des dents.

Qu'il aille en Géorgie, en Azerbaïdjan, en Croatie ou en Albanie, certes, mais qu'il oublie presque volontairement les grands pays européens encore très pieux comme la France, l'Allemagne ou l'Espagne, pousse les catholiques bien-pensants à en prendre sérieusement ombrage. Les grincheux fourbissent leurs armes. Ils n'apprécient guère que ce pape de rupture, un peu trop « gadget » à leurs yeux, séduise ceux qui, hier, méprisaient le Vatican, et s'adresse davantage aux

---

1. Naples, 21 mars 2015.

« masses », à ceux qui ne mettent plus guère les pieds dans une église, aux incroyants et aux agnostiques, à ceux que la société broie inexorablement, les paumés, les marginaux, plutôt qu'à eux, les élites de toujours, fidèle troupeau des croyants bien sous tous rapports. Satané Bergoglio, lui qui prévient encore : « Aujourd'hui, si un chrétien n'est pas révolutionnaire, il n'est pas chrétien[1]. » Des propos qui déstabilisent, déroutent ceux qui avaient enfermé l'image du souverain pontife dans une espèce de mausolée, figés dans leurs certitudes. Et puis, un peu comme dans un film de Chabrol, certains notables de petites villes de province ou de campagne se sentent humiliés. On ne voit plus l'évêque venir faire ripaille chez eux à leur table, le dimanche, après la messe… D'ailleurs, pensent-ils sans doute, tant mieux, il se mettrait encore à parler de ces sujets si vulgaires : réfugiés, révolution de la tendresse et miséricorde… Face aux jérémiades de ces « chrétiens découragés », François a trouvé une formule ironique et assassine : « On se demande s'ils croient au Christ ou à la déesse des plaintes[2]… »

---

1. Homélie devant le Congrès ecclésial du diocèse de Rome, salle Paul VI, Vatican, 17 juin 2013.
2. *Ibid.*

Chapitre 11

Objectif : abattre le pape

> *« L'attrait du danger est au fond de toutes les grandes passions. »*
>
> Anatole France

François irrite, effraie, dérange. On l'a vu, il identifie les maux, tente les guérisons sans jamais mâcher ses mots et souvent de manière expéditive. « Je sens autour de moi une nostalgie canaille pour Ratzinger, utilisée pour dénigrer son successeur », soupire un familier de la Curie. « Jusqu'où va-t-il nous emmener ? Je me le demande », s'interroge le cardinal belge Godfried Danneels. « Oui, on voulait du changement, mais on ne savait pas que ça bougerait à ce point-là[1] », s'étonne le cardinal Philippe Barbarin.

« Vous croyez que la peur me fera taire ? » Cette réplique cinglante de Jorge Mario Bergoglio prononcée par l'acteur argentin Darío Grandinetti, qui l'incarne dans *Le Pape François*, long-métrage de Beda Docampo Feijóo sorti en salle en France en octobre 2016, résume exactement l'itinéraire chahuté du 266ᵉ successeur de saint Pierre. Combien de fois

---

1. « Les batailles de François », reportage d'Alain Crevier, Radio-Canada, 13 octobre 2016.

261

l'a-t-il prononcée à Buenos Aires ou à Rome ? Seul contre tous, ne craignant jamais d'aller à contre-courant, le pape est bien un homme en danger permanent. « Il est persuadé d'être protégé par l'Esprit-Saint qui est au-dessus de lui, témoigne un de ses neveux, José Ignacio Bergoglio. Nous sommes toujours très inquiets pour lui mais il ne veut rien entendre quand on le lui dit[1]. »

Depuis qu'il est sur le trône de saint Pierre, habitué à susciter des rancœurs et des réactions contrastées, le pape François a dû contraindre ses oreilles à tout entendre et ses yeux à tout lire. L'un des hommes les plus visibles de la planète n'est épargné par rien ni personne. Rodrigo Duterte, le président élu des Philippines, ne va-t-il pas jusqu'à le traiter de « fils de pute », en demandant pardon peu après, son excès verbal ayant été peu goûté dans un pays de 100 millions d'habitants comptant 80 % de catholiques ? Mais il n'est pas le seul à se montrer aussi ordurier publiquement.

Entre théories en tous genres et fantasmes les plus farfelus, des livres fleurissent aux devantures des librairies en même temps que des centaines de pages sont noircies sur la Toile à son sujet. Pour certains, le pape ne serait qu'un horrible vieux réactionnaire, comme le pense par exemple le politologue Paul Ariès[2], dressant un réquisitoire au vitriol contre son progressisme qui ne serait à ses yeux qu'une illusion, l'homme étant allié, assure-t-il, à trop de mouvements catholiques comme Communion et Libération, l'Opus Dei, les Légionnaires du Christ ou les Chevaliers de Colomb. Pour lui, le pape « ne réforme pas l'Église pour en faire une Église pauvre au service des pauvres, il réforme l'Église pour lui permettre de passer le mauvais cap actuel et la mettre en état

---

1. Entretien avec l'auteur, Buenos Aires, août 2016.
2. *La Face cachée du pape François*, éditions Max Milo, 2016.

de remporter sa part de marché du retour du religieux ». En bref, l'homme serait un imposteur. Journaliste et éditorialiste dans la presse française, Guy Baret[1], lui, tient à peu près le même discours – le pape en fait trop – et va jusqu'à parler d'un « grand malentendu ».

Certes, les opposants, dans son troupeau de fidèles, sont plutôt minoritaires, mais ils sont très actifs et ne baissent pas la garde. Le pape François est « l'homme le plus dangereux de la planète », prévient aussi, par exemple, Greg Gutfeld, expert de la chaîne conservatrice américaine Fox News, étrillant sans ménagement le souverain pontife pour ses « opinions libérales » : « Il veut être un pape moderne. Il ne lui manque plus que des dreadlocks et un chien avec un bandana et il pourra manifester à Wall Street[2]. » La pomme de discorde originelle au sein de l'Église remonte au Concile Vatican II, sous Jean XXIII et Paul VI, une ouverture coupable, selon eux, de trop de liberté et de dérive. Nombre de catholiques conservateurs et traditionalistes attendent avec impatience que ce pape révolutionnaire tourne les talons et retourne chez lui, en Argentine, ou qu'il rejoigne le plus rapidement possible la maison du bon Dieu. Mais jusqu'où sont-ils prêts à aller ?

Impossible d'exclure par exemple la probabilité d'un acte isolé d'un jusqu'au-boutiste exalté qui, persuadé d'être le sauveur de l'Église, serait résolu aux pires extrémités. À la gendarmerie du Vatican, comme à la Garde suisse, un « trombinoscope » circule parmi les agents et les soldats du pape à qui il est demandé de bien le mémoriser. Chaque cas, accompagné de la photo du suspect, est présenté en quelques lignes.

1. *Le Grand Malentendu*, Éditions du Moment, 2014.
2. Tweet de Greg Gutfeld du 20 juin 2015, contenant le renvoi au lien internet permettant de visionner l'émission où sont tenus ses propos.

Ce sont les fans irréductibles, prêts à tout pour toucher le pape, lui parler, voire attenter à son intégrité physique. Susanna M., la jeune déséquilibrée suisse de 25 ans qui avait renversé le pape Benoît XVI lors de la messe de minuit, le 24 décembre 2009, figurait dans ce fichier, mais avait échappé cette nuit-là à la vigilance de la sécurité.

« Le risque zéro n'existe pas », répète-t-on volontiers dans les couloirs du Vatican en insistant qu'il est pratiquement impossible de filtrer les millions de visiteurs assistant chaque année aux célébrations publiques, sans compter tous ceux qui rencontrent le pape lors de ses voyages à l'étranger.

Mais la monomanie d'un fanatique peut déraper et devenir très dangereuse, l'amour se transformant en haine, voire en folie meurtrière : ce fut par exemple le cas, en 2005, pour frère Roger, le fondateur de Taizé, égorgé par une déséquilibrée roumaine de 36 ans, Luminita Solcan, qui entendait « des voix venues du Ciel », avait « des visions » et voulait le prévenir « des moines néfastes et francs-maçons dans son entourage[1] ». Autre exemple, le 27 novembre 1970, à son arrivée à l'aéroport de Manille, aux Philippines, le pape Paul VI traverse la foule en bénissant les fidèles sur son passage lorsqu'un déséquilibré, un artiste peintre surréaliste bolivien déguisé en prêtre avec un crucifix en main, tente de lui planter deux coups de couteau dans le cou[2]. Le pontife italien survit quasi miraculeusement, son secrétaire particulier réussissant à dévier le bras de l'agresseur, certains évoquant bien

---

1. « La folle passion de Luminita pour la vie monastique », *Libération*, 20 août 2005.
2. L'Église, qui aime les reliques, a conservé le « marcel » ensanglanté de Paul VI, lequel a été vénéré lors de sa béatification par le pape François. À noter encore que la première interview du faux prêtre bolivien fut réalisée en prison, dans sa cellule à Manille, par Patrick Poivre d'Arvor, qui l'évoque dans son livre de souvenirs (*Seules les traces font rêver*, Robert Laffont, 2013, p. 332).

sûr l'intervention d'une « main invisible » venue du Ciel. Lors de son procès, l'illuminé affirma « vouloir sauver l'humanité de la superstition »…

Paradoxalement, la popularité grandissante de François l'Argentin, devenu l'objet d'une véritable « papamania » et d'un culte qui ne faiblit pas, l'expose davantage que ses prédécesseurs. Sa trop grande accessibilité dans ses apparitions publiques pose un véritable casse-tête aux services de sécurité. Le pape veut rester en contact avec la foule, refuse les vitres blindées sur sa papamobile et, comme ses prédécesseurs, ne porte pas de gilet pare-balles… Il faut donc composer et faire avec !

Lors de ses audiences publiques, le moment le plus périlleux reste les virages que doit effectuer la papamobile sur la place Saint-Pierre, raison pour laquelle – contrairement à ce que ferait normalement tout automobiliste – sa voiture accélère toujours un peu à ce moment-là : car ce sont les angles les plus ouverts pour un tireur déterminé, donc les moments où le pape est le plus exposé et une cible depuis une multitude de directions potentielles. Ce que l'on sait moins, c'est que des dizaines de « fourmis » patrouillent en permanence en civil, totalement incognito, aux abords du Vatican, à l'affût du moindre danger et du moindre suspect qui pourrait tenter d'approcher le souverain pontife. « Notre grande force, c'est la prévention, chuchote-t-on à la Garde suisse pontificale et à la Gendarmerie vaticane. Nous avons aussi accès à des dizaines de bases de données de différents pays[1] ».

Le pape François n'est pas seulement en danger face à un éventuel fanatique. Il l'est aussi, surtout, à cause de nombreux

---

1. Différents entretiens avec l'auteur, Rome, de 2013 à 2016.

groupuscules fanatisés, comme la mafia ou des officines d'extrême-droite. « Pour des groupes violents opposés au règne de l'Église catholique, s'en prendre au pape serait comme un trophée, un accomplissement majeur[1] », relève Rommel Banlaoi, directeur du Philippine Institute for Peace, Violence and Terrorism Research.

Tout le monde a gardé en mémoire l'image de Jean-Paul II s'affaissant dans sa Jeep blanche, le 13 mai 1981 sur la place Saint-Pierre, sous les trois balles tirées par l'extrémiste et isla-miste turc Mehmet Ali Agca. Officiellement, selon les auto-rités italiennes, un complot ourdi par plusieurs pays du bloc communiste ; alerté à l'époque, le Vatican s'était montré très sceptique face aux rumeurs d'un attentat en préparation, rap-portées notamment dès janvier 1980 par les services de ren-seignements français, via une mission spéciale dans l'entourage du Saint-Père[2].

En janvier 2015, quelques jours avant la visite aux Philip-pines du pape François, la police réussit à neutraliser plusieurs cellules islamistes qui projetaient une action spectaculaire contre lui durant sa visite à Manille. Le groupe terroriste Yemaa Islamiya avait planifié un attentat contre le Saint-Père rue Kalaw, sur l'itinéraire de la papamobile, dans un secteur de la vieille ville complètement à découvert, sur le chemin du Rizal Park, où il célébra une messe devant plus de 6 mil-lions de personnes. Dans l'avion le menant aux Philippines, pressé de questions sur l'éventualité d'une attaque terroriste et les menaces qui pesaient sur lui, François s'était déclaré « préoccupé » et avait répondu : « Je ne demande qu'une seule grâce : que ça ne me fasse pas souffrir ! Parce que je ne suis

---

1. Dépêche de l'AFP, 14 janvier 2015, 10 h 55.
2. Michel Roussin, *Le Gendarme de Chirac*, Albin Michel, 2006, p. 106-109.

pas courageux devant la douleur. J'ai peur, mais vous savez j'ai un défaut, j'ai une bonne dose d'inconscience[1] ! »

Une semaine après l'attentat déjoué, le terroriste malaisien Zulkifli « Marwan » bin Hir, suspecté d'être le cerveau de l'opération, connu des services de renseignements comme un redoutable expert artificier et dont la tête était mise à prix par le FBI à hauteur de 5 millions de dollars, fut abattu, les armes à la main, sur l'île de Mindanao, à Mamasapano. Quarante-quatre policiers des forces spéciales philippines périrent lors de l'assaut contre les cellules djihadistes, qui fit au moins dix-huit morts parmi les combattants armés du groupe Marwan, ainsi que cinq civils. Un véritable bain de sang.

« C'est une évidence, le pape François se met réellement en danger, par exemple, face à des catholiques très exaltés, la mafia ou l'État islamique », estime l'ancien jésuite argentin Mariano Castex[2]. En s'attaquant aux injustices sociales, à la pauvreté, à l'économie qui tue et bien sûr à la mafia et au crime organisé, il suscite chez les plus intégristes une vraie culture de la haine. « Ce pape a tout renversé, analyse le procureur antimafia Nicola Gratteri, il met en cause des pouvoirs gangrenés depuis longtemps, mais restés puissants. Des opérations suspectes passant par l'IOR, la banque du Vatican, avec des pays étrangers, eux-mêmes bases de terroristes, ont été signalées. C'est pour cela qu'il faut être attentif. Ces pouvoirs ne sont pas prêts à tout abandonner[3]. » Tout cela ne ressemble pas à un scénario de film-catastrophe : de nombreuses sources, au sein de services de renseignements, notamment en Italie, nous confirment

---

1. Propos tenus dans l'avion pontifical, entre Colombo et Manille, 15 janvier 2015.
2. Entretien avec l'auteur, Buenos Aires, août 2016.
3. Entretien avec Jean-Marc Gonin, *Le Figaro Magazine*, 15 février 2014, p. 41.

qu'un attentat contre le pape est une probabilité qui n'est pas négligée. Au contraire, le niveau d'alerte ne se relâche pas. « Nous sommes en éveil permanent, nous communiquons nos informations entre différents services, notamment étrangers, les recoupons, les analysons, confie un attaché d'ambassade à Rome, chargé de la sécurité. Nous avons à l'esprit en permanence que quelque chose peut arriver au pape. Il ne se passe guère de mois sans que nous ayons vent de quelque chose de suspect[1]. »

« Le danger que l'on pressent, mais que l'on ne voit pas, est celui qui trouble le plus », disait déjà Jules César dans la Rome antique. « Nous sommes conscients des menaces mais il faut savoir s'adapter au Saint-Père, confie diplomatiquement Philippe Morard, le vice-commandant de la Garde suisse pontificale. C'est ce qui fait d'ailleurs la force de sa sécurité[2]. »

En septembre 2014, Habeeb al-Sadr, ambassadeur d'Irak au Vatican, évoquant des « menaces crédibles », affirmait craindre « pour la vie du pape ». « Je pense qu'ils essaieront de l'atteindre lors de ses voyages », prévenait-il. Selon ses informations, le souverain pontife « est devenu la cible » des islamistes en s'opposant vigoureusement et sans relâche aux violations des droits de l'homme contre les chrétiens en Syrie et en Irak, obligés de fuir la barbarie de l'État islamique et se déclarant même, ô sacrilège, partisan d'une intervention armée. Après que son secrétaire d'État eut parlé d'une intervention militaire qui pourrait être légitime, le pape a fait une mise au point ambiguë : non, il n'a pas appelé à la guerre, mais à « arrêter » les exactions et la progression de cette orga-

---

1. Confidence à l'auteur, Rome, mai 2015.
2. Arnaud Bédat, « Le Romand qui veille sur le pape », *L'Illustré*, Lausanne, 26 octobre 2016.

nisation. Cela dit, François n'a pas condamné une telle opération militaire en tant que telle, à la différence de ses appels solennels en 2013 pour empêcher une agression occidentale contre le gouvernement légal syrien.

Mais ce qui irrite sans doute le plus l'État islamique, c'est le discours religieux de François : il qualifie de « satanique » l'invocation du nom de Dieu pour commettre des assassinats. Surtout, grâce à l'action du cardinal Tauran, le pape continue de tendre la main aux responsables religieux musulmans, pour approfondir le dialogue si honni des intégristes mais, en plus, il leur demande de condamner religieusement les persécutions contre des minorités et l'usage de méthodes terroristes.

« Nous connaissons leur façon de penser, leurs objectifs. Je n'exclurais pas le fait que l'EI s'en prenne à lui. Ce qu'a déclaré l'État islamique est clair : ils veulent tuer le pape », déclare alors Habeeb al-Sadr au quotidien *La Nazione*[1]. Je pense qu'ils pourraient tenter de le tuer durant l'un de ses déplacements ou même à Rome. Ce sont des membres de l'EI qui ne sont pas arabes, mais canadiens, américains, français, anglais et même italiens. »

Le journal russe *Nezavissimaïa Gazeta*, et la revue italienne *Il Tempo*[2] affirment de leur côté avoir eu accès à des informations transmises par les renseignements israéliens. Le Mossad aurait intercepté une conversation entre deux interlocuteurs parlant arabe, évoquant une « action d'éclat un mercredi au Vatican ». En fomentant une opération spectaculaire, l'État islamique poursuivrait un double objectif : « hausser le niveau de confrontation » en lançant un défi à Al-Qaïda » et atteindre « les chiens infidèles » en assassinant le pape François, qui représente pour eux « le porteur du mensonge » et « de la fausse foi ».

---

1. Cité par *The Telegraph*, Londres, 16 septembre 2014.
2. *Il Tempo*, 25 août 2014.

« Les menaces du groupe État islamique contre le pape sont bien réelles, c'est ce qui émerge de mes conversations avec des collègues italiens et étrangers[1] », reconnaît Domenico Giani, le chef de la Gendarmerie vaticane, même s'il affirme n'avoir connaissance d'aucun plan concret d'attaque. Le fondamentaliste islamique Bilal Bosnic, qui a longtemps vécu en Italie avant de rejoindre l'EI, a d'ailleurs menacé spécifiquement le Vatican. « Nous, les musulmans, croyons qu'un jour le monde entier deviendra un État islamique. Notre objectif est de faire en sorte que même le Vatican devienne musulman. Je ne le verrai peut-être pas de mes propres yeux, mais ce jour viendra », a-t-il déclaré.

Des menaces explicites sont également proférées contre l'Italie et le Vatican, « nation signée avec le sang de la croix », dans une vidéo montrant l'assassinat, le 15 février 2015, de vingt et un chrétiens coptes par la branche libyenne de l'État islamique. En août 2016, les responsables djihadistes en remettent une couche, quelques jours après l'assassinat en France du père Jacques Hamel, dans le quinzième numéro de *Dabiq*, le magazine de propagande de l'État islamique publié sur internet. Le pape François y est particulièrement visé, ayant serré la main d'un « apostat », l'imam de la mosquée Al-Azhar – la plus prestigieuse université de l'islam sunnite, au Caire – lors de sa visite au palais apostolique le 23 mai 2016. Déjà dans son numéro 4, en octobre 2014, l'État islamique mettait en première page une photo montage du Vatican avec le drapeau noir de Daech flottant au vent, juché sur l'obélisque de la place Saint-Pierre, affirmant sa volonté de s'en prendre à Rome... À l'intérieur, un article poussait sa rhétorique jusqu'à préférer Benoît XVI à François, citant un livre du pontife allemand où celui-ci écrivait que la démo-

---

1. Déclarations au magazine italien *Polizia Moderna*, 1er mars 2015. Dépêche de l'agence APIC du 3 mars 2015 signée Raphaël Zbinden.

cratie « contredit l'essence de l'Islam, qui n'a tout simplement pas le principe de séparation entre sphère politique et sphère religieuse que le christianisme possède depuis le début ». « Même si c'est un menteur, il dit certainement la vérité à ce sujet », affirmait l'État islamique, raillant les imams occidentaux « qui ont une bien moindre compréhension de l'Islam que Benoît l'incroyant », malgré son discours de Ratisbonne sur l'islam et la violence. « La religion de l'islam continuera à être diffusée par l'épée, n'en déplaise à Benoît », prévenait-il. Or, lors de son homélie en souvenir du père Jacques Hamel, lâchement assassiné en juillet 2016 par deux djihadistes dans son église de Saint-Étienne-du-Rouvray, le pape François préviendra avec force que « tuer au nom de Dieu est satanique[1] ».

Ces menaces, directes ou non, inquiètent de nombreux amis ou proches de François l'Argentin. Après une visite au Vatican, le *padre* Juan Carlos Molina, responsable du Secrétariat pour la prévention de l'abus des drogues et le trafic de la drogue dans le gouvernement Kirchner, a révélé en novembre 2014, un peu éberlué, la teneur d'une étrange conversation avec son compatriote : « Quand j'ai dit au pape : "Faites attention, on peut vous tuer", celui-ci a reconnu qu'il était menacé et il a ajouté : "C'est la meilleure chose qui puisse m'arriver. Et à vous aussi !" » Le prêtre lui a alors rétorqué, surpris : « Non, j'ai tout juste 47 ans. »

Que voulait donc réellement dire le souverain pontife ? Le prêtre argentin, grand chantre de la libéralisation des consommateurs de drogue, se le demande encore aujourd'hui, tentant de replacer ces mots dans le contexte de la mission actuelle et du « regard de martyr » de l'ex-cardinal Bergoglio : « Il m'a

---

1. Voir publiée en annexe à la fin du présent ouvrage, l'intégralité de son homélie du 14 septembre 2016, pp. 316-318.

clairement indiqué que sa tâche n'était pas facile », répond-il aux journalistes de l'équipe de l'humoriste Dady Brieva, sur une radio locale de Buenos Aires[1]. « En fait, il a déjà été menacé car il a donné un coup de pied dans la fourmilière. Connaissant un peu l'histoire de l'Église et des papes, il me paraît évident que François occupe un poste dangereux. » Dans l'avion qui le ramenait de Corée du Sud en août 2014, le pape François avait d'ailleurs déjà abordé l'idée de sa propre fin, estimant que son pontificat « durera peu de temps. Deux ou trois ans. Et puis, à la Maison du Père ! »

Malgré les déclarations du Vatican minimisant dans un premier temps les menaces, les mesures de sécurité ont été renforcées place Saint-Pierre. Des chiens policiers sont utilisés à Rome pour détecter la présence d'éventuels explosifs et les hôtels du quartier placés sous surveillance. Des portiques de sécurité supplémentaires, détecteurs de métaux, ont été installés. Aux alentours, l'armée italienne patrouille en treillis. Le niveau de menace terroriste a été revu à la hausse et les survols par avion de l'État pontifical – chose interdite depuis longtemps au-dessus de Paris, mais curieusement encore en cours à Rome, pour le plus grand plaisir des passagers – ont été limités. Les services antiterroristes italiens craignent l'infiltration de kamikazes au milieu de la foule, déguisés en prêtres ou en religieuses sur la place Saint-Pierre. La fameuse via della Conciliazione a été rendue aux piétons, pour éviter aussi l'irruption d'une voiture bourrée d'explosifs.

Le soir du vendredi 16 septembre 2016 – l'événement a été minimisé par les médias – une voiture folle a tenté de renverser des pèlerins sur la place, empruntant un sens interdit puis renversant des barrières, avant d'être neutralisée. Son occupant « mentalement instable » en serait sorti en exigeant

1. Radio América, Buenos Aires, 12 novembre 2014.

de voir le pape, selon la version officielle. Mais d'après plusieurs témoins de la scène, cette voiture folle pénétrant à toute allure sur la place Saint-Pierre aurait pu faire un véritable carnage si l'endroit n'avait été quasiment désert à ce moment-là. Pris de panique, les badauds qui clairsemaient la piazza San Pietro ont trouvé refuge là où ils le pouvaient, la plupart courant sous les colonnes jusqu'à la porte de bronze, où la sécurité les a laissés entrer. Plus de peur que de mal, certes, mais certaines personnes présentes ont bien cru vivre une véritable tragédie en direct.

En Argentine aussi, sur la terre natale du pape, on n'exclut pas non plus que l'impensable puisse survenir un jour.

Intimidations argentines

La séquence est devenue culte. Dans le fameux film de Claude Lelouch, *L'Aventure c'est l'aventure* (1972), un quatuor de mauvais garçons, incarnés par Lino Ventura, Jacques Brel, Charles Denner et Charles Gérard, enlève le pape Paul VI en visite dans un pays africain et demande une rançon de 1 franc de l'époque à chaque catholique dans le monde en échange de sa libération. « Le pape, ça se vend très bien, et puis il y a tellement de gens qui l'aiment bien », plaisantait Charlot, incarné par Charles Denner. Mais aujourd'hui, on ne rigole plus. Car un scénario si cocasse ne paraît plus si abracadabrant...

La menace est même prise très au sérieux par les services secrets argentins, qui craignent par exemple le rapt d'un membre de la famille du pape François. Dans le grand Buenos Aires, la maison de María Elena Bergoglio, la sœur du pape, est placée sous surveillance policière permanente. Son fils, José Ignacio Bergoglio, fondateur de l'association

« Haciendo Lio » (une expression argentine qui signifie littéralement, en français, « Fous le bordel ! ») venant en aide aux sans-abri et aux clochards, a eu la peur de sa vie le 17 juin 2015 et a bien cru que sa dernière heure était arrivée.

Ce soir-là, peu avant 22 heures, avec sa compagne Marina Muro, il quittait la maison des parents de cette dernière dans le quartier de Villa las Naciones, à Ituzaingó, en grande banlieue de Buenos Aires, et tous deux s'apprêtaient à prendre tranquillement le chemin du retour pour rentrer chez eux. « Nous étions dans la voiture, un peu distraits, en train de discuter quand deux hommes nous sont tombés dessus », raconte José Ignacio. Un troisième, au volant d'une Peugeot 308 blanche aux vitres teintées, fait le guet, tous phares allumés. Alors que l'un d'eux met en joue Marina à travers la portière, l'autre contraint le neveu du pape à sortir du véhicule et le plaque au sol, un pistolet pointé sur la tempe. Il lui fait les poches, s'empare de son téléphone portable, de son argent et des clés de la voiture. « Il ne me restait que mon paquet de cigarettes[1] », plaisante-t-il aujourd'hui, un peu nerveusement. Les deux malfrats demandent alors qui est à l'intérieur de la villa que le couple vient de quitter, mais les agressés parviennent à les dissuader de s'y rendre, expliquant qu'il y a juste des enfants. Au même moment, venue de nulle part, une voiture de police, gyrophare allumé, surgit au bout de la rue, totalement par hasard. Un voisin, témoin de la scène, tire un coup en l'air avec son pistolet pour l'alerter. Pris de panique, les agresseurs prennent la fuite à bord de leur Peugeot, sans avoir le temps de s'emparer de la Chevrolet Corsa de José Ignacio Bergoglio. « Dieu merci, c'est le gyrophare de ce véhicule de police qui nous a sauvés[2] », raconte-t-il. « Nous avons vécu un moment horrible », écrira sa

---

1. Entretien avec l'auteur, Ituzaingó, août 2016.
2. *Ibid.*

compagne sur Facebook, sous le choc. Une plainte a été déposée, mais elle a été classée sans suite…

Un an plus tard, le 14 mai 2016, nouvelle alerte : José Ignacio circulait en voiture sur l'avenida Camino las Lomas, entre San Fernando et San Isidro, quand, à l'intersection de la calle Uruguay, à un feu rouge, il a été pris en otage par deux hommes armés. Faisant irruption dans son véhicule, ils l'ont menacé de le frapper et de le tuer et lui ont intimé l'ordre de prendre une autre direction, celle du bidonville de Villa Garden. Arrivés sur place, ils lui ont fait ouvrir le coffre et l'ont dépouillé de tout ce qu'il avait sur lui : l'argent de son association, un sac de vêtements, son téléphone portable. Puis ils lui ont ordonné de se mettre à genoux, deux pistolets braqués sur sa tête. Avant de lui crier : « Maintenant, cours, dans trois secondes, on va te mettre du plomb plein la tête ! » Le malheureux réussit à courir jusqu'au haut d'un talus, avant de se retrouver sur l'autoroute et de donner l'alerte à un péage. En larmes, mais vivant. Une plainte pour « privation illégale de liberté et vol » a été déposée. L'enquête, diligentée par la police de San Fernando[1], n'a abouti pour l'instant à aucun résultat.

Actes isolés de simples voyous ou intimidations sournoisement mises en scène ? José Ignacio Bergoglio n'exclut pas que ces deux agressions, surtout la seconde, puissent être liées à son illustre ascendant, mais préfère ne pas s'attarder sur le sujet. D'autres incidents, touchant également un membre de la famille du Saint-Père, pourraient accréditer cette hypothèse.

—————

1. Signalons pour la grande et la petite histoire que ce quartier alors isolé de la grande banlieue de Buenos Aires avait attiré l'attention du monde entier en mai 1960 : c'est ici, rue Garibaldi, que le nazi Adolf Eichmann, responsable de la logistique de la « solution finale », avait été enlevé par un commando du Mossad après une cavale de près de quinze ans, avant d'être exfiltré vers Jérusalem pour y être jugé, puis pendu. La maison qu'il habitait est maintenant détruite, laissant depuis sa place à un terrain vague.

Cible potentielle, le cousin germain de José Ignacio, le *padre* Walter Sivori, autre neveu du pape, jésuite comme son oncle, a également été menacé à plusieurs reprises. Au début, en répondant au téléphone, il a cru à des plaisanteries de mauvais goût, mais les appels se sont faits de plus en plus insistants, une voix anonyme lui annonçant qu'il serait décapité : « Nous te trancherons la tête. Si ce n'est pas toi, ce sera ton oncle[1]. » Depuis, il ne se déplace plus sans une discrète escorte policière et son église et la sacristie de Villa Elisa, dans sa paroisse de Notre-Dame-des-Miracles, à une cinquantaine de kilomètres du centre de Buenos Aires, sont surveillées 24 heures sur 24.

Un indice troublant se loge dans la chronologie de ces événements : ils interviennent dans un calendrier très précis, durant une période où le gouvernement argentin étudie, notamment sous la pression de l'Église locale, une refonte complète de ses lois anticorruption. Le 23 juin 2016, les députés argentins ont adopté, à 194 voix contre 5, un premier projet de loi antimafia, « *Proyecto de ley del Arrepentido de la corrupción pública y privada argentina* », texte destiné notamment à simplifier la procédure dans la poursuite des criminels en cols blancs – en réduisant par exemple les peines de prison des repentis prêts à se mettre à table devant les procureurs argentins.

Le pape est malade et a un enfant caché !

Les loups sont toujours là, tapis dans l'ombre. Ils se cachent dans les cercles de la Curie, dans les milieux intégristes et activistes antichrétiens, dans les associations crimi-

---

1. *La Nación*, Buenos Aires, 19 mai 2015 ; *Perfil*, Buenos Aires, 25 mai 2015.

nelles et mafieuses, dans certains lobbies financiers. Comment oublier cette phrase du juge antimafia Giovanni Falcone, assassiné à Palerme en 1992 : « On commence par vous discréditer, puis on vous isole, et enfin, on vous tue[1]. » Les antipapistes qui veulent faire trébucher le souverain pontife ne baissent jamais la garde. Tant de combats, tant de dérives dénoncées, tant d'injustices mises au jour, augmentent la colère et la haine des quelques ennemis de François qui, face au danger, paraît conserver une âme sereine. Comme si tout cela ne l'atteignait pas. Pourtant, les opérations de déstabilisation ne l'épargnent guère.

Et « plus le mensonge est gros, plus il passe ». La fameuse phrase du sinistre docteur Goebbels, rompu aux techniques de manipulation de masse, est d'une cruelle vérité. Une fois encore, qu'il soit cardinal à Buenos Aires ou pape à Rome, Jorge Mario Bergoglio n'y échappe point. Son statut prestigieux de pontife attise désormais davantage encore les rumeurs les plus opposées.

L'une des plus pernicieuses éclate en une du quotidien italien *Quotidiano Nazionale* le 21 octobre 2015 : le pape aurait une tumeur bénigne au cerveau, diagnostiquée plusieurs mois plus tôt. « Une petite tache sombre » aurait été découverte lors d'un examen de routine effectué par un praticien japonais, le professeur Takanori Fukushima. Débarqué au Vatican par hélicoptère avec son équipe de la clinique San Rossore di Barbaricina, près de Pise, pour examiner le successeur de saint Pierre, le médecin aurait estimé que la tumeur était guérissable et ne nécessitait pas d'intervention chirurgicale. Sans citer aucune source, l'auteur de l'article instille le doute sur les gestes et paroles du pape, visant évidemment à instaurer

1. *La Croix*, 16 octobre 2016. Interview de Nello Scavo, spécialiste du crime organisé.

un climat prompt à suggérer, le moment venu, en cas de nouvelles déclarations choc dont ce dernier a le secret, qu'il n'avait peut-être déjà plus toute sa tête, que le cerveau était atteint et qu'il déraisonnait. Une attaque habilement imaginée et parfaitement abjecte ! « Nous n'avons jamais pensé mener une campagne ou entrer dans les dynamiques entre ennemis et partisans de François, dira le directeur de la rédaction, Andrea Cangini, pour tenter de se justifier. Nous avons seulement trouvé une piste, nous l'avons suivie et nous avons écrit la vérité. »

Le Vatican, par la voix du père Lombardi, dément aussitôt « l'irresponsabilité d'un article absolument inqualifiable et injustifiable », expliquant avoir procédé de son côté à toutes les vérifications, y compris auprès du Saint-Père lui-même. « Aucun médecin japonais n'est venu visiter le pape et aucun examen du type indiqué dans l'article n'a été pratiqué », ajoute-t-il, certifiant qu'« aucun déplacement en hélicoptère » n'a eu lieu. Il ironise enfin : « Si vous avez couru derrière lui pendant ses voyages, vous savez qu'il est en forme. Il a quelques problèmes aux jambes, mais la tête me semble fonctionner absolument parfaitement. » Il est vrai que le pape avait suspendu ses activités au mois de mars, pendant une semaine, pour « mettre la dernière main à son encyclique sur l'écologie », même si d'autres voix persiflent qu'il avait en réalité subi une « série d'examens médicaux ». Vu la lourdeur de sa charge et son âge, 79 ans à l'époque, il paraît vraisemblable qu'il puisse se soumettre régulièrement à un check-up complet.

En Argentine, les manigances ourdies et les actions de déstabilisation ne manquent pas non plus. Ainsi, une campagne de presse, qui ne dépassera heureusement guère la province de Mendoza, au pied de la cordillère des Andes, prend naissance en 2016. Le *Mendoza Post* affiche une nouvelle sensationnelle le 1ᵉʳ septembre : « Le Vatican tremble », proclame le titre. Le journal relaie en fait l'article d'un site internet argentin diffusé quelques mois plus tôt dans une parfaite indifférence. Une histoire pour le moins rocambolesque où il est affirmé qu'un certain Roberto Carles, avocat de profession, candidat à la Cour suprême, né le 17 septembre 1981, à Morón, dans le grand Buenos Aires, serait en fait le fils adultérin de… Jorge Mario Bergoglio ! Rien que ça. Deux photos sont publiées : l'une le montre enfant, lors de sa confirmation à l'âge de 11 ans, béni par son père présumé, la seconde le représente à la Maison Sainte-Marthe, au Vatican, où il a été reçu pendant une heure en tête à tête en mars 2015, posant souriant avec le pape François.

Roberto Carles n'est pas un total inconnu : docteur en droit, spécialiste en criminologie, professeur de droit à l'université de Buenos Aires, il a fait partie de la commission formée pour rédiger la réforme du Code pénal argentin et est aussi, dans la droite ligne du pape, un grand fan de l'équipe de foot de San Lorenzo. Comme membre de l'Association internationale de droit pénal, il est à la tête d'un combat inlassable : supprimer la peine de mort dans le monde ; à cette fin, il avait déjà rencontré le pape en juin 2014 au Vatican et avait présenté ensuite une lettre de François à ce sujet lors d'une conférence de l'organisation tenue à Rio de Janeiro.

Le 28 janvier 2015, Cristina Kirchner le propose comme juge à la Cour suprême de justice d'Argentine. Là-dessus, dixit l'article, se grefferait une bien curieuse plainte pénale, enregistrée sous le numéro 3238/2015, dirigée contre le pape François lui-même, lequel aurait soutenu et appuyé cette candidature via le ministre de la Justice de l'époque. Détail piquant : le siège à la Cour suprême rendu vacant l'avait été à la suite de la démission du juge Eugenio Zaffaroni, empêtré dans une affaire de six maisons closes lui appartenant, affaire dénoncée à l'époque[1] par Gustavo Vera et les « trotskistes de Dieu », soit les grands amis du cardinal Bergoglio !

Sur son compte Twitter, le supposé fils naturel semble pris de vertige après avoir pris connaissance des récits les plus fous le concernant sur la Toile, mais ne répond pas aux messages qu'on lui adresse. A-t-il été dépassé par une rumeur qu'il aurait peut-être lui-même lancée un jour en rigolant derrière un comptoir de bistrot ? Les Argentins, c'est connu, sont parfois un peu grandiloquents dans les nuits folles de Buenos Aires... Il écrit cependant, sans pour autant la démentir clairement : « Tout ce qui circule sur les réseaux sociaux atteint un tel niveau de démence qu'il me fait peur. » Mais la rumeur est là, venimeuse, diffuse, invérifiable, et elle se murmure encore aujourd'hui au Vatican, y compris dans l'entourage proche du souverain pontife. Certains, dit-on, sont déjà tentés de la relancer et continuent d'attendre le moment idéal pour la remettre au goût du jour.

---

1. Voir page 138 du présent ouvrage.

Épilogue

> *« Je punirai le monde pour sa malice, et les*
> *méchants pour leurs iniquités ; je ferai cesser*
> *l'orgueil des hautains, et j'abattrai l'arrogance*
> *des tyrans. »*

(Isaïe : 13,11)

La petite ville d'Obera, dans le nord-ouest de l'Argentine, au cœur de la province de Misiones, possède une particularité dont elle n'est pas peu fière. Le cardinal Bergoglio la voit comme un symbole de fraternité, la capitale du métissage. « On y trouve soixante lieux de culte, dont une minorité seulement est catholique. Les autres appartiennent à d'autres confessions : évangéliques, orthodoxes, juifs. Et ils vivent tous ensemble, harmonieusement[1] », rappelait-il à son vieil ami rabbin Abraham Skorka, le pli de l'admiration au coin des lèvres. Fort de ce modèle éprouvé, l'ancien archevêque de Buenos Aires, désormais assis sur le trône de saint Pierre, tente d'appliquer ce modèle interreligieux, parfois malgré de fortes réticences, à une échelle mondiale. En se rapprochant

---

1. Entretiens avec Abraham Skorka, *Sur la terre comme au ciel*, *op. cit.*, p. 140-141.

281

des juifs, des musulmans, et même des vieux frères ennemis protestants, lors d'un voyage en Suède en novembre 2016 à l'occasion des 500 ans de la Réforme. « On ne peut être catholique et sectaire, nous avons besoin de tendre à vivre avec les autres », répétait-il encore avant son départ vers Lund à la revue *La Civiltà Cattolica* de son ami Antonio Spadaro. Huit mois plus tôt, en février 2016, à Cuba, il avait déjà scellé un accord historique avec le patriarche Kirill, le plus puissant des responsables orthodoxes, réussissant là où tous ses prédécesseurs avaient échoué. Les choses seront « plus faciles dès à présent », lançait François, souriant, à l'issue de leur rencontre, à peine fatigué par son long voyage sous les tropiques. En mai 2014, à Jérusalem, il priait déjà dans le Saint-Sépulcre avec le patriarche Bartholomée, l'autre grande figure de l'orthodoxie. Et pourquoi pas, maintenant que les ponts sont rétablis, un voyage à Moscou ? Un pape sur la place Rouge, on imagine déjà les sarcasmes et les cris d'orfraie des irréductibles contempteurs de François… et peut-être, aussi, les menaces de quelques orthodoxes illuminés voyant l'antéchrist dans le pontife romain. Et bientôt un rapprochement avec la Chine ? « Si j'ai envie d'aller en Chine ? Bien sûr, demain[1] ! »

« Je suis fermement convaincu que l'Église est au seuil d'une ère nouvelle, tout comme il y a cinquante ans lorsque Jean XXIII a ouvert les fenêtres de l'Église pour laisser entrer un peu d'air frais », répète volontiers le cardinal Maradiaga. Cinq années avaient suffi au bon pape Jean pour rendre irréversible le mouvement de l'Église. Combien de temps faudra-t-il à François ? « J'estime qu'il a moins d'une chance sur deux de mener ses réformes à bien, lâche l'historien Odon

---

1. Propos tenus dans l'avion au retour de Corée du Sud, 18 août 2014.

Vallet, la réforme du concile de Trente au XVIᵉ siècle a duré dix-huit ans et a requis six papes[1]... »

« L'égoïsme est en fin de compte le pire ennemi du bonheur humain », aimait à répéter le journaliste André Frossard, auteur d'un best-seller qui avait marqué son époque, *Dieu existe, je l'ai rencontré*, grand ami et spécialiste de Jean-Paul II. Ce curseur, François tente chaque jour de le déplacer, tentant de proscrire les individualismes et les inégalités. Pour lui, on l'a vu tout au long de ce livre, les hommes et les femmes ne sont pas forcément dans les églises, ils sont dehors, et son pontificat restera assurément marqué par les ruptures de tous ordres, car à ses yeux, le dogme et les règles passent toujours après l'accueil offert à tous. Le rôle de l'Église, pour le souverain pontife argentin est « d'aller vers les gens, de connaître chacun par son nom. Non seulement parce que c'est sa mission, sortir pour annoncer l'Évangile, mais parce que ne pas le faire peut lui être dommageable. [...] Je préfère mille fois une Église accidentée plutôt qu'une Église malade. Une Église qui se contente d'administrer, de conserver son petit troupeau, est une Église qui, à la longue, devient malade. Le berger qui s'enferme n'est pas un véritable pasteur, mais un "peigneur" qui passe son temps à faire des frisettes au lieu d'aller chercher de nouvelles brebis[2] ». Il ne veut pas d'une Église rigide et sclérosée, repliée sur elle-même, mais il rêve d'un gros bol d'air pour tous. Il veut que les gens bougent intérieurement et il a réussi à séduire ceux qui, hier encore, raillaient le Vatican et son cortège de soutanes. « Je le trouve sublime, ce pape[3] », lâche par exemple un Charles Aznavour

---

1. *Le Journal du dimanche*, 23 décembre 2014.
2. Entretiens avec Francesca Ambrogetti et Sergio Rubín, *Je crois en l'homme, op. cit.*, p. 80-81.
3. Entretien avec l'auteur, Saint-Sulpice (Suisse), octobre 2014.

totalement sous le charme. « Je me demande bien sûr combien de temps il pourra tenir », s'interroge le pape émérite Benoît XVI, admiratif d'un tel dynamisme, néanmoins inquiet, « mais laissons cela entre les mains de Dieu[1]. »

Ni héros légendaire, ni surhomme. Mais lui laissera-t-on assez de force pour mener ses combats jusqu'au bout ? C'est là toute la question. Le plus bavard de tous les papes de l'Histoire a même, on l'a vu, évoqué sa mort ou sa possible renonciation : « Je sais que cela durera peu de temps, deux ou trois ans. Et puis, à la Maison du Père[2] ! » Mais donner le sentiment d'un pontificat plutôt court pourrait être aussi une belle stratégie de jésuite, un bon moyen de voir les paroles se libérer et d'identifier ses ennemis. Avec de tels propos, le pape « ne peut pas non plus avoir écarté le risque du joyeux retentissement de ses paroles souveraines auprès des anticléricaux traditionnels et surtout des activistes antichrétiens, de plus en plus zélés et nombreux », remarque finement l'historien Philippe Levillain[3]. « Les détracteurs parlent mal de moi ? Je le mérite, plaisante François lors de la conclusion du Jubilé de la miséricorde, parce que je suis un pécheur [...]. Je le mérite pour ce que [le détracteur] ne connaît pas. » Mais, ajoute-t-il, « flatter une personne pour un but, caché ou visible, pour obtenir quelque chose pour soi-même, c'est "indigne[4]". »

Et, du coup, s'alimentent les rumeurs d'une possible démission dans les mois ou les années à venir. Le pape pourrait alors s'en retourner chez lui, en Argentine, là où tout avait commencé, pour y vivre les derniers moments de sa vie

1. Benoît XVI, *Dernières Conversations*, *op. cit.*, p. 54.
2. Propos tenus dans l'avion au retour de la Corée du Sud, le 18 août 2014, réitérés sur la chaîne mexicaine Televisa le 6 mars 2015, mais les « deux ou trois ans » sont devenus « quatre ou cinq ans ».
3. *La Papauté foudroyée*, Tallandier, 2015, p. 210.
4. Entretien avec la chaîne italienne TV2000, 20 novembre 2016.

à l'intérieur de la petite pension pour prêtres retraités, dans son quartier de Flores, où une chambre lui était déjà réservée avant son élection à Rome. Il retrouverait sa sœur, ses neveux, ses vieux amis, et s'inclinerait sur la tombe de ceux qui sont partis. Et à sa mort, il pourrait être enseveli dans cette terre natale à laquelle il reste très attaché – cela avait d'ailleurs été évoqué un temps pour Jean-Paul II le Polonais, mais il est mort à Rome... Une sépulture qui deviendrait assurément un véritable lieu de culte, sa canonisation ne faisant plus guère de doute le moment venu – déjà fleurissent, en Argentine, les récits de miracles qui auraient été accomplis par lui. « La mort transforme la vie en destin », disait Malraux.

D'autres martèlent, au contraire, que *padre* Jorge a pris goût à « faire le pape » et qu'il ira jusqu'au terme de sa mission, disparaissant les armes à la main, si l'on ose dire, en vrai combattant des injustices de la vie.

Alors, partira-t-il comme Jean-Paul II ou comme Benoît XVI ? Il le fera sans aucun doute à sa manière à lui, imprévisible, surprenante, marquante. « Il devrait se ménager, il en fait trop, il ne se repose jamais », soupire parfois son entourage. « Il a une énergie qui ne cesse de m'étonner », insiste de son côté le cardinal Maradiaga. « Depuis quelques jours, j'ai dans la tête un mot qui a l'air vilain : "la vieillesse". Elle fait peur [...] mais la vieillesse est signe de sagesse », déclare-t-il le jour de son quatre-vingtième anniversaire, aspirant à une vieillesse « tranquille », « féconde » et « joyeuse »[1].

Mais déjà, s'installe le bal des intrigues et des prétendants à l'intérieur du Vatican, même si tout est évidemment exprimé à mots couverts. Les appétits s'aiguisent. Prévoyant, ayant toujours un coup d'avance, le pape François a presque

---

1. Dépêche AFP, 17 décembre 2016.

totalement redessiné, en quatre ans de règne, la géopolitique du Sacré-Collège, sans qu'on y prête vraiment attention. Si un conclave devait avoir lieu demain, à mesure que le nombre de cardinaux de 80 ans perdant leur droit de vote est atteint, les cardinaux « actifs » élus par Jean-Paul II (encore 21 électeurs) puis par Benoît XVI (56) sont d'ores et déjà minorisés : le 1er janvier 2017, 44 des 120 cardinaux-électeurs ont été choisis par le François l'Argentin... Et qui dit que les autres n'ont pas été touchés par ses appels à la conversion à l'écoute de son sévère et fameux discours des « quinze maladies » ?

Renouveler en partie le collège de ceux qui éliront ses successeurs permet à François de préparer un héritage virtuel et de peser à l'avenir, garantissant une certaine continuité après lui. Ses « poulains » sauront-ils influer sur l'Église, auront-ils un poids lors des prochains conclaves ?

Très probablement : en bon jésuite, le pape Bergoglio a pris soin de choisir les personnes en fonction de leurs qualités, non de leur origine ou de leur fonction. Il ne s'est pas laissé lier par les usages et les traditions, ni par une logique de quotas géographiques ou autres. Nommer des cardinaux très jeunes, comme il l'a fait, est aussi une manière de se prémunir contre l'oubli et d'inspirer de futurs papes. Grâce à de tels témoins du pontificat actuel, on parlera de lui encore longtemps, fidèlement, dans vingt ou trente ans, au sein de la Curie et dans les futurs conclaves.

D'ailleurs, dans l'hypothèse où un conclave devrait se dérouler demain à Rome, on peut parier que l'identité du futur successeur de saint Pierre se trouverait parmi les noms suivants : Pietro Parolin, le puissant et très respecté secrétaire d'État, serait assurément le grand favori. Avec, en outsiders sérieux, Seán O'Malley, le capucin en sandales, Luis Tagle, le brillant cardinal philippin surnommé le « Wojtyla de l'Asie », Oscar Maradiaga, le fameux Hondurien proche du pape argentin, Christoph Schönborn, l'archevêque dominicain de Vienne toujours dans la course.

Sans oublier, si le Sacré-Collège pensait que le tour de l'Afrique est enfin arrivé, le nouveau venu et benjamin des cardinaux, Dieudonné Nzapalainga, même si l'archevêque de Bangui, jésuite et premier cardinal de l'histoire de la République centrafricaine, reste encore un illustre inconnu. Voudra-t-on prendre le risque d'un pontificat appelé à durer plusieurs décennies avec un *young pope* ? L'archevêque de Bangui a le temps d'y penser et il possède un boulevard devant lui : le plus jeune des cardinaux électeurs, qui fêtera ses 50 ans le 14 mai 2017, pourra participer à de futurs conclaves jusqu'en 2047 ! Le pape François l'a rencontré lors du Synode de 2014, puis en Centrafrique à la fin de 2015. Ce fut sans doute le plus dangereux des voyages pontificaux, à en croire les confidences de responsables de la sécurité du Saint-Père. Ce très modeste prélat, issu d'une famille très pauvre, a étudié un temps à Paris et il vit aujourd'hui sur les bords du fleuve Oubangui, dans un « palais épiscopal » qui ressemble à une modeste cure de campagne. Un personnage très bergoglien !

Si le premier pape noir de l'Histoire devait être élu après François, ce pourrait donc être lui, brûlant la politesse au médiatique et très conservateur cardinal guinéen Robert Sarah, préfet de la Congrégation pour le culte divin et la discipline des sacrements, qui semble de plus en plus y penser sans rien en laisser paraître, et se maintient dans ce rôle. Mais évidemment, à 72 ans bientôt, le temps ne joue pas forcément en sa faveur, ni son positionnement que l'on range volontiers parmi les opposants feutrés à François. Pas de quoi désespérer, pourtant : la mécanique électorale vaticane veut qu'une santé médiocre ou bien un âge avancé soit parfois un argument électoral, gage d'un pontificat bref et donc d'un renouvellement moins espacé dans le temps...

Le 11 novembre 2016, à Rome, dans la gigantesque salle Paul VI, les murs du plus petit État au monde semblent ne toujours pas en revenir. Ce jour-là, près de 4 000 blessés de la vie, venus de vingt-deux pays, sont réunis à l'occasion du Jubilé de la miséricorde. Parmi eux, 1 200 sans-abri français, venus avec le cardinal et primat des Gaules Philippe Barbarin. Le pape est là, bien sûr, au milieu de tous ces exclus et compagnons d'infortune. Il observe les visages et prend la parole : « Nous ne sommes pas différents des grands de ce monde, nous allons de l'avant avec nos passions et nos rêves. Certaines des passions nous font souffrir, mais d'autres passions nous font rêver. »

Alors, le discours se fait plus ferme, comme toujours, à sa manière : « Je sais que vous avez rencontré des gens qui voulaient exploiter votre pauvreté, mais que ce sentiment de dignité vous a sauvés de l'esclavage. L'esclavage n'est pas dans l'Évangile, sinon pour s'en libérer. » Comme un slogan, il répète, sous les applaudissements : « Pauvres, oui – esclaves, non. » Puis il se réfère au témoignage d'un des exclus qu'il vient d'entendre, dont il a noté quelques mots, qu'il citera en français. François déclare, comme électrisé : « Nous avons besoin de paix dans le monde, nous avons besoin de paix dans l'Église et dans les autres religions. Les religions aident à faire grandir la paix. [...] Je vous remercie d'être venus me visiter et je vous demande pardon si parfois je vous ai offensés par mes paroles, si certains n'ont pas compris l'Évangile qui met la pauvreté au centre. Je vous demande pardon quand des chrétiens tournent le regard de l'autre côté en rencontrant un pauvre [...] C'est un symptôme de sclérose spirituelle lorsque l'intérêt se concentre sur les choses à produire plutôt que sur les personnes à aimer. Ainsi naît la contradiction tragique de nos temps : plus augmentent le progrès et les possibilités, ce qui est un bien, plus il y a de gens qui ne peuvent pas y accéder. C'est une grande injustice qui doit nous préoccuper, beaucoup plus que de savoir quand et comment il y aura la fin du monde. En effet, on ne peut pas rester tranquille chez soi tandis que Lazare se trouve à la porte ; il n'y a pas de paix chez celui qui vit bien, lorsque manque la justice dans la maison de tout le monde. »

François, semblant faire fi du protocole et du programme, entame alors une prière, entouré de SDF qui, avec un amour infini, l'entourent, le touchent, l'enlacent dans une communion profonde qui paraît jusqu'à troubler un instant Mgr Gänswein, préfet de la maison pontificale, le visage désemparé. Comme la répétition, en plus intense encore, des tout premiers instants du pontificat lorsque, le 13 mars 2013, le pape argentin avait demandé au peuple massé à ses pieds de prier pour que Dieu le bénisse. Cette fois, ce sont les plus pauvres parmi les pauvres, ceux auxquels il vient de demander pardon quelques secondes plus tôt, qui accomplissent cette démarche divine.

Sous les voûtes de la vaste salle édifiée par le célèbre ingénieur et architecte italien Pier Luigi Nervi, une chanson inattendue, surprenante, va tout à coup bousculer encore les usages et les traditions : sur un petit fond aigrelet d'accordéon, *L'Auvergnat*, de Georges Brassens, est entonnée par la chorale des sans-abri français ! « *Elle est à toi cette chanson / toi l'Auvergnat qui sans façon / m'a donné quatre bouts de bois / quand dans ma vie il faisait froid... Toi qui m'as donné du feu quand / les croquantes et les croquants / tous les gens bien intentionnés / m'avaient fermé la porte au nez* »... Un titre immortel qui est aussi le requiem des SDF, chanté lors de chaque mise en terre de l'un des leurs. Une chanson que Brassens dira avoir écrite en quelques heures, « imposée par la nécessité[1] ». Brassens, le vieil anticlérical qui bouffait du curé, chanté devant le pape !

Un frisson parcourt toute l'assistance. « C'était un moment extraordinaire, j'en avais les larmes aux yeux, et je n'étais de loin pas le seul. C'était peut-être le sommet, le cœur du Jubilé de la miséricorde tel que voulu par le pape », livre en confidence Pierre-Yves Fux[2], ambassadeur de Suisse près le Saint-Siège, seul diplomate qui avait pris la peine de se déplacer ce jour-là, alors que rien ne l'y obligeait. « *Toi l'Auvergnat quand tu mourras / quand le croque-mort t'emportera / qu'il te conduise à travers ciel / au Père éternel...* »

L'horloge du pontificat tourne. Mais le bilan du pontife de 80 ans, cinquième du dernier classement *Forbes* des personnalités les plus puissantes du monde, est d'ores et déjà assez étonnant : en dehors du dialogue qu'il a instauré habilement avec les autres religions, il est devenu aussi un leader mondial, un homme de paix, éternel candidat malgré lui au prix Nobel, exigeant et appelant sans relâche « que cesse le fracas des armes », en Syrie, en Irak, au Nigeria, au Sud-Soudan, au Congo, ou au Mexique dans la guerre des cartels de la drogue... « Malheureusement, les nombreux conflits armés actuels qui continuent d'affecter le monde nous offrent quotidiennement des images spectaculaires de misère, de famine, de maladie et de mort », écrivait-il au président russe Vladimir Poutine, avant le G20 à Saint-Pétersbourg en septembre 2013, prônant plus que jamais une issue par le dialogue. « Sans la paix, il ne peut y avoir aucune forme de développement économique. La violence n'engendre jamais

---

1. « L'histoire secrète de la chanson pour l'Auvergnat », *Le Figaro*, 29 octobre 2016.
2. Entretien avec l'auteur, Rome, novembre 2016.

la paix, condition nécessaire au développement. » L'intervention américano-française prévue alors en Syrie en représailles contre le régime de Bachar al-Assad n'aura pas lieu. Les mots, pour une fois, furent plus forts que les armes. Mais aussi la prière et même le jeûne, auquel plus d'une fois il appelle les fidèles dans des situations dramatiques. François prie aussi comme il respire.

« Je ne suis pas Tarzan », relativisera François face à la foule venue l'écouter le 4 juillet 2013, en Sardaigne. Mais au fond, quelle image ce pape, qui est aussi cet homme qui aime se mettre en danger, voudra-t-il que l'on conserve de lui quand il tournera définitivement les talons ? Celle « d'un brave homme qui a cherché à faire le bien, a-t-il répondu un jour, je ne demande rien d'autre[1] ».

La glace est brisée : François a déjà laissé une forme de testament moral dans ses sévères critiques contre l'Église, dans ses combats pour la paix dans le monde, sa dénonciation de l'économie qui tue, de la corruption, des inégalités sociales… « Des pontificats comme le vôtre, il y en a peu, lui avouera, admiratif, le vieux journaliste italien Eugenio Scalfari, d'ailleurs vous avez passablement d'adversaires dans votre Église »… « Je ne dirai pas adversaires, la foi nous unifie tous, répondra prudemment le pape, mais naturellement, chacun de nous individualise et voit les mêmes choses d'une manière différente : objectivement, le cadre est le même, mais subjectivement, il est différent[2]. »

À des milliers de kilomètres de là, dans son bureau de Buenos Aires, le vieux prêtre défroqué Mariano Castex

1. Entretien avec *La Voz del Pueblo*, Tres Arroyos (Argentine), 21 mai 2015.
2. Entretien avec *La Repubblica*, Rome, 11 novembre 2016.

s'amuse de nos questions quand on l'interroge sur sa vision du pontificat de son ancien camarade de la Compagnie de Jésus : « Il tourne en rond, il prend beaucoup de chemins, il n'a pas de ligne. Il représente finalement la formation que nous avons reçue chez les jésuites : il dénonce, il dénonce, mais au fond, il n'a pas de solution[1] », analyse-t-il cruellement. Un électron libre ? Castex paraphrase le père Arrupe, l'ancien « pape noir », qui aurait déclaré un jour devant lui : « Je ne sais pas où je vais, je ne sais pas où va l'Église, mais j'y vais »…

Il y a sans doute chez François, pape prophétique, un peu de cela, une volonté très marquée de s'en remettre à la Providence qui le guide : « Aide-toi, le Ciel t'aidera ». Étonnamment aussi, cet homme qui maîtrise les médias à la perfection, de manière presque intuitive et innée, aime aussi s'afficher dans la banalité la plus extrême, au contraire de ses prédécesseurs. Sans craindre l'interprétation qui puisse en être faite : celle d'un homme solitaire marchant en souverain isolé, comme abandonné par les siens. En direction de Sainte-Marthe, vers la salle du Synode, dans les couloirs du Vatican, montant et descendant toujours seul la passerelle de l'avion qui le mène dans les périphéries aux quatre coins du monde. Comme une image subliminale qu'il imprime en nous, donnant finalement peut-être à voir le reflet le plus intime de son étonnante histoire : celle d'un pape fragile cheminant seul vers son destin. Seul, mais au croisement des chemins de chacun d'entre nous.

Seul, envers et contre tous.

---

1. Entretien avec l'auteur, Buenos Aires, août 2016.

Bibliographie sélective

BÉDAT Arnaud, *François l'Argentin, le pape intime raconté par ses proches*, Paris, Pygmalion, 2014.

BENOÎT XVI, *Dernières conversations*, Entretiens avec Peter Seewald, Paris, Fayard, 2016.

BERGOGLIO Jorge Mario, et SKORKA Abraham, *Sur la terre comme au ciel*, Paris, Robert Laffont, 2013.

BERGOGLIO Jorge Mario, *Je crois en l'homme*, Conversations avec Francesca Ambrogetti et Sergio Rubín, Paris, Flammarion, 2013.

— *Nuestra fe es revolucionaria*. Investigación y compilación de textos, Virginia Bonard, Buenos Aires, Editorial Planeta, 2013.

— *Réflexions sur l'espérance*, Paris, Parole et Silence, 2013.

CARRIERO Antonio, *Il Vocabolario di papa Francesco*, Turin, Eldici, 2015.

CHARENTENAY Pierre (de), *Paul VI inspirateur du pape François*, Paris, Editions Salvator, 2015.

Dictionnaire du Vatican, (Sous la direction de) Christophe Dickès, Paris, Robert Laffont, coll. « Bouquins », 2013.

DUHAMEL Marie, *Pape François*. Paris, Éditions Mame, 2015.

FARES Diego, *Papa Francisco, la cultura del encuentro*, Buenos Aires, Edhasa, 2014.

Pape François, *Parlons ! Entretiens avec des journalistes*, Paris, Parole et Silence, 2015.

— *Paroles en liberté*, Préface de Caroline Pigozzi, Introduction de Giovanni Maria Vian, Paris, Plon, 2016.

FUX Pierre-Yves, *La Main tendue – Jean-Paul II en Terre Sainte*, Paris, Éditions de l'Œuvre, 2011.

GUÉNOIS Jean-Marie, *Jusqu'où ira François ?* Paris, Lattès, 2014.

KERVIEL Jérôme, *J'aurais pu passer à côté de ma vie*, Paris, Presses de la Renaissance, 2016.

HIMITIAN Evangelina, *Francisco, el papa de la Gente*, Buenos Aires, Editorial Aguila, 2013.

HUREL Odon, *Ce qu'en pense le pape, 2000 ans de parole pontificale*, Paris, La Librairie Vuibert, 2016.

LECOMTE Bernard, *Dictionnaire amoureux des papes*, Paris, Plon, 2016.

LONDRES Albert, *Le Chemin de Buenos Aires*, Paris, Albin Michel, 1927.

PIQUÉ Elisabetta, *Francisco, Vida y Revolución*, Buenos Aires, Editorial El Ateneo, 2013.

POLITI Marco, *François parmi les loups*, Paris, Philippe Rey, 2015.

RIVA Virginie, *Ce pape qui dérange*, Paris, Éditions de l'Atelier, 2017.

SCAVO Nello, *La Liste de Bergoglio*, Paris, Bayard, 2014.

SCANNONE Juan Carlos, *Le Pape du peuple*, Paris, Éditions du Cerf, 2015.

SENÈZE Nicolas, *Les Mots du pape*, Paris, Bayard, 2016.

TORNIELLI Andreas, *François le pape des pauvres*, Paris, Bayard, 2013.

LA VAISSIÈRE, Jean-Louis (de), *Le pape François, un combat pour la joie*, Paris, Le Passeur, 2016.

Remerciements

Une enquête sur le pape François est un océan qui submerge et engloutit parfois, mais naviguer avec lui depuis maintenant près de quatre ans est une traversée passionnante, physique et terriblement instructive.

Ils sont innombrables, tous ceux qui m'ont aidé dans mon inlassable quête, m'aidant à reconstituer les fils essentiels d'une vie singulière. Merci tout d'abord bien sûr au pape François lui-même. Avoir pu échanger à plusieurs occasions avec lui constitue non seulement d'inoubliables moments à jamais gravés dans la mémoire mais également des clés essentielles pour mieux comprendre non seulement la personnalité qu'il représente mais pour saisir aussi l'homme dans ses nuances et sa complexité. *¡ Gracias, Santo Padre !*

En Argentine, les amis, les proches, les connaissances ou les simples témoins de l'entourage du pape ont accepté de me rencontrer très longuement, parfois à plusieurs reprises, répondant patiemment à mes nombreuses questions. Merci donc de tout cœur à María Elena Bergoglio, Jorge Bergoglio, José Ignacio Bergoglio, feu Alicia Oliveira, Federico Wals, Mariano Castex, Abraham Skorka, Graziella Fernández Meijida, Lucia Cardillo, Silvia Tuozzo, Julio Rimoldi, Sergio

Rubín, Lucas Schaerer, Olga Cruz, Nancy Mino Velázquez, Rafael et Marta Mussolino, Guillermo Karcher, Marco Gallo, feu Patricio Feune de Colombi, Juan Grabois, Oscar Lucchini, Juan Martin Guevara, Daniel Vega, Padre César, Padre Toto, Gustavo Vera, Vicente Perrone, Dr Liu Ming, Daniele Del Regno, Mario Sariche, Carlos Samaria, Adrian Pallarols, feue Clelia Luro de Podesta, sans oublier mon inséparable compagnon de route argentin, Esteban Feune de Colombi.

Un grand merci aussi, en Suisse, en France et au Vatican, à ceux qui m'ont aidé, de près ou de loin, d'une manière ou d'une autre, dans mes démarches et mon travail. J'ai également une dette de reconnaissance infinie envers Charles Aznavour, Alessandra Benedetti, Jacob Berger, Matteo Bruni, Greg Burke, Nadine Crausaz, Mélanie Croubalian, Valérie Dupont, Philippe Dutoit, Garou, Jean-Jacques Gauer, Andreas Gross, Robert Habel, Olivier Kohler, Antoine-Marie Izoard, Michel Jeanneret, Jérôme Kerviel, André Kolly, David Koubbi, Duarte Lévy, le père Federico Lombardi, Marcel Meyer, Bernard Moret, Olivier O'Mahony, Laurent Passer, Daniel Pillard, Jean-Jacques Pedretti, Pierre Pistoletti, Jean Revillard, William Reymond, l'abbé Dominique Rimaz, Virginie Riva, Darius Rochebin, Robert Siegenthaler, Vincent Solari, Pascal Tissier, Igor Ustinov, Jean-Louis de La Vaissière, Olivier Vallat, Cyprien Viet, Jacques Worni, Jean Ziegler et Caroline Zingg. Sans oublier tous ces visages qui se reconnaîtront, restés dans l'ombre et le nécessaire anonymat, que je remercie de leur discrète confiance et de leurs confidences.

Chez Flammarion, j'ai bénéficié d'un soutien constant et d'une bienveillance rare de Thierry Billard, directeur éditorial, qu'il faut saluer et sanctifier ! Merci aussi à mon attachée de presse, qui a cru en ce livre, Anne Blondat.

Remerciements

Tendresse et gratitude infinie à Jacqueline et à Oona, pour lesquelles j'ai été trop souvent « présent, quoiqu'absent », comme dirait Blaise Cendrars.

Enfin, pour les lecteurs qui souhaitent établir un contact avec moi ou poursuivre le dialogue entamé ici avec *François, seul contre tous*, ils peuvent me retrouver sur Facebook (facebook.com/arnaud.bedat) ou sur ma page Twitter (twitter.com/ArnaudBedat).

Annexes

Premiers propos tenus par le pape François
aux cardinaux qui l'ont élu

Chapelle Sixtine
14 mars 2013

Dans ces trois lectures je vois qu'il y a quelque chose de commun : c'est le mouvement. Dans la première lecture le mouvement sur le chemin ; dans la deuxième lecture, le mouvement dans l'édification de l'Église ; dans la troisième, dans l'Évangile, le mouvement dans la confession. Marcher, édifier, confesser.

Marcher. « Maison de Jacob, allons, marchons à la lumière du Seigneur » (*Is* 2, 5). C'est la première chose que Dieu a dite à Abraham : Marche en ma présence et sois irrépréhensible. Marcher : notre vie est une marche et quand nous nous arrêtons, cela ne va plus. Marcher toujours, en présence du Seigneur, à la lumière du Seigneur, cherchant à vivre avec cette irréprochabilité que Dieu demandait à Abraham, dans sa promesse.

Édifier. Édifier l'Église. On parle de pierres : les pierres ont une consistance ; mais des pierres vivantes, des pierres ointes par l'Esprit Saint. Édifier l'Église, l'Épouse du Christ, sur cette pierre angulaire qui est le Seigneur lui-même. Voici un autre mouvement de notre vie : édifier.

Troisièmement, confesser. Nous pouvons marcher comme nous voulons, nous pouvons édifier de nombreuses choses, mais si nous ne confessons pas Jésus Christ, cela ne va pas. Nous deviendrons une ONG humanitaire[1], mais non l'Église, Épouse du Seigneur. Quand on ne marche pas, on s'arrête. Quand on n'édifie pas sur les pierres qu'est ce qui arrive ? Il arrive ce qui arrive aux enfants sur la plage quand ils font des châteaux de sable, tout s'écroule, c'est sans consistance. Quand on ne confesse pas Jésus Christ, me vient la phrase de Léon Bloy : « Celui qui ne prie pas le Seigneur, prie le diable[2]. » Quand on ne confesse pas Jésus Christ, on confesse la mondanité du diable, la mondanité du démon.

Marcher, édifier-construire, confesser. Mais la chose n'est pas si facile, parce que dans le fait de marcher, de construire, de confesser, bien des fois il y a des secousses, il y a des mouvements qui ne sont pas exactement des mouvements de la marche : ce sont des mouvements qui nous tirent en arrière.

Cet Évangile poursuit avec une situation spéciale. Le même Pierre qui a confessé Jésus Christ lui dit : Tu es le Christ, le Fils du Dieu vivant. Je te suis, mais ne parlons pas de Croix. Cela n'a rien à voir. Je te suis avec d'autres possibilités, sans la Croix ; Quand nous marchons sans la Croix, quand

---

1. « ONG pietosa », en italien, que certains ont traduit par « piteuse », d'autres par « pieuse ». Le Vatican a préféré, dans sa version officielle, remplacer ce mot par l'adjectif « humanitaire » qui n'avait en fait pas été prononcé par le pape François ce jour-là.
2. Une phrase qui semble extraite du fameux *Journal* de Léon Bloy, un auteur pour lequel l'Amérique latine nourrit un véritable culte (il a notamment une rue à son nom dans le grand Buenos Aires), ainsi que l'avait déjà constaté Georges Bernanos lors d'un voyage au Brésil et en Argentine en 1938, et qui écrira peu après : « Léon Bloy a été le prophète des pauvres, des vrais pauvres, des derniers survivants de l'ancienne chré-tienté des pauvres. (...) Je me demande si Léon Bloy n'a pas été le dernier prophète du peuple des pauvres. » (Dans *L'amitié de Léon Bloy*, 1947.)

nous édifions sans la Croix et quand nous confessons un Christ sans Croix, nous ne sommes pas disciples du Seigneur : nous sommes mondains, nous sommes des Évêques, des Prêtres, des Cardinaux, des Papes, mais pas des disciples du Seigneur.

Je voudrais que tous, après ces jours de grâce, nous ayons le courage, vraiment le courage, de marcher en présence du Seigneur, avec la Croix du Seigneur ; d'édifier l'Église sur le sang du Seigneur, qui est versé sur la Croix ; et de confesser l'unique gloire : le Christ crucifié. Et ainsi l'Église ira de l'avant.

Je souhaite à nous tous que l'Esprit-Saint, par la prière de la Vierge, notre Mère, nous accorde cette grâce : marcher, édifier, confesser Jésus Christ crucifié. Qu'il en soit ainsi !

Discours des « quinze maladies »
de la Curie romaine

Salle Clémentine
22 décembre 2014

> « *Tu es au-dessus des chérubins, toi qui as changé la misérable condition du monde quand tu t'es fait comme nous.* »

(Saint Athanase)

Chers frères,

Au terme de l'Avent, nous nous rencontrons pour les vœux traditionnels. Dans quelques jours, nous aurons la joie de célébrer Noël ; l'événement de Dieu qui se fait homme pour sauver les hommes ; la manifestation de l'amour de Dieu qui ne se limite pas à nous donner quelque chose ou à nous envoyer quelque message ou tels messagers mais qui se donne lui-même à nous ; le mystère de Dieu qui prend sur lui notre condition humaine et nos péchés pour nous révéler sa Vie divine, sa grâce immense et son pardon gratuit. C'est le rendez-vous avec Dieu qui naît dans la pauvreté de la grotte de Bethléem pour nous enseigner la puissance de l'humilité. En effet, Noël est aussi la fête de la lumière qui n'est pas accueillie par les « élus » mais par les pauvres et les simples qui attendaient le salut du Seigneur.

Avant tout, je voudrais souhaiter à tous – collaborateurs, frères et sœurs, Représentants pontificaux dispersés dans le monde entier – et à tous ceux qui vous sont chers, une sainte fête de Noël et une heureuse Nouvelle Année. Je désire vous remercier cordialement, pour votre engagement quotidien au service du Saint-Siège, de l'Église catholique, des Églises particulières et du Successeur de Pierre.

Puisque nous sommes des personnes et non des numéros ou de simples dénominations, je voudrais faire mémoire d'une façon particulière de ceux qui, durant cette année, ont terminé leur service à cause de la limite d'âge ou pour avoir assumé d'autres rôles, où parce qu'ils ont été rappelés à la Maison du Père. À eux tous et à leurs proches vont aussi ma pensée et ma reconnaissance.

Je désire avec vous élever vers le Seigneur un vif et sincère remerciement pour l'année qui s'achève, pour les événements vécus et pour tout le bien qu'il a voulu accomplir généreusement à travers le service du Saint-Siège, lui demandant humblement pardon pour les fautes commises « en pensées, en paroles, par action et par omission ».

Et, en partant justement de cette demande de pardon, je voudrais que notre rencontre et les réflexions que je vais partager avec vous deviennent, pour nous tous, un soutien et un stimulant pour un véritable examen de conscience afin de préparer notre cœur à la sainte fête de Noël.

En pensant à notre rencontre, l'image de l'Église comme Corps mystique de Jésus Christ m'est venue à l'esprit. Comme l'a expliqué le Pape Pie XII, c'est une expression, qui « découle, qui fleurit pour ainsi dire, de ce que nous exposent fréquemment les Saintes Écritures et les écrits des saints Pères ». À ce sujet, saint Paul écrit : « De même, en effet, que le corps est un tout en ayant plusieurs membres et que tous les membres du corps en dépit de leur pluralité ne forment qu'un seul corps, ainsi en est-il du Christ » (1 Co 12, 12).

En ce sens, le Concile Vatican II nous rappelle que « dans l'édification du Corps du Christ règne également une diversité de membres et de fonctions. Unique est l'Esprit qui distribue des dons variés pour le bien de l'Église à la mesure de ses richesses et des exigences des services (cf.1 Co12, 11) ». Par conséquent, « le Christ et l'Église c'est donc le "Christ total" – *Christus totus*. L'Église est une avec le Christ ».

Il est beau de penser à la Curie Romaine comme à un petit modèle de l'Église, c'est-à-dire comme à un « corps » qui cherche sérieusement et quotidiennement à être plus vivant, plus sain, plus harmonieux et plus uni en lui-même et avec le Christ.

En réalité, la Curie Romaine est un corps complexe, composé de beaucoup de Dicastères, de Conseils, de Bureaux, de Tribunaux, de Commissions et de nombreux éléments qui n'ont pas tous la même tâche, mais qui sont coordonnés pour un fonctionnement efficace, constructeur, discipliné et exemplaire, malgré les différences culturelles, linguistiques et nationales de ses membres.

Donc, la Curie étant un corps dynamique, elle ne peut vivre sans se nourrir ni se soigner. De fait, la Curie – comme l'Église – ne peut vivre sans avoir un rapport vital, personnel, authentique et solide avec le Christ. Un membre de la Curie qui ne se nourrit pas quotidiennement de cet Aliment deviendra un bureaucrate (un formaliste, un fonctionnaire, un simple employé) : un sarment qui se dessèche, meurt peu à peu et est jeté au loin. La prière quotidienne, la participation assidue aux Sacrements, en particulier à l'Eucharistie et à la réconciliation, le contact quotidien avec la Parole de Dieu et la spiritualité traduite en charité vécue sont pour chacun de nous l'aliment vital. Qu'il soit clair pour nous tous, que, sans lui, nous ne pouvons rien faire (cf. Jn 15, 8).

Par conséquent, la relation vivante avec Dieu nourrit et renforce aussi la communion avec les autres, c'est-à-dire que plus nous sommes intimement unis à Dieu, plus nous sommes unis entre nous parce que l'Esprit de Dieu unit et l'esprit du malin divise.

La Curie est appelée à s'améliorer, à s'améliorer toujours, et à croître en communion, sainteté et sagesse pour réaliser pleinement sa mission. Cependant, comme tout corps, comme tout corps humain, elle est exposée aussi aux maladies, aux dysfonctionnements, à l'infirmité. Et je voudrais ici mentionner certaines de ces probables maladies, des maladies curiales. Ce sont les maladies les plus habituelles dans notre vie de Curie. Ce sont des maladies et des tentations qui affaiblissent notre service du Seigneur. Je crois que le « catalogue » de ces maladies dont nous parlons aujourd'hui – à l'instar des Pères du désert, qui faisaient de tels catalogues – nous aidera : il nous aidera à nous préparer au sacrement de la Réconciliation, qui sera pour nous tous une belle étape pour nous préparer à Noël.

1. La maladie de se sentir « immortel », « à l'abri » et même « indispensable », outrepassant les contrôles nécessaires ou habituels. Une Curie qui ne s'autocritique pas, qui ne se met pas à jour, qui ne cherche pas à s'améliorer est un corps infirme. Une simple visite au cimetière pourrait nous permettre de voir les noms de nombreuses personnes, dont certaines pensaient être immortelles, à l'abri et indispensables ! C'est la maladie du riche insensé de l'Évangile qui pensait vivre éternellement (cf. Lc 12, 13-21) et aussi de ceux qui se transforment en patrons et se sentent supérieurs à tous et non au service de tous. Elle dérive souvent de la pathologie du pouvoir, du « complexe des élus », du narcissisme qui regarde passionnément sa propre image et ne voit pas l'image

de Dieu imprimée sur le visage des autres, spécialement des plus faibles et des plus nécessiteux. L'antidote à cette épidémie est la grâce de nous sentir pécheurs et de dire de tout cœur : « Nous sommes de simples serviteurs ; nous avons fait ce que nous devions faire » (Lc 17, 10).

2. Une autre : la maladie du « marthalisme » (qui vient de Marthe), d'une activité excessive ; ou de ceux qui se noient dans le travail et qui négligent, inévitablement « la meilleure part » : le fait de s'asseoir aux pieds de Jésus (cf. Lc 10, 38-42). C'est pourquoi Jésus a appelé ses disciples à « se reposer un peu » (cf. Mc 6, 31), car négliger le repos nécessaire conduit au stress et à l'agitation. Le temps du repos, pour celui qui a accompli sa mission, est nécessaire, juste et doit être vécu sérieusement : en passant un peu de temps avec la famille et en respectant les vacances comme moments de ressourcement spirituel et physique ; nous devons apprendre ce qu'enseignait le Qohéleth qu'« il y a un temps pour tout » (3,1-15).

3. Il y a aussi la maladie de la « pétrification » mentale et spirituelle : de ceux qui ont un cœur de pierre et une « nuque raide » (Ac 7, 51-60) ; de ceux qui, chemin faisant, perdent la sérénité intérieure, la vitalité et l'audace, et qui se cachent sous les papiers devenant « des machines à dossiers » et non plus des « hommes de Dieu » (cf. Hb 3, 12). Il est dangereux de perdre la sensibilité humaine nécessaire pour nous faire pleurer avec ceux qui pleurent et nous réjouir avec ceux qui se réjouissent ! C'est la maladie de ceux qui perdent « les sentiments de Jésus » (cf. Ph 2, 5-11) parce que leur cœur, au fil du temps, s'endurcit et devient incapable d'aimer sans condition le Père et le prochain (cf Mt 22, 34-40). Être chrétien, en effet, signifie avoir « les mêmes sentiments qui sont dans le Christ Jésus » (Ph 2, 5), sentiments d'humilité et de don de soi, de détachement et de générosité.

4. La maladie de la planification excessive et du « fonctionnarisme ». Quand l'apôtre planifie tout minutieusement et

croit que les choses progressent effectivement en faisant une parfaite planification, se transformant ainsi en expert-comptable ou en fiscaliste. Il est nécessaire de tout bien préparer, mais sans jamais tomber dans la tentation de vouloir enfermer et piloter la liberté de l'Esprit Saint, qui reste toujours plus grande, plus généreuse que toute planification humaine. On tombe dans cette maladie, car « il est toujours plus facile et plus commode de se caler dans ses propres positions statiques et inchangées. En réalité, l'Église se montre aussi fidèle à l'Esprit-Saint dans la mesure où elle n'a pas la prétention de le régler ni de le domestiquer – domestiquer l'Esprit-Saint ! –... Il est fraîcheur, imagination, nouveauté » (cf. Jn 3, 8).

5. La maladie de la mauvaise coordination. Quand les membres perdent la communion entre eux et que le corps perd son fonctionnement harmonieux et sa tempérance, devenant un orchestre qui produit du vacarme parce que ses membres ne collaborent pas et ne vivent pas l'esprit de communion et d'équipe. Quand le pied dit au bras : « je n'ai pas besoin de toi », ou la main à la tête : « c'est moi qui commande », causant ainsi embarras et scandales.

6. Il y a aussi la maladie « d'Alzheimer spirituel » : ou l'oubli de l'histoire du salut, de l'histoire personnelle avec le Seigneur, du « premier amour » (Ap 2, 4). Il s'agit du déclin progressif des facultés spirituelles qui, sur un plus ou moins long intervalle de temps, produit de graves handicaps chez la personne, la rendant incapable d'exécuter une activité autonome, vivant un état d'absolue dépendance de ses vues souvent imaginaires. Nous le voyons chez ceux qui ont perdu la mémoire de leur rencontre avec le Seigneur ; chez ceux qui ont perdu le sens deutéronomique[1] de la vie ;

---

1. Cette expression se réfère au livre biblique du Deutéronome, qui comprend les derniers discours de Moïse et retrace les souvenirs de la traversée du désert et l'enseignement moral et spirituel révélé aux Hébreux.

chez ceux qui dépendent complètement de leur présent, de leurs passions, caprices et manies ; chez ceux qui construisent autour d'eux des murs et des habitudes, devenant chaque jour plus esclaves des idoles qu'ils ont sculptées de leurs propres mains.

7. La maladie de la rivalité et de la vanité. Quand l'apparence, les couleurs des vêtements et les insignes de distinctions honorifiques deviennent l'objectif premier de la vie, oubliant les paroles de saint Paul : « N'accordez rien à l'esprit de parti, rien à la vaine gloire, mais que chacun par humilité estime les autres supérieurs à soi. Ne recherchez pas chacun vos propres intérêts, mais plutôt que chacun songe à ceux des autres » (Ph 2, 1-4). C'est la maladie qui nous porte à être des hommes et des femmes faux et à vivre un faux « mysticisme » et un faux « quiétisme ». Saint Paul lui-même les définit comme des « ennemis de la croix du Christ » parce qu'ils « mettent leur gloire dans leur honte et ils n'apprécient que les choses de la terre » (Ph 3, 19).

8. La maladie de la schizophrénie existentielle. C'est la maladie de ceux qui mènent une double vie, fruit de l'hypocrisie typique du médiocre et du vide spirituel progressif que diplômes et titres académiques ne peuvent combler. Une maladie qui frappe souvent ceux qui, abandonnant le service pastoral, se limitent aux tâches bureaucratiques, en perdant ainsi le contact avec la réalité, avec les personnes concrètes. Ils créent ainsi leur monde parallèle, où ils mettent de côté tout ce qu'ils enseignent sévèrement aux autres et où ils commencent à mener une vie cachée et souvent dissolue. La conversion est plutôt urgente et indispensable pour cette maladie très grave (cf. Lc 15, 11-32).

9. La maladie du bavardage, du murmure et du commérage. J'ai déjà parlé de cette maladie de nombreuses fois mais jamais assez. C'est une maladie grave, qui commence simplement, peut-être seulement par un peu de bavardage, et

s'empare de la personne en la transformant en « semeur de zizanie » (comme Satan), et dans beaucoup de cas en « homicide de sang-froid » de la réputation des collègues et des confrères. C'est la maladie des personnes lâches qui n'ont pas le courage de parler directement ; ils parlent par-derrière. Saint Paul nous exhorte : « Agissez en tout sans murmures ni contestations, afin de vous rendre irréprochables et purs » (Ph 2, 14-18). Frères, gardons-nous du terrorisme des bavardages !

10. La maladie de diviniser les chefs : c'est la maladie de ceux qui courtisent les supérieurs, en espérant obtenir leur bienveillance. Ils sont victimes du carriérisme et de l'opportunisme, ils honorent les personnes et non Dieu (cf. Mt 23, 8-12). Ce sont des personnes qui vivent le service en pensant uniquement à ce qu'elles doivent obtenir et non à ce qu'elles doivent donner. Des personnes mesquines, malheureuses et guidées seulement par leur propre égoïsme funeste (cf. Ga 5, 16-25). Cette maladie pourrait affecter aussi les supérieurs quand ils courtisent certains de leurs collaborateurs pour obtenir leur soumission, leur loyauté et leur dépendance psychologique, mais le résultat final est une véritable complicité.

11. La maladie de l'indifférence envers les autres. Quand chacun pense seulement à soi-même et perd la sincérité et la chaleur des relations humaines. Quand le plus expert ne met pas sa connaissance au service des collègues moins experts. Quand on apprend quelque chose et qu'on le garde pour soi au lieu de le partager positivement avec les autres. Quand, par jalousie ou par ruse, on éprouve de la joie en voyant l'autre tomber au lieu de le relever et de l'encourager.

12. La maladie du visage funèbre. C'est-à-dire des personnes grincheuses et revêches, qui considèrent que pour être sérieuses il faut arborer un visage de mélancolie, de sévérité et traiter les autres – surtout ceux qui sont censés être inférieurs – avec rigidité, dureté et arrogance. En réalité, la

sévérité théâtrale et le pessimisme stérile sont souvent des symptômes de peur et de manque de confiance en soi. L'apôtre doit s'efforcer d'être une personne courtoise, sereine, enthousiaste et gaie qui transmet la joie où qu'elle se trouve. Un cœur plein de Dieu est un cœur heureux qui irradie et communique sa joie à tous ceux qui sont autour de lui : on le voit aussitôt ! Ne perdons donc pas cet esprit de joie, plein d'humour, et même d'autodérision, qui nous rend aimables, même dans les situations difficiles. Comme une bonne dose d'humour sain nous fait du bien ! Cela nous fera du bien de réciter souvent la prière de saint Thomas More : je la prie tous les jours, ça me fait du bien[1].

13. La maladie de l'accumulation : quand l'apôtre cherche à combler un vide existentiel dans son cœur, en accumulant des biens matériels, non par nécessité, mais seulement pour se sentir en sécurité. En réalité, nous n'emporterons rien de matériel avec nous parce que « le linceul n'a pas de poches » et tous nos trésors terrestres – même si ce sont des cadeaux – ne pourront jamais combler ce vide ; au contraire, ils le rendront toujours plus exigeant et plus profond. À ces personnes, le Seigneur répète : « Tu dis : me voilà riche, je me suis enrichi et je n'ai besoin de rien ; mais tu ne le vois donc

---

1. Voici cette savoureuse prière de Saint Thomas More (1478-1535), chancelier anglais du roi Henri VIII, béatifié par l'Église en 1886 et canonisé en 1935, qu'il faut citer en entier : « Donnez-moi, Seigneur, une bonne digestion et aussi quelque chose à digérer. Donnez-moi la santé du corps, avec le sens qu'il faut pour la garder au mieux. Donnez-moi une âme saine, Seigneur, qui conserve devant sa vue ce qui est bon et pur, afin que voyant le péché, elle ne s'épouvante pas, mais qu'elle trouve le moyen de redresser la situation. Donnez-moi une âme qui ne connaisse pas l'ennui, qui ignore le murmure le gémissement et le soupir. Et ne permettez pas que je me fasse trop de souci pour cette chose encombrante que j'appelle "moi". Seigneur, donnez-moi le sens de l'humour, donnez-moi la grâce de savoir discerner une plaisanterie pour que je tire quelque bonheur de la vie et que j'en fasse part aux autres. »

pas : c'est toi qui es malheureux, pitoyable, pauvre, aveugle et nu ?... Allons ! Un peu d'ardeur et convertis-toi » (Ap 3, 17-19). L'accumulation ne fait que nous alourdir et ralentir inexorablement notre chemin ! Et je pense à une anecdote : autrefois, les jésuites espagnols décrivaient la Compagnie de Jésus comme la « cavalerie légère de l'Église ». Je me souviens du déménagement d'un jeune jésuite qui, tandis qu'il chargeait sur un camion ses nombreux biens : bagages, livres, objets et cadeaux, a entendu un vieux jésuite qui l'observait, lui dire avec un sourire sage : c'est ça « la cavalerie légère de l'Église ? » Nos déménagements sont un signe de cette maladie.

14. La maladie des cercles fermés, où l'appartenance au groupe devient plus forte que celle au Corps et, dans certaines situations, au Christ lui-même. Même cette maladie aussi commence toujours par de bonnes intentions, mais avec le temps, elle asservit ses membres en devenant un cancer qui menace l'harmonie du Corps et cause beaucoup de mal – des scandales – spécialement à nos frères les plus petits. L'autodestruction, ou le « le tir ami », des frères d'armes est le danger le plus sournois. C'est le mal qui frappe de l'intérieur ; et, comme dit le Christ, « tout royaume divisé contre lui-même est dévasté » (Lc 11, 17).

15. Et la dernière : la maladie du profit mondain, des exhibitionnismes, quand l'apôtre transforme son service en pouvoir, et son pouvoir en marchandise pour obtenir des profits mondains ou plus de pouvoirs. C'est la maladie des personnes qui cherchent insatiablement à accroître leurs pouvoirs, et à cette fin ils sont capables de calomnier, de diffamer et de discréditer les autres, même dans des journaux et dans des revues. Naturellement pour s'afficher et se montrer plus capables que les autres. Cette maladie fait aussi beaucoup mal au Corps parce qu'elle conduit les personnes à justifier l'usage de n'importe quel moyen pour atteindre cet objectif, souvent

au nom de la justice et de la transparence ! Et ici, me vient à l'esprit le souvenir d'un prêtre qui appelait les journalistes pour leur raconter – et inventer – des choses privées et confidentielles de ses confrères et de ses paroissiens. Pour lui, seul comptait le fait de se voir en première page, parce qu'ainsi il se sentait « puissant et attachant », en causant tant de mal aux autres et à l'Église. Pauvre de lui !

Frères, ces maladies et ces tentations sont naturellement un danger pour tout chrétien et pour toute curie, communauté, congrégation, paroisse, mouvement ecclésial, et elles peuvent frapper au niveau individuel ou communautaire.

Il faut qu'il soit clair que c'est seulement l'Esprit-Saint – l'âme du corps mystique du Christ, comme l'affirme le Credo de Nicée et Constantinople : « Je crois en l'Esprit-Saint, qui est Seigneur et qui donne la vie » – qui guérit toute infirmité. C'est l'Esprit-Saint qui soutient tout effort sincère de purification et toute bonne volonté de conversion. C'est Lui qui nous fait comprendre que chaque membre participe à la sanctification du corps ou à son affaiblissement. C'est Lui le promoteur de l'harmonie : « *Ipse harmonia est* », dit saint Basile. Saint Augustin nous dit : « Tant qu'une partie adhère au corps, sa guérison n'est pas désespérée ; ce qui au contraire en est séparé, ne peut ni se traiter ni se guérir. »

La guérison est aussi le fruit de la conscience de la maladie et de la décision personnelle et communautaire de se soigner, en supportant le traitement avec patience et avec persévérance.

Nous sommes donc appelés – en ce temps de Noël et durant tout le temps de notre service comme de notre existence – à vivre « selon la vérité et dans la charité ; nous grandirons de toute manière vers Celui qui est la Tête, le Christ, dont le Corps tout entier reçoit concorde et cohésion par toutes sortes de jointures qui le nourrissent et l'actionnent selon le rôle de chaque partie, opérant ainsi sa croissance et se construisant lui-même, dans la charité » (Ep 4, 15-16).

Chers frères !

J'ai lu un jour que les prêtres sont comme les avions : on parle d'eux seulement lorsqu'ils tombent, mais il y en a beaucoup qui volent. Beaucoup les critiquent et peu prient pour eux. C'est une phrase très sympathique mais aussi très vraie, parce qu'elle indique l'importance et la délicatesse de notre service sacerdotal et quel mal pourrait causer à tout le corps de l'Église un seul prêtre qui « tombe ».

Donc, pour ne pas tomber en ces jours où nous nous préparons à la Confession, demandons à la Vierge Marie, Mère de Dieu et Mère de l'Église, de guérir les blessures du péché que chacun de nous porte dans son cœur, et de soutenir l'Église et la Curie afin qu'elles soient saines et porteuses d'assainissement ; saintes et sanctificatrices, à la gloire de son Fils et pour notre salut et celui du monde entier. Demandons-lui de nous faire aimer l'Église comme l'a aimée le Christ, son fils et notre Seigneur, et d'avoir le courage de nous reconnaître pécheurs, d'avoir besoin de sa Miséricorde et de ne pas avoir peur d'abandonner notre main dans ses mains maternelles.

Tous mes vœux de sainte fête de Noël à vous tous, à vos familles et à vos collaborateurs. Et, s'il vous plaît, n'oubliez pas de prier pour moi ! Merci de tout cœur !

L'hommage du pape François
au père Jacques Hamel

Salle Paul VI
14 septembre 2016

Dans la Croix de Jésus-Christ – aujourd'hui, l'Église célèbre la fête de la Croix de Jésus-Christ – nous comprenons pleinement le mystère du Christ, ce mystère d'annihilation, de proximité pour nous. « Lui, ayant la condition de Dieu, ne retint pas jalousement le rang qui l'égalait à Dieu. Mais il s'est anéanti, prenant la condition de serviteur, devenant semblable aux hommes. Reconnu homme à son aspect, il s'est abaissé, devenant obéissant jusqu'à la mort, et la mort de la croix » (Ph 2, 6-8).

Ceci est le mystère du Christ. Ceci est un mystère qui se fait martyr pour le salut des hommes. Jésus-Christ, le premier Martyr, le premier qui donne la vie pour nous. Et à partir de ce mystère du Christ commence toute l'histoire du martyre chrétien, des premiers siècles jusqu'à aujourd'hui.

Les premiers chrétiens ont fait la confession de Jésus-Christ, en le payant avec leur vie. Aux premiers chrétiens était proposée l'apostasie, c'est-à-dire : « Dites que notre dieu est le vrai, et non pas le vôtre. Faites un sacrifice à notre dieu, ou à nos dieux. » Et quand ils ne faisaient pas cela,

316

quand ils refusaient l'apostasie, ils étaient tués. Cette histoire se répète jusqu'à aujourd'hui ; et aujourd'hui dans l'Église il y a plus de martyrs chrétiens qu'aux premiers temps. Aujourd'hui, il y a des chrétiens assassinés, torturés, emprisonnés, égorgés parce qu'ils ne renient pas Jésus-Christ. Dans cette histoire, nous arrivons à notre père Jacques : lui, il fait partie de cette chaîne des martyrs. Les chrétiens qui souffrent aujourd'hui, que ce soit en prison, que ce soit avec la mort ou les tortures, pour ne pas renier Jésus-Christ, font voir justement la cruauté de cette persécution. Et cette cruauté qui demande l'apostasie, disons le mot : elle est satanique. Et comme il serait bien que toutes les confessions religieuses disent : «Tuer au nom de Dieu est satanique. »

Le père Jacques Hamel[1] a été égorgé sur la Croix, justement pendant qu'il célébrait le sacrifice de la Croix du Christ. Un homme bon, doux, de fraternité, qui cherchait toujours à faire la paix, a été assassiné comme s'il était un criminel. Ceci est le fil satanique de la persécution. Mais il y a une chose, en cet homme qui a accepté son martyre là, avec le martyre du Christ, à l'autel, il y a une chose qui me fait beaucoup réfléchir : au milieu du moment difficile qu'il vivait, au milieu aussi de cette tragédie que lui, il voyait venir, un homme doux, un homme bon, un homme qui faisait de la fraternité, n'a pas perdu la lucidité d'accuser et de dire clairement le nom de l'assassin, et il a dit clairement : «Va-t'en, Satan ! » Il a donné la vie pour nous, il a donné la vie pour ne pas renier Jésus. Il a donné la vie dans le sacrifice même de Jésus sur l'autel, et de là, il a accusé l'auteur de la persécution : «Va-t'en, Satan ! »

------

1. Rappelons que le père Jacques Hamel, 85 ans, prêtre de l'archidiocèse de Rouen, a été égorgé par deux jeunes fanatiques islamistes alors qu'il célébrait la messe dans l'église Saint-Étienne-du-Rouvray, le 26 juillet 2016.

Et que cet exemple de courage, mais aussi le martyre de la propre vie, de se vider de soi-même pour aider les autres, de faire de la fraternité entre les hommes, nous aident nous tous à aller de l'avant sans peur. Que lui, du Ciel, – parce que nous devons le prier, c'est un martyr ! Et les martyrs sont bienheureux, nous devons le prier – nous donne la douceur, la fraternité, la paix, et aussi le courage de dire la vérité : tuer au nom de Dieu est satanique.

Table

Prologue 11

Chapitre 1. Un retour à Buenos Aires 21
Chapitre 2. Prophétie à Rome 35
Chapitre 3. La longue traversée 45
Chapitre 4. Coups et blessures d'un jésuite 65
Chapitre 5. L'indicible soupçon 91
Chapitre 6. Les combats d'un cardinal 123
Chapitre 7. Les derniers secrets 147
Chapitre 8. Que le spectacle commence 171
Chapitre 9. Zizanies vaticanes ! 193
Chapitre 10. Les ennemis de l'ombre 237
Chapitre 11. Objectif : abattre le pape 261

Épilogue 281
Bibliographie sélective 293
Remerciements 295
Annexes 299
   Premiers propos tenus par le pape François
     aux cardinaux qui l'ont élu 301
   Discours des « quinze maladies » de la Curie romaine 304
   L'hommage du pape François au Père Jacques Hamel 316

Imprimé en France par CPI
en mars 2017

NORD COMPO
m u l t i m é d i a

Composition et mise en pages
Nord Compo à Villeneuve-d'Ascq

Dépôt légal : février 2017
N° d'édition : L.01ELKN000613.A002
N° d'impression : 140711